D0585825

VAL MCDERMID

BLINDE OBSESSIE

SIJTHOFF

Uitgeverij Sijthoff en Drukkerij HooibergHaasbeek vinden het belangrijk om op milieuvriendelijke en verantwoorde wijze met natuurlijke bronnen om te gaan

© 2011 Nederlandse vertaling

Uitgeverij Luitingh ~ Sijthoff B.V., Amsterdam

Alle rechten voorbehouden

Oorspronkelijke titel: *Trick of the Dark*

Vertaling: Annemieke Oltheten

Omslagontwerp: Wouter van der Struys / Twizter.nl

Omslagfotografie: Irene Lamprakou / Arcangel Images / Hollandse Hoogte

ISBN 978 90 218 0459 0

ISBN e-book 978 90 218 0552 8

NUR 305

www.boekenwereld.com

www.uitgeverijsijthoff.nl

www.watleesjij.nu

Ter nagedachtenis aan Mary Bennett (1913 – 2005) en
Kathy Vaughan Wilkes (1946 – 2003) – vriendinnen,
docenten en steunpilaren. Ik maak nog steeds gebruik van
de deuren die zij hebben geopend.

Ik had over haar gehoord.
Hoe ze altijd, altijd.
Hoe ze nooit, nooit.
Ik wist het, ik was gewaarschuwd
Maar ik ging voor de bijl,
Hoe ze altijd, altijd.
Hoe ze nooit, nooit.

uit 'Her'
van Jackie Kay

Wat is jouw vroegste herinnering? Ik bedoel niet iets wat je al zo vaak hebt horen vertellen dat het aanvoelt als een herinnering. Ik heb het over het eerste wat je met de ogen van een kind in je hebt opgenomen. Een herinnering als peuter, een herinnering die je niet in woorden kunt vatten, een goudeerlijk stukje emotie waardoor je nog steeds volledig van je stuk kunt raken. Het herinnerde moment dat de sleutel vormt tot wat jou voor altijd heeft gevormd.

Het beeld dat ik me herinner wordt doorsneden door smalle houten spijlen die er verticaal doorheen lopen. Het zou om een wiegje of een box kunnen gaan. Ik weet niet meer precies waar ik op sta. Wel zie ik mijn handen die de spijlen stevig omklemmen, met kleine vingers die nog mollig zijn, als de vingertjes van een peuter. Mijn nagels vertonen rouwrandjes en er hangt een heel speciale lucht. In de loop van vele jaren ben ik erachter gekomen dat het een mengeling is van oude urine, marihuana, alcohol en ongewassen lijven. Zelfs nu nog, als ik me onder de daklozen begeef die de grote steden van de wereld bevolken, voel ik me getroost door de lucht die de meeste mensen afstotend vinden. De thuislozen ruiken voor mij naar thuis.

Ik vertoon uitstelgedrag. Merk je dat? De kern van de herinnering doet me namelijk nog steeds tot in het diepst van mijn ziel huiveren.

Voor mijn ogen speelt er zich een film af die door de spijlen in vakjes wordt gesneden. Mijn moeder heeft een heloranje jurk aan en de man houdt de voorkant van de jurk vast in zijn knuist. Hij schudt mijn moeder heen en weer, zoals een hond dat doet met een rat of een konijn. Hij schreeuwt tegen haar. Ik weet niet wat hij schreeuwt; het is een onregelmatige waterval van hevig geluid. Ze huilt, mijn moeder. Telkens als ze iets probeert te zeggen, geeft hij haar met zijn andere hand een harde klap. Haar hoofd zwiept op en neer alsof het aan een veer vastzit. Er druppelt een straaltje bloed uit een neusgat. Haar handen proberen hem weg te duwen, maar hij merkt het niet eens, hij is zoveel sterker.

Dan glijdt een van haar handen naar beneden, drukt tegen de voorkant van zijn broek, en streelt hem door de stugge, vieze spijkerstof heen. Ze laat zich tegen hem aan vallen, dicht tegen hem aan, zodat het moeilijker voor hem is om haar te slaan. Hij houdt op met schreeuwen, maar hij heeft haar nog steeds vast bij haar blouse. Hij rukt haar rok omhoog en duwt haar op de grond en maakt haar nog steeds aan het huilen. Maar het klinkt wel anders.

Dat is mijn vroegste herinnering. Ik wou dat het de ergste was.

DEEL EEN

Dinsdag

Onder normale omstandigheden zou Charlie Flint alles wat de media berichtten over de berechting van de moordenaars van Philip Carling interessant hebben gevonden. Het was niet helemaal het soort moord dat in haar straatje paste, maar er waren goede redenen waarom juist deze zaak haar interesse zou hebben gewekt. Maar op dit moment was er niets normaal. Haar beroepsleven lag in duigen. De verwoesting van haar reputatie, het verbod om het enige te doen waar ze ooit goed in was geweest en de aanhoudende dreiging van gevangenisstraf zouden alleen al voldoende zijn geweest om Charlie af te leiden van de verhalen in het nieuws. Maar er was meer.

Het belangrijkste nieuws in de belevingswereld van Charlie Flint was het feit dat ze verliefd was en dat ze het absoluut niet leuk vond. En dat was de echte reden waarom ze geen aandacht had voor allerlei zaken die haar normaal gesproken hevig zouden hebben geïnteresseerd.

De naalden van de krachtige douche op haar schouders en rug voelden aan als verdiende straf. Ze probeerde ergens anders aan te denken, maar haar hoofd noch haar hart trapten erin. Die morgen dacht Charlie, net als elke morgen de afgelopen zes weken, alleen maar aan Lisa Kent. Naarmate de uren verstreken kon ze haar aandacht meestal wel weer op de zaken richten die er echt toe deden. Maar zo vroeg in de morgen, voordat ze zich weer had kunnen wapenen tegen het leven, kon ze aan niets anders denken dan aan die verdomde Lisa Kent. En dat is nu net het punt, dacht ze verbitterd. Een slechte timing, niets gemeenschappelijks, en verdorie ook nog de verkeerde vrouw.

Ze had al zeven jaar een relatie met Maria. En alsof het nog niet erg genoeg was dat ze verscheurd werd door schuldgevoelens, was er nu ook nog de gênante situatie dat Charlie precies volgens het aloude cliché leefde. Want na zeven jaar begint het te kriebelen, nietwaar? Ze had niet eens geweten dat er ergens gekrabd moest worden, totdat Lisa haar leven binnen was geglipt. Maar het was veel erger dan een beetje jeuk. Het was een hevige irritatie, een obsessieve ontregeling die haar leven pardoes was binnengedrongen. Elke ogenschijnlijk onschuldige gebeurtenis of opmerking kon opeens worden beheerst door het beeld van Lisa's doordringende blik of de naklank van haar lome lach.

'Verdomme,' zei Charlie. Met een woest gebaar duwde ze haar zilver-zwarte haren uit haar gezicht. Ze draaide bruusk aan de kraan van de douche om hem uit te doen en stapte uit de douchecabine.

Maria ving haar blik in de spiegel van het badkamerkastje. Door het geluid van de douche had Charlie haar niet binnen horen komen. 'Wordt het een slechte dag?' vroeg ze meelevend. Ze hield even op met het aanbrengen van de mascara die haar kastanjebruine ogen expressiever moest doen uitkomen.

'Ik denk het wel, ja,' zei Charlie zo onverschillig mogelijk om haar schrik te verbergen. 'Ik kan me niet herinneren wanneer ik voor het laatst een goede dag heb gehad.' Wat had ze in de douche eigenlijk hardop gezegd? Hoe lang had Maria daar al gestaan?

Maria vertrok haar mond in een wrang meeleven, en terwijl ze haar golvende bruine haren met wax bewerkte, wierp ze een kritische blik op haar gezicht. 'Ik moet naar de kapper,' zei ze verstrooid, waarna ze haar aandacht weer op haar partner richtte. 'Ik vind het zo vervelend voor je, Charlie. Ik wou dat ik iets kon doen.'

'Ik ook.' Een onbehouwen reactie, maar meer had Charlie op dat moment niet in huis. Ze dwong zich om weer normaal te doen, terwijl ze met de handdoek over haar haren wreef. Het probleem bij verliefd worden – nee, een van de *vele* problemen bij verliefd worden als je al een liefdevolle relatie had die je eigenlijk niet wilde beëindigen – was dat je er een enorme aanstelster van werd. Het moest allemaal over jou gaan. Maar in feite had Maria niets anders gehoord dan de jammerklacht van een in ongenade geraakte forensische psychiater met een onzekere toekomst. Een talentvolle vakvrouw die op een doodlopend zijspoor was gezet om alle verkeerde redenen. Maria koesterde geen enkele verdenking.

Overspoeld door een nieuwe golf van schuldgevoel boog

Charlie zich naar voren en zoende Maria in haar nek. Merkwaardig genoeg was ze toch blij toen ze zag dat haar geliefde onwillekeurig huiverde. 'Let maar niet op mij,' zei ze. 'Je weet hoe heerlijk ik het vind om te mogen surveilleren bij examens.'

'Ik weet het. Het spijt me. Het is ver beneden je stand.'

Charlie meende een zweem van medelijden te horen in Maria's stem en dat vond ze vreselijk. Misschien was ze gewoon te achterdochtig, maar dat deed er niet toe. Ze vond het vreselijk dat ze in een positie zat waar medelijden überhaupt mogelijk was. 'Wat ik nog het ergste vind, is dat het me geen enkele moeite kost. Er blijven te veel hersencellen onbenut die nu kunnen gaan piekeren over alles wat ik liever zou doen. Nee, verdorie, wat ik eigenlijk zou moeten doen.' Ze was nu helemaal droog geboend en hing de handdoek weer netjes terug over de stang. 'Ik zie je zo beneden.'

Vijf minuten later, gekleed in een frisse witte katoenen blouse en een zwarte spijkerbroek, ging ze aan de ontbijttafel zitten die ze alvast had gedekt toen Maria zich nog aan het douchen was. In de emotionele chaos waarin Charlie zich bevond was hun ochtendritme nog steeds een geruststellend vast ritueel. Zelfs op de dagen dat ze niet hoefde te werken, dwong ze zichzelf om op de gewone tijd op te staan en alle dingen te doen die ze altijd had gedaan. Zoals gewoonlijk was Maria haar geroosterde bruine boterham aan het besmeren met Marmite. Ze wees met haar mes naar een grote dikke envelop naast het schaaltje waarin de twee stukken Weetabix van Charlie lagen. 'De post is geweest. Ik snap nog steeds niet waarom je die dingen lekkerder vindt dan cornflakes,' voegde ze eraan toe. Ze wees met haar mes naar de graanrepen. 'Het zijn net inlegkruisjes voor masochisten.'

Charlie proestte het uit. Maar meteen daarna was het schuldgevoel weer terug. Als Maria haar nog steeds zo aan het lachen kon maken, hoe kon ze dan verliefd zijn op Lisa? Ze pakte de envelop. Het adres op het etiket, uitgeprint op een computer, zei haar niets, maar dat het afgestempeld was in Oxford gaf haar een misselijk gevoel. Lisa zou toch niet... Ze was goddomme therapeut, ze zou toch niet aan de ontbijttafel een bom laten ontploffen? Of wel? Hoe goed kende Charlie haar eigenlijk? Helemaal in paniek bleef ze even verstijfd aan tafel zitten.

Maria verbrak de betovering met de vraag: 'Iets interessants?'

'Ik zou niet weten wat.'

'Dan kun je het maar beter openmaken, want ik ga ervan uit dat je geen röntgenogen hebt.'

'Nee. Mijn dagen als Supergirl liggen ver achter me.' Charlie wist op de een of andere manier de envelop open te krijgen zonder Maria de kans te geven iets van de inhoud te zien. Verbaasd keek ze neer op een stapeltje fotokopieën. Ze liet ze voorzichtig uit de envelop glijden. Ze leken zo op het oog niets bedreigends te bevatten, maar ze snapte er niets van. 'Merkwaardig,' zei Charlie.

'Wat zit erin?'

Charlie bladerde met gefronst voorhoofd door de stapel papier. 'Krantenartikelen. Over een moordzaak in de Old Bailey.'

'Een oude zaak?'

'Het speelt nog steeds, geloof ik. Ik heb er al ergens iets over gelezen. Die twee snelle types die hun zakenpartner op zijn huwelijksdag hebben vermoord. In St. Scholastika's, mijn oude College in Oxford. Dat is de enige reden waarom ik het heb onthouden.'

'Je hebt het erover gehad, dat weet ik nog. Ze hebben hem verdronken in de rivier bij het botenhuis of zoiets, hè?'

'Dat klopt. In mijn tijd deden ze die dingen niet.' Charlie wist nauwelijks wat ze zei, want haar aandacht was bij de krantenknipsels.

'Wie heeft je dit opgestuurd? Waar gaat dit over?'

Charlie haalde haar schouders op, maar haar belangstelling was gewekt. 'Dat weet ik niet. Geen flauw idee.' Ze keek de knipsels nog eens door om te zien of er ergens iets van een afzender stond.

'Is er geen brief bij?'

Charlie keek nog eens in de envelop. 'Nee. Alleen de fotokopieën.' Als Lisa hierachter zat, was het volledig onbegrijpelijk. Misschien was het als therapie bedoeld of als liefdesverklaring. Charlie snapte er niets van.

'Een raadsel dus,' zei Maria. Ze slikte het laatste stukje toast door, stond op en zette haar vuile bord in de afwasmachine. 'Een beetje beneden jouw stand, maar je kunt in ieder geval je onderzoekstalent weer eens in praktijk brengen.'

Charlie liet een laatdunkend geluidje horen. 'Je bedoelt zeker dat ik er tijdens het surveilleren mijn gedachten over kan laten gaan.'

Maria boog zich voorover en gaf Charlie een zoen op haar kruin. 'Ik zal er ook eens over nadenken als ik mijn patiënten op de martelbank heb liggen.'

Charlie vertrok haar gezicht in een grimas. 'Zeg dat alsjeblieft niet. Niet als je me ooit nog een keer wilt behandelen.'

'Wat? Patiënten die op de martelbank liggen?'

'Nee, suggereren dat jouw aandacht bij iets anders is dan bij het boren van kiezen. De gedachte alleen al maakt me doodsbenauwd.'

Maria grijnsde, waarbij ze uiteraard een volmaakt gebit liet zien. 'Schijtlaars,' plaagde ze. Ze liep heupwiegend de keuken uit en ten afscheid wuifde ze nog even. Charlie staarde haar wezenloos na, totdat ze de voordeur hoorde dichtslaan. Toen deed ze met een diepe zucht de twee repen Weetabix weer terug in het pak en zette haar schaaltje in de afwasmachine.

'Je kunt verrekken, Lisa,' zei ze binnensmonds. Ze stopte de papieren weer in de envelop en liep met grote passen de keuken uit.

2

Toen ze op weg naar huis tegen de stroom mensen in liep die naar hun werk gingen, moest Magdalene Newsam denken aan haar jaren als arts-assistent. Dat gevoel van onthechting, van niet in de maat lopen met de rest van de wereld, had haar altijd weer opgepept aan het eind van de zoveelste uitputtende dag. Soms was ze zo moe dat haar vingers trilden als ze de sleutel in het sleutelgat duwde, maar in ieder geval was ze anders dan de rest van de kudde. Ze had een weg gekozen die niet doorsnee was.

Nu ze eraan terugdacht, voelde ze medelijden met de vroegere Magda. Het leek wat zielig om je vast te klampen aan zoiets onbenulligs als een bewijs van je individualiteit. Maar in die periode van haar leven waren er zoveel onbenutte kansen dat ze zichzelf er op alle mogelijke manieren van moest overtuigen dat ze nog een greintje zelfstandigheid bezat.

Ze kon een glimlach niet onderdrukken. Alles was nu zo anders. De reden waarom ze zich nu een weg zocht tussen de mensen die met gebogen hoofd over straat liepen, op weg naar de ondergrondse, leek in niets op de uitleg van vroeger. Geen werk, maar plezier. De halve nacht wakker blijven, niet vanwege een patiënt in nood, maar omdat zij en haar geliefde elkaar nog steeds even onweerstaanbaar vonden als in het begin. De halve nacht wakker en niet moe maar euforisch, met een lichaam dat uitgeput was van de liefde en niet van de aanblik van de pijn van andere mensen.

Er verschenen een paar barstjes in het oppervlak van haar geluksgevoel toen ze Tavistock Square op liep en tegenover het imposante gebouw van portlandsteen stond waarin ze nog steeds woonde. Een chic appartement met drie slaapkamers, hartje Londen en maar een paar minuten lopen van haar werk, het was iets waar haar collega-artsen alleen maar van konden dromen. Zij moesten het doen met een veel te kleine woonruimte in het centrum of met een iets minder kleine behuizing in voorsteden die veel te ver van hun werk lagen. Maar het huis van Magda was een luxe toevluchtsoord, een plek gekozen om een comfortabele en troostende ontsnapping te vormen aan alles waar de buitenwereld haar mee confronteerde.

Philip had er per se willen wonen. Zijn Magda verdiende het allerbeste. Ze konden het zich veroorloven, had hij benadrukt. 'Ja, dat geldt voor jou,' had ze gezegd. Ze durfde nauwelijks te erkennen dat als ze dit als hun huis accepteerde, dat tegelijk inhield dat ze ook haar afhankelijkheid accepteerde. En dus hadden ze een verzameling appartementen bekeken die Magda het gevoel hadden gegeven dat ze vadertje en moedertje speelde. Hun uiteindelijke keus was het huis dat haar nog het meest echt voorkwam en het minst als een fantasie. De traditionele kenmerken deden in veel opzichten denken aan het grote, rommelige victoriaanse huis in Noord-Oxford waarin ze was opgegroeid. Het agressief moderne karakter van de andere huizen was haar wezensvreemd geweest. Het was onvoorstelbaar om ergens te wonen waar het eruitzag als in een artikel uit een tijdschrift.

Magda had een heel andere voorstelling gehad van het wennen aan het samenwonen. Philip was al vermoord voordat hij erachter was hoe je in het donker van het bed naar de badkamer moest komen. Magda had geen kans gehad om te wennen aan gesprekken aan het ontbijt en gezellige avonden samen. Dat ze in haar hart wel eens moest toegeven dat ze zich daar eigenlijk opgelucht over voelde, gaf haar een gevoel van schaamte en schuld waarvan ze vervolgens een donkere blos op haar wangen kreeg. Kennelijk was een leven dat in de ogen van een deel van de buitenwereld immoreel was nog een beetje te veel van het goede voor haar.

Maar ze deed haar best. Als ze eerlijk was, vond ze het fijn na een nacht met Jay thuis te komen in haar appartement. Het had wel iets lekker ranzigs om je bed uit te rollen en de kleren van de dag ervoor aan te doen, iets hoerigs om ongewassen dwars door Londen te lopen in de wetenschap dat ze naar seks en naar zweet rook. Ze hadden lang voor de rechtszaak afgesproken dat ze niet konden gaan samenwonen totdat alles helemaal achter de rug was. Jay vond dat ze met hun gedrag niet de aandacht van de schuld van anderen moesten afleiden. Het was absoluut niet zo dat ze hun relatie probeerden te verdoezelen. Ze zagen gewoon in dat ze het maar beter niet van de daken moesten schreeuwen.

Dus ging Magda 's morgens alleen naar huis. Vieze kleren in de wasmand, vies lichaam onder de douche. Koffie, sinaasappelsap, beschuitbol rechtstreeks uit de diepvries de broodrooster in en daarna besmeren met een dun laagje pindakaas. Het zoveelste zedige mantelpakje voor de rechtbank. En weer een dag dat ze Jay moest missen en wou dat ze bij haar was.

Het was niet zo dat ze de drukkende sfeer van de imposante Old Bailey alleen moest trotseren. Haar broers en haar zusje hadden een soort rooster gemaakt, waarin stond dat er minstens een deel van elke procesdag een van hen bij haar was. Gisteren was Patrick erbij geweest, met een donker, dreigend gezicht. Hij had duidelijk last van het plichtsbesef ten opzichte van de grote zus die altijd voor hem had gezorgd. Het hield hem nu weg van zijn kantoor in de City. Vandaag was het Catherine, de jongste van het gezin, die haar studie antropologie even in de steek liet om Magda terzijde te staan. Catherine, die in de familie Wheelie werd genoemd vanwege haar voorliefde voor *Catherine wheels*, een vuurwerk dat begin november overal wordt afgestoken. 'Wheelie vindt het tenminste nog fijn dat ze me ziet,' zei Magda in de badkamer tegen haar wazige spiegelbeeld. En het was ontegenzeggelijk waar dat Catherine, die altijd opgewekt door het leven ging, haar zou helpen de dag door te komen. Magda voelde zich niet prettig als ze te lang alleen was. Ze was opgegroeid als oudste van vier kinderen die vlak na elkaar kwamen. Dankzij het leven op studentenkamers, en daarna het ziekenhuisleven waren er altijd mensen om haar heen geweest. Ze was Jay om veel redenen dankbaar, maar vooral omdat ze nu niet eenzaam hoefde te zijn.

Magda stak haar lichtbruine haren netjes op, met bewegingen die ervaren en automatisch waren. Ze wierp zichzelf een kritische blik toe, en verbaasde zich erover dat ze er nog steeds hetzelfde uitzag. Dezelfde wijd geopende ogen, dezelfde openhartige blik, dezelfde rechte lijn van de lippen. Eigenlijk was dat wel vreemd.

Een losse streng haar ontsnapte aan de spelden en krulde over haar voorhoofd. Ze moest denken aan een versje uit haar jeugd, een versje waar Catherine altijd om moest giechelen:

Er was eens een meisje
Die had een leuk lokje
Dat lokje dat leek wel van goud
En als ze braaf was
Was ze braver dan braaf
Maar meestal was ze heel stout.

Voor zover ze wist, was Magda haar hele leven heel erg braaf geweest.

Maar nu niet meer.

3

Onderwerp: Ruby Tuesday
Datum: 23 maart 2010 09:07:29 GMT
Van: cflint@mancit.ac.uk
Aan: lisak@arbiter.com

Goedemorgen. De zon schijnt hier. Toen ik vanmorgen de deur opendeed, viel mijn oog op een explosie van blauwe irissen die er gisteren nog niet was. Het verjoeg bijna het sombere vooruitzicht dat ik moest surveilleren bij honderdtwintig rechtenstudenten zodat ze bij hun tentamen Overdrachtsrecht niet zouden spieken. Maar niet helemaal. Al die stompzinnige baantjes die ik op het moment moet accepteren, doen me denken aan waar ik me eigenlijk mee bezig zou moeten houden. Waar ik voor ben opgeleid. Waar ik goed in ben

Vanmorgen lag er op de ontbijttafel een vreemd pakketje met een poststempel uit Oxford zonder begeleidende brief. Moet dat humor voorstellen? Zo ja, dan moet je me de grap maar eens uitleggen. Maar jij bent een Schorpioen, hè, en die begrijp ik niet altijd.

Ik wou dat ik in Oxford was; we zouden van Folly Bridge naar Iffley kunnen wandelen en dingen zeggen die we niet opschrijven. Ik zou zelfs iets voor je kunnen zingen.

Liefs, Charlie
Met mijn iPhone verzonden

Onderwerp: Ruby Tuesday
Datum: 23 maart 2010 09:43:13 GMT
Van: lisak@arbiter.com
Aan: cflint@mancit.ac.uk

Hoi Charlie

<De zon schijnt hier> maar helaas niet hier, dus zelfs al was je in Oxford, dan zouden we iets leukers moeten bedenken dan een natte wandeling langs de rivier. Maar ik denk niet

dat we daar veel moeite mee zouden hebben. Het lukt je altijd om mij op te vrolijken, zelfs op de grijze dagen.

<Een explosie van blauwe irissen> Wat poëtisch! Misschien moet je eens vragen of ze bij Creatief Schrijven geen plaatsje voor je hebben. Al die romans over seriemoordenaars en profielschetsers – daar weet jij alles van, je zou ze mooi een lesje kunnen leren. Arme jij. Dichters zouden niet hoeven te surveilleren bij tentamens!

<Vreemd pakketje> heeft helaas niets met mij te maken. Je hebt hier in Oxford vast nog een geheime bewonderaar. Wat zat er trouwens in?

Hier is niet veel te melden. Vanmorgen zou ik eigenlijk moeten werken aan 'Het Programma'. In het begin toen ik het idee kreeg voor 'Ik Ben Niet Oké, Jij Bent Niet Oké; Omgaan Met Kwetsbaarheid' had ik geen idee dat het mijn hele leven zou gaan beheersen.

Ik denk aan je. Ik wou dat we konden wegrennen en spelen.

LKX

Onderwerp: Het is een raadsel
Datum: 23 maart 2010 13:07:52 GMT
Van: cflint@mancit.ac.uk
Aan: lisak@arbiter.com

Nog een geheime bewonderaar? Dat denk ik toch niet.:-) Trouwens, eentje zou al meer dan genoeg zijn, als het maar de ware is. Alleen, als het niet van jou is, van wie dan? De enige andere mensen die ik ken in Oxford zijn een stuk of wat wetenschappers in St. Scholastika's van wie ik nog les heb gehad, en ik zou niet weten waarom een van hen me een pakketje krantenknipsels zou opsturen over een moordzaak die nog onder de rechter is. Tenzij iemand in de foute veronderstelling verkeert dat het me beroepsmatig zou interesseren vanwege de link met Schollie's. Stel dat dat zo is, dan is het iemand die niet op de hoogte is van mijn huidige status als paria in de wereld van de klinische psychiatrie.

Ik heb een paar van de artikelen voor je gescand 'tot lering ende vermaak'. Dan weet je tenminste waar ik het over heb. Ik hoop dat je opschiet met het programmeren van de cursussen. Ik snap niet waar je de energie vandaan haalt. Als ik straks alleen nog maar studenten mag onderwijzen in wat ik vroeger zo goed kon, zal ik ze allemaal op een van jouw weekendcursussen sturen, dan kunnen ze leren hun empathische vermogens te ontwikkelen.

Wat jammer dat je er geen mooi weer bij hebt.

Liefs, Charlie

Uit de *Daily Mail*

DE VERMOORDE BRUIDEGOM

Twee whizzkids uit Londen hebben hun zakenpartner op zijn huwelijksdag vermoord. Gisteren hebben ze in de Old Bailey getuigd dat ze zich daarna hebben overgegeven aan een wilde nacht vol seks.

Het hof kreeg te horen dat het boosaardige tweetal de schedel van Philip Carling heeft ingeslagen en hem toen heeft laten verdrinken op slechts een paar meter afstand van de gasten die in het College in Oxford zijn huwelijk aan het vieren waren.

Geschokte bruiloftsgasten die een romantisch wandelingetje gingen maken langs de rivier troffen het lichaam van de bruidegom aan, drijvend bij de plaats waar de punters van het College lagen aangemeerd. Bloed van zijn in elkaar geslagen schedel kleurde het water rood.

Paul Barker, 35, en Joanne Sanderson, 34, worden moord en fraude ten laste gelegd. Ze waren samen met hun slachtoffer mede-eigenaar van een gespecialiseerde drukkerij, wat hun unieke toegang verleende tot vertrouwelijke informatie uit de financiële wereld. Carling, 36, had kennelijk het dreigement geuit om Barker en Sanderson aan de kaak te stellen als doortrapte fraudeurs die hun zakken vulden door middel van handel met voorkennis.

De officier van justitie voert aan dat de twee samenzweerders Carling afgelopen juli een paar uur na zijn huwelijk het zwijgen hebben opgelegd, waarna ze zich de rest van de nacht te buiten gingen aan wilde en luidruchtige seks.

Carlings weduwe, Magdalene, 28, was gisteren in de rechtszaal toen officier van justitie Jonah Pollit de details schetste van het bedrieglijke complot dat de zakenpartners van haar man tot uitvoer brachten op het terrein van St. Scholastika's College in Oxford.

Terwijl vrienden en familie van het gelukkige paar feestvierden met champagne en gerookte zalm, was het koelbloedige koppel bezig de bruidegom te vermoorden. Kort voordat Carling en zijn vrouw zouden vertrekken voor hun huwelijksreis naar het Caribisch gebied werd hij vermist.

Het hof kreeg te horen hoe Barker en Sanderson drie jaar geleden door Carling aan elkaar waren voorgesteld. Niet lang daarna kregen ze een relatie. Een jaar later gaf Sanderson haar baan als zakenbankier op en voegde ze zich bij het bedrijf van Carling en Barker als directeur Verkoop en Marketing.

Volgens het openbaar ministerie zijn ze meteen daarna begonnen met de zwendelarij waarbij ze nietsvermoedende beleggers honderdduizenden ponden afhandig hebben gemaakt. Daarbij maakten ze gebruik van contacten van Sanderson om op de beurs hun geldgraaierij op poten te zetten. Philip Carling was hier niet van op de hoogte. Het ontdekken van de waarheid heeft hem zijn leven gekost.

Het proces wordt vervolgd.

Uit de *Guardian*

OPENBARING VAN HANDEL MET VOORKENNIS

Twee directeuren van een drukkerij gespecialiseerd in vertrouwelijke documenten met betrekking tot overnames in de bankwereld hebben hun voorkennis gebruikt om een serie fraudes te plegen die hun honderdduizenden ponden heeft opgeleverd buiten medeweten van hun zakenpartner, zo werd gisteren verklaard tegenover het gerechtshof de Old Bailey.

Paul Barker, 35, en Joanne Sanderson, 34, staan terecht op beschuldiging van fraude en van de moord op hun zaken-partner, Philip Carling, die dreigde hen aan te geven bij de financiële waakhonden en bij de politie. Carling, 36, stierf slechts een paar uur na zijn huwelijk, op maar een paar me-ter afstand van de plek waar de receptie in volle gang was.

Als getuige van het openbaar ministerie vertelde inspecteur Jane Morrison van het Serious Fraud Office gisteren aan het hof dat hun boze opzet aan het licht was gekomen dank-zij informatie die verkregen was van de weduwe van de ver-moorde man.

Magdalene Carling was na de tragische dood van haar man samen met een vriendin zijn persoonlijke eigendommen aan het doornemen toen ze stuitten op een USB-stick waarop bijzonderheden stonden over de frauduleuze praktijken van Barker en Sanderson. Ook vonden ze concepten van brie-ven aan de Kamer van Koophandel en Industrie en aan de politie, waarin melding werd gemaakt van de handel met voorkennis alsmede van meneer Carlings wens om zijn naam te zuiveren, ook al hield dat in dat hij belastende ver-klaringen over zijn zakenpartners af moest leggen.

Inspecteur Morrison: 'In de brieven is duidelijk te lezen hoe geschokt hij was toen hij ontdekte wat zijn zakenpartners in hun schild hadden gevoerd. Er werd in verwezen naar zijn huwelijk en dat hij zijn huwelijksleven met een scho-ne lei wilde beginnen. Voor zover we hebben kunnen ont-dekken is hij gestorven voordat de brieven konden worden verzonden, waarschijnlijk omdat Barker en Sanderson de zaak niet aan het licht wilden laten komen.

Namens de verdediging vroeg advocaat Ian Cordier hoe het mogelijk was dat meneer Carling niets af wist van bedrog op een dergelijke schaal in zo'n klein bedrijf waarvan hij ook nog zakenpartner was.

Inspecteur Morrison zei dat gezien de manier waarop de

verantwoordelijkheden waren gestructureerd na de komst van mevrouw Sanderson, het zeer onwaarschijnlijk was dat meneer Carling zou hebben ontdekt wat er gaande was bij het dagelijks runnen van het bedrijf. Het was geen bijzonder ingenieus of ingewikkeld plan, voegde ze eraan toe, maar het was duidelijk dat meneer Carling er niets mee te maken had.

Het proces wordt vervolgd.

Uit de *Daily Mirror*

WREDE MOORDENAARS HADDEN URENLANG SEKS

In de Old Bailey was gisteren te horen hoe twee directeuren van een bedrijf, die beschuldigd worden van moord op hun zakenpartner op zijn huwelijksdag, de nacht na zijn dood hebben besteed aan een partijtje luidruchtige seks.

Steven Farnham, ook te gast op de noodlottige bruiloft van Philip en Magdalene Carling, logeerde in de hotelkamer naast die van de vermeende moordenaars, Paul Barker, 35, en de 34-jarige Joanne Sanderson.

Hij zei: 'Er was een deur tussen de kamers, dus het was nogal gehorig. Paul en Joanne waren duidelijk aan het vrijen, erg luidruchtig en wel een paar uur lang. Ik vond het walgelijk. Philip was nog maar een paar uur daarvoor op brute wijze vermoord. Paul en Joanne waren niet zomaar zijn zakenpartners. Ze waren zogenaamd ook zijn beste vrienden. Maar ze maakten bepaald geen verdrietige indruk.'

Op de vraag van de verdediging of seks niet normaal was na een sterfgeval, als een soort viering van het leven, antwoordde meneer Farnham: 'Ik ben makelaar, geen psycholoog. Ik kan alleen maar zeggen dat ik kapot was van Philips dood. Het laatste waar ik zin in had, was seks. En zij waren nog wel zeer goed bevriend met Phil, dus ik snap niet hoe ze konden doen alsof alles normaal was en er niets was gebeurd.'

Volgens de openbare aanklager hebben Sanderson en

Barker hun zakenpartner vermoord op zijn bruiloft in St. Scholastika's College in Oxford om te voorkomen dat hij hun onwettige activiteiten rond handel met voorkennis – waar ze een fortuin mee hebben verdiend – naar buiten zou brengen.

Het proces wordt vervolgd.

Onderwerp: Re: Het is een raadsel
Datum: 23 maart 2010 14:46:33 GMT
Van: lisak@arbiter.com
Aan: cflint@mancit.ac.uk

Ha Charlie
Spannend, hoor. Maar ik ben wel blij dat ik geen kranten meer lees. Het is jou natuurlijk een raadsel waarom je dit vreemde gedoe per post hebt opgestuurd gekregen. Jij leidt wel een interessant leven, zeg. Ik ben bang dat je mij in vergelijking nogal saai vindt.
<Als het niet van jou is, van wie dan wel?>
Volgens mij kijk je hiernaar door het verkeerde eind van de verrekijker. Als het pakketje van iemand was die beroepsmatig in jou was geïnteresseerd, had diegene het dan niet naar de universiteit gestuurd? Ik denk dat dit iets is wat met jou persoonlijk te maken heeft. Eigenlijk vermoed ik dat het iets met jouw oude College te maken heeft. Iedereen die iets met Schollie's te maken heeft, kan via het alumnibureau aan jouw privéadres komen, of niet soms?
Een van de dingen die ik van 'Omgaan met Kwetsbaarheid' heb opgestoken is dat bijna niemand van ons geleerd heeft om de juiste vraag te stellen. Misschien moet je je meer richten op wat jouw pakketjesstuurder jou níét heeft opgestuurd? Ik hou altijd wel van het antwoord dat er niet is...
Ik heb vanmiddag drie een-op-een-cliënten voor OMK. Volgens mijn collega's moet ik gas terugnemen bij de privéafspraken, nu het programma zo goed loopt, maar ik weet het niet. Ik hou nog steeds van het gevoel dat je krijgt als je succesvol in iemands leven hebt ingegrepen. Ik weet dat jij

dat begrijpt, ook al mag je er op het moment niets mee
doen.
Tot morgen
LKX

4

Mijn moeder verdween toen ik zestien was. Het was het
beste wat me ooit had kunnen overkomen.
Als ik dat hardop zeg, werpen de mensen me steelse blikken toe, alsof ik een of ander fundamenteel taboe doorbro-
ken heb. Maar het is de waarheid. Ik probeer niet een of
andere gecompliceerde verdrietreactie te verhullen.
Mijn moeder verdween toen ik zestien was. De cipiers waren uit de gevangenis verdwenen en hadden de deur open laten staan. Ik kwam naar buiten, knipperend tegen het zonlicht.

Jay Stewart leunde achterover en las nog eens kritisch door wat
ze had opgeschreven. Het had precies het beoogde effect, dacht
ze. Zo boeiend dat je door wilde lezen. Je pakt het van de tafel
met twee-voor-de-prijs-van-een-aanbiedingen, leest die inlei-
ding en je bent verkocht. Zo klop je je klanten het geld uit de
zak. Iedereen begrijpt het, maar bijna niemand kan het. Maar
zij had het kunstje al eens eerder geflikt. Ze kon het nog wel
eens dunnetjes overdoen.
    Toen ze had besloten om haar eerste boek te schrijven, had
Jay gedaan wat ze altijd deed. Het ging om research, research
en nog eens research. Dat was de sleutel tot elke succesvolle
onderneming. Kijk hoe de markt is. Houd rekening met mogelijke concurrenten. Erken welke valkuilen je tegen kunt komen. En dan ga je ervoor. *Voorbereiding is geen uitstel.* Dat stond
er op een van haar favoriete powerpointsheets. Ze had altijd
met trots kunnen zeggen dat ze nooit overhaast te werk was
gegaan.

Maar dat was nu juist een van de dingen die niet meer opgingen.

Niet dat ze een dergelijke fundamentele verandering gauw aan een vreemde zou toegeven. Toen haar literaire agent haar de week tevoren mee uit lunchen had genomen om haar te vertellen dat haar uitgever hen wilde verleiden met een nieuw contract, had Jay haar uiterste best gedaan om even voorzichtig en neutraal als altijd over te komen. 'Ik dacht dat er met de kredietcrisis geen droog brood meer te verdienen was met weer een van die jankmemoires,' had ze gezegd toen Jasper halverwege hun ingewikkelde voorgerecht van coquilles met mangosalsa en taugé het onderwerp ter sprake had gebracht. In afwachting van Jaspers zorgvuldig geformuleerde antwoord had Jay naar het gerecht gekeken en zich afgevraagd sinds wanneer je in dure restaurants geen eenvoudige, goed bereide gerechten meer kon bestellen.

'Dat is ook zo.' Jasper had haar een stralende glimlach toegeworpen, alsof hij de leraar was en Jay zijn lievelingsleerling. 'Daarom willen ze iets nieuws van jou. Triomferen over tegenslag, daar zijn ze in geïnteresseerd. En jij, schat, zou wel eens de icoon kunnen worden van triomferen over tegenslag.'

Hij had een punt, dat kon Jay niet ontkennen. 'Hmm,' zei ze, terwijl ze voorzichtig een coquille uit elkaar prutste en een heel klein hapje in haar mond stopte. Een excuus om even niets te hoeven zeggen tot ze wat meer had gehoord.

'Jouw verhaal inspireert,' hield Jasper vol. En voor de verandering stond zijn smalle, waakzame gezicht nu eens vriendelijk. 'En het inspireert de lezer tot nabootsen. De lezers kunnen zich met jou identificeren, omdat je niet bent geboren met een zilveren lepel in je mond.'

Jay slikte, trok een wenkbrauw op en glimlachte. 'De enige zilveren lepeltjes die er in huis waren toen ik nog klein was, waren die schattige kleine cocaïnelepeltjes die de vrienden van mijn moeder aan een kettinkje om hun nek droegen. De meeste van mijn lezers hebben niet zo'n achtergrond.'

Jasper schonk haar een strak, beroepsmatig glimlachje. 'Waarschijnlijk niet, nee. Maar het marktonderzoek van je uitgever geeft aan dat de lezers zich wel met jou verwant voelen. Ze hebben het gevoel dat ze in jouw schoenen hadden kunnen staan als het allemaal een klein beetje anders was gelopen.'

Mooi niet dus. In geen honderd miljoen jaren. 'Raaklijnen,' zei Jay, en ze staarde weer naar het bord. 'De feiten van mijn leven raken de randen van hun levens op genoeg plaatsen om ze een vaag soort verwantschap te laten voelen. Ik zie hoe dat gewerkt heeft bij al die jankmemoires. De lezers kunnen heerlijk onder hun dekbedje gaan liggen, lekker warm en gezellig, omdat zijzelf niet die afschuwelijke dingen hebben meegemaakt waar mijn moeder me de eerste zestien jaar van mijn leven aan heeft blootgesteld.' Ze ademde diep in en hoorde het fluiten van de lucht door haar tanden heen. 'Maar triomferen over tegenslag? Is dat niet een beetje alsof ik ze iets onder de neus wil wrijven?'

Jasper fronste zijn wenkbrauwen. 'Ik weet niet zeker of ik je kan volgen.' Op de een of andere manier had hij zijn bord met een roofzuchtige efficiëntie weten leeg te eten, terwijl Jay nauwelijks een derde van haar eten op had. Het was een van de redenen waarom Jay hem had uitgekozen als haar agent toen ze eenmaal het besluit had genomen haar memoires op te schrijven. Mensen met eetlust weten van aanpakken.

'Met *Zonder berouw* heb ik hun medelijden opgewekt. En ik heb ze de mogelijkheid geboden om blij te zijn dat ze niet hebben meegemaakt wat ik heb moeten doormaken. Maar een verhaal over hoe ik triomfeerde in Oxford, hoe ik een succesvol internetbedrijf op poten heb gezet, hoe ik de zaak verkocht heb vlak voordat alles in elkaar klapte en hoe ik toen een exclusieve uitgeverij ben begonnen en tegelijkertijd mijn memoires heb opgeschreven die op de bestsellerlijsten stonden... Nou, eerlijk gezegd lijken me dat allemaal redenen om de pest aan me te hebben. En daar verkoop je geen boeken mee, Jasper.'

'Je zou er verbaasd over staan,' zei Jasper op een toon zo droog als de chablis die ze dronken. 'Mensen die het kunnen weten vertellen me dat het leespubliek het heerlijk vindt iets te lezen over gewone mensen zoals zij die het hebben gemaakt.'

Jay schudde haar hoofd. 'Waar zij graag over lezen is over leeghoofdige beroemdheid. Talentloze aanstellers die alles willen doen om een keertje in zo'n tijdschrift als *OK* te staan. Idioten die denken dat het een absolute topprestatie is als je een keer in

The X Factor bent opgetreden. Je hebt het over dat soort mensen. En zo ben ik niet.'

'Je kunt heel goed de schijn ophouden.'

'Tot op zekere hoogte, ja. En dan komt er nog dat lesbische aspect bij. Het is me gelukt om mijn puberale verlangens min of meer buiten beeld te houden door op het juiste moment te stoppen. Maar als ik over Oxford schrijf en over de tijd daarna, kan ik het met geen mogelijkheid vermijden.'

Jasper haalde zijn schouders op. 'De wereld draait gewoon door, schat. Lesbiennes zijn helemaal in. Denk maar aan de actrice Ellen DeGeneres en aan Sarah Waters, die schrijfster.'

'Maar je wilt nog steeds liever niet dat je dochter er met eentje trouwt.' Ze at haar voorgerechtje op en legde haar bestek keurig naast elkaar op het bord. 'In het gunstigste geval zullen ze denken dat ik een enorme bofkont ben.'

'Dat doen ze zeker als ze erachter komen hoeveel je als voorschot krijgt,' zei hij met kleine pretoogjes. 'Nog eens de helft meer dan wat we voor *Zonder berouw* hebben gekregen. Wat ongelooflijk is bij zo'n flauwe markt.'

Een ober wiens designerkostuum duidelijk meer had gekost dan wat Jay aanhad, haalde snel hun borden weg. Ze keek hem na toen hij zwierig terugliep naar de keuken. 'Zouden ze hier alleen maar personeel aannemen dat bij de pakken past?' vroeg ze verstrooid.

Jasper negeerde de vraag en bleef onversaagd over hetzelfde onderwerp doorzagen. 'Maar jij bent nu bekend van de tv. Sinds het moment dat jij als speciale gast bent opgetreden in dat programma over durfinvesteerders herkent iedereen je.'

Jay trok een lelijk gezicht als een chagrijnige tiener. 'En dat is ook meteen de laatste keer dat ik me door jou laat ompraten om iets te doen tegen beter weten in. Dat stomme programma. Ik kan nog geen pak spaghetti in de supermarkt kopen of er staat al iemand voor mijn neus met het zoveelste briljante ondernemingsplan.'

'Nou moet je niet zo knorrig doen. Je vindt al die aandacht heerlijk.'

'Maar ik bén knorrig.' Jay zweeg toen er een bord voor haar op tafel werd gezet met kunstzinnig gearrangeerde vlakjes roze lamsvlees omringd door nette hoopjes exclusieve linzen afgewisseld met prachtig gesneden wortelachtige minigroenten, dat alles geserveerd op enorme porseleinen borden. 'Ik meende wat ik laatst zei. Ik wil echt niet meer met dat programma meedoen.'

Ze zag hoe Jasper zijn frustratie verbeet. 'Oké,' zei hij op ingehouden toon en met een zuinig glimlachje. 'Ik vind dat je stom bezig bent, maar oké. Waarom doe je dan in plaats daarvan niet iets anders wat mij een geldig excuus geeft om iedereen op afstand te houden? "Sorry, ze schrijft. Ze heeft een deadline." Bovendien weet je dat je genoot van het schrijven van *Zonder berouw*. En je bent er inmiddels ook achter dat je goed bent in het schrijven van memoires.'

Jay moest toegeven dat Jaspers idee om de wereld op afstand te houden haar wel aanstond. De deur vergrendelen en de barbaren buiten de poort houden, terwijl zij zich ondertussen laafde aan de liefde. Ze was voldoende op de hoogte van de spanningsboog van relaties om te begrijpen dat de euforie van emotionele en seksuele intensiteit tussen haar en Magda niet meer zo heel lang kon duren. Je kon de eerste roes niet rekken tot er een gaatje in je agenda voorbijkwam. Die roes gedroeg zich volgens een eigen rooster. En dit was zo plotseling, zo onverwacht, zo onvoorspelbaar in haar leven opgedoken dat het bijna niet anders kon of het zou weer even snel verdwijnen. Hoewel ze zich dat moeilijk kon voorstellen. Magda was zo mooi dat haar hart telkens een slag oversloeg als ze haar zag. Het had alleen maar voordelen als ze een excuus had om zich te verstoppen voor de wereld, zodat ze Magda nog hechter aan zich kon binden. Wat maakte het uit dat ze met het boek op de langere termijn geen vrienden zou maken. Vrienden had ze genoeg.

Ze zuchtte. 'O, vooruit dan maar,' zei ze. Niet vriendelijk, meer op een moppertoon.

Jaspers grijns liet duidelijk zien hoe blij hij was. 'Je zult hier geen spijt van krijgen.'

'Je mag hopen van niet. Je weet dat het slecht afloopt met mensen die mij dwarszitten.' Er hing even een sfeer van kilte. Toen glimlachte Jay. 'Jasper, dat meen ik niet, hoor,' zei ze.

Zijn glimlach was een onzekere afspiegeling van de hare.

5

Voordat ze elkaar ontmoetten, had Charlie Flint gedacht dat ze alleen maar minachting en afkeer voor Lisa Kent zou voelen. Ook al was Charlie die eerste keer degene geweest die onder een valse vlag had gevaren, ze was ervan overtuigd geweest dat zíj degene was met het recht aan haar zijde.

Haar passie voor haar beroep hield in dat ze constant gespitst was op gelegenheden om haar kennis en haar ervaring te vergroten. Dus toen het duidelijk werd dat er een nieuwe trend was in zelfhulpprogramma's die gevaarlijk tegen cult aanhingen, wilde ze wel eens zien wat die programma's zoal inhielden. Het programma dat ze had gekozen uit de drie à vier die ze kende was: 'Ik Ben Niet Oké, Jij Bent Niet Oké; Omgaan Met Kwetsbaarheid' van Lisa Kent – OMK voor de trouwe volgelingen; groepen hadden altijd hun eigen jargon nodig om aan te geven wie er wel of niet bij hoorden.

Charlie had zich onder een valse naam opgegeven voor een weekendseminar. Ze was van plan geweest om de ervaring te gebruiken als basis voor een vlijmscherp, vernietigend verslag van het hele verschijnsel, voor een publicatie in een vakblad en misschien ook wel voor een driepagina-artikel in de zondagse bijlage van de *Guardian*.

Het publiek bestond uit een man of vijftig en voldeed wel zo'n beetje aan Charlies verwachtingen. De meesten waren tussen de vijfentwintig en de veertig, ze onderscheidden zich in niets van elkaar en een zweem van mislukking kleefde hun bijna allemaal aan. Het enige positieve was dat ze er allemaal overduidelijk naar snakten dat dankzij dit weekend hun leven op de een of andere manier een volledig andere wending zou krijgen. Wat haar een beetje van haar stuk had gebracht, was dat ze gaandeweg was gaan beseffen dat Lisa Kent geen charlatan en ook geen sjamaan was. Wat ze aan de man probeerde te brengen was voor het merendeel zinnig en praktisch. Gewoon de dingen die de meeste therapeuten in de aanbieding hebben. Wat aan het seminar toch een cultachtig tintje gaf, was Lisa's charisma. Als zij het woord had, hing de hele zaal aan haar lip-

pen. Ze waren gek op haar. En Charlie merkte tot haar schrik
dat zij niet anders was dan de rest. Haar achtergrond en ervaring hadden haar niet immuun gemaakt voor de betovering die
van Lisa uitging.

Het had allemaal nog volkomen onschuldig kunnen aflopen,
maar wat er tijdens de middagkoffiepauze gebeurde, stak een
spaak in dat wiel. Charlie had tegen een muur leunend haar thee
op staan drinken en ze had haar best gedaan er een beetje verslagen bij te staan om niet uit de toon te vallen, toen Lisa zich
een weg baande door de mensenmassa en pal voor haar bleef
staan. Lisa had naar de badge met haar naam getuurd en toen
een beetje meesmuilend geglimlacht. 'Ik zou graag even een
praatje met u maken, mevrouw... Browning,' had ze gezegd, en
door de sceptische manier waarop ze haar naam uitsprak, wist
Charlie donders goed dat ze het niet vriendelijk bedoelde.

Charlie liep achter Lisa aan naar een kamertje naast de grote
zaal. Langs de muren stonden neutrale fauteuils en in een hoek
was een waterkoeler aan het zoemen. Het was niet helemaal duidelijk waarom die daar stond. Charlie ging ongevraagd zitten. Ze
sloeg haar ene been over het andere en vroeg zich af wat er komen ging. Lisa leunde tegen de gesloten deur, nog steeds met dat
wrange glimlachje om haar mond. Haar ogen hadden een soort
hypnotische kracht. Groenblauwe schijnwerpers die een zaal vol
mensen aan hun stoelen hadden gekluisterd en die haar, Charlie,
nu het gevoel gaven dat ze geen kant op kon. 'Dit is een ongelooflijke ervaring,' zei ze, en ze deed haar best om het enthousiasme te imiteren dat ze tijdens de lunch had gehoord.

'Dr. Charlotte Flint,' zei Lisa. 'Charlie voor je vrienden, geloof ik. Cum laude afgestudeerd in psychologie, filosofie en fy-
siologie aan het St. Scholastika's College in Oxford. Gepromo-
veerd in de klinische psychologie en psychopathologie aan de
Universiteit van Sussex. De bevoegdheid van psychiater gehaald
in Manchester, waar je nu hoofdlector bent in de klinische psychologie en in profielschetsen. Door het ministerie van Binnenlandse Zaken officieel erkend om met de politie te werken
als profielschetser. Doe ik het goed?'

'Je hebt mijn insigne van Erkend Natuurgids niet genoemd.
Hoe komt het dat je me doorhad?'

Lisa zette zich af tegen de muur, keerde Charlie haar rug toe en tapte een glas water voor zichzelf. 'Ik herkende je.' Ze draaide zich weer om en schudde langzaam haar hoofd. 'Je hebt een mooi verhaal gehouden voor het FMG, het Forensisch Medisch Genootschap, over het waarom van de keuzes in de Bill Hopton-zaak.'

Bill Hopton. De man die niet werd veroordeeld omdat Charlie zeer tegen haar zin in de getuigenbank had verklaard dat hij Gemma Summerville niet had vermoord. De man die na zijn vrijlating vier andere vrouwen had vermoord. Alleen al het horen noemen van zijn naam was een beproeving. Door de Hopton-zaak was Charlie plotseling een bekende Engelse geworden. Het had haar destijds al geen goedgedaan. Maar nu was kennelijk ook haar carrière nog verwoest. Toen ze die middag in Oxford tegenover Lisa Kent stond, was het nog een tikkende tijdbom die elk moment kon ontploffen, maar het was wel de enige zaak waarover iedereen die iets met wetshandhaving te maken had met haar wilde praten. Behoedzaam zei Charlie: 'Ik wist niet dat je lid was van het FMG.'

Lisa nam een slokje water en keek Charlie vorsend aan over de rand van het witte plastic bekertje; haar donkere wenkbrauwen waren opgetrokken in geamuseerde boogjes. 'Dat ben ik ook niet. Maar ik heb wel vrienden die weten dat ik geïnteresseerd ben in de manier waarop de menselijke geest werkt. Vanmorgen dacht ik al dat jij het was, maar ik heb tussen de middag voor de zekerheid nog even navraag gedaan.'

'Dit is een vrij land.'

Lisa lachte. 'Doe niet zo raar. Je bent hier om gehakt van me te maken. Jij denkt dat ik uit winstbejag misbruik maak van lichtgelovige en onnozele mensen. Hoewel ik niet helemaal zie wat de link is met het maken van profielschetsen van misdadigers.'

Precies in de roos, dacht Charlie. 'Dat dacht ik eerst inderdaad. Nu niet meer. En wat betreft mijn beroepsmatige interesse kan ik het volgende zeggen. Veel criminelen kunnen zo lang ongestraft doorgaan met hun activiteiten door de manier waarop ze anderen manipuleren.' Ze stond op en liep in de richting van de deur. 'Het is een interessante dag geweest. Maar volgens mij kan ik nu beter gaan.'

'Ik zou eigenlijk boos op je moeten zijn, dr. Flint. Maar gek genoeg ben ik dat niet. Je hoeft van mij niet weg te gaan.' De woorden waren onschuldig genoeg; de toon was dat niet.

Charlie schudde haar hoofd. 'Ik denk toch beter van wel. Ik wil je niet uit je normale doen brengen.'

'Je hebt waarschijnlijk gelijk. De wetenschap dat jij weet dat ik weet wie je bent zou de dynamiek in de zaal veranderen.' Lisa haalde een kaartje uit de zak van haar wijde broek 'Ik heb blijkbaar niet aan je verwachtingen voldaan en dat betekent dat dit zonde van je tijd was.' Ze glimlachte. 'Ik wil dat graag een keertje goedmaken. Ik denk echt dat we misschien wel een heleboel gemeen hebben. Hier is mijn kaartje. Laten we contact houden.'

Toen ze terugliep naar haar hotelkamer probeerde Charlie de nuances in de stem van Lisa te duiden, maar het lukte haar niet om met zekerheid uit te maken of wat zij dacht dat ze had gehoord er ook echt was geweest. Ook later lukte haar dat niet. Had Lisa met haar geflirt? Was het een soort test die met haar beroep te maken had? Of hield ze gewoon van een kat-en-muis-spelletje? Wat het ook was, Lisa had met haar charme Charlie aan de haak geslagen.

Charlie was er al langzamerhand aan gewend geraakt om zich het hoofd te breken over de precieze betekenis van Lisa's woorden. Sinds die eerste ontmoeting had het in de ether gezoemd van hun elektronische contacten, waarbij de beroepsmatige berichten meestal plaats hadden gemaakt voor de persoonlijke boodschappen van twee mensen die een band aan het opbouwen zijn.

Volgens Charlie kon je klinische psychiaters opdelen in twee groepen: degenen die er expres voor kozen om zichzelf nooit ter discussie te stellen, en degenen die elk aspect van hun leven aan hetzelfde onderzoek onderwierpen als wat ze toepasten op hun patiënten. Charlie wenste vaak dat ze niet gedoemd was tot lidmaatschap van de groep psychiaters die alles onder een loep legden. Maar het verklaarde wel enigszins waarom ze zo gefascineerd was door Lisa. Hoe onbegrijpelijker haar uitingen waren, des te meer verlangde Charlie ernaar om tot in de finesses uit te zoeken wat ze betekenden. Waar geen onduidelijkheid over bestond, was dat ze flirtten. Met elkaar, met ideeën en met het gevaar.

> Misschien zou je erover moeten nadenken wat er niét naar je is opgestuurd? Wat ik altijd interessant vind is het antwoord dat er niet is...

Wat bedoelde Lisa daar precies mee, vroeg Charlie zich af, terwijl ze naar het computerscherm keek. Doelde ze alleen maar op de krantenknipsels of was dit weer een voorbeeld van haar dubbelzinnigheid? Door Lisa kreeg ze het gevoel alsof een termietenfamilie zich dwars door het solide fundament van haar relatie met Maria een weg aan het graven was. Charlie wist dat het niet verstandig was om mee te doen met dit riskante spelletje, maar telkens als ze zich voornam ermee op te houden, kwam er weer een sms of een e-mail die haar aandacht vroeg en die ze moest beantwoorden. Ze was niet veel beter dan sommigen van haar patiënten. Ze was niet in staat weerstand te bieden aan iets waarvan ze wist dat het slecht voor haar was. Ze wist niet eens zeker of de vrouw wel lesbisch was. Misschien was ze wel van nature een flirt en hield ze altijd alles in het vage. Ze hadden elkaar praktisch nooit echt ontmoet en bijna altijd was hun communicatie uitgedraaid op een plagerig steekspel. Misschien had Charlie het wel volledig mis. Wist zij veel, Lisa kon eigenlijk net zo goed hetero zijn. Misschien berustte al deze ellende alleen maar op een zielig soort van wishful thinking. Met een kreun van wanhoop richtte Charlie zich weer op de inhoud van de envelop.

De krantenknipsels waren kennelijk slechts een selectie uit wat er in de media had gestaan. Kon het zijn dat het antwoord lag in de verhalen die er niét in stonden? Geprikkeld maakte ze Google News open en voerde ze de naam van het slachtoffer in. In een fractie van een seconde leverde de zoekopdracht een lijst op van alles wat er in de media had gestaan over de moord op Philip Carling. Ze had de keus uit tientallen artikelen, en dan mocht je er nog van uitgaan dat Google het kaf al van het koren had gescheiden.

Charlie had nog veel meer te doen, dingen die veel meer haar aandacht behoefden – bijvoorbeeld haar op sterven na dode carrière nieuw leven inblazen; maar soms was afleiding niet te weerstaan. Charlie klikte het eerste verhaal aan, vastbesloten om het hele rijtje af te werken. De eerste openbaring kwam in het tweede verhaal dat ze aanklikte, een artikel uit de *Daily Telegraph*, waarin sprake was van dr. Magda Newsam. Met een schok besefte Charlie dat zij de tot weduwe gemaakte bruid kende. De naam Magdalene Carling had haar niets gezegd, maar bij het zien van die andere naam veranderde het beroepsmatige enthousiasme van Charlie op slag in ontsteltenis. Hoe was het in godsnaam mogelijk dat ze de vrouw om wie dit hele drama draaide ooit persoonlijk had gekend? Plotseling werd alles opeens veel duidelijker.

'Arm kind,' zei ze medelijdend. Nu ze wist hoe Magda in het plaatje van het moordproces paste was er één ding waar ze niet meer omheen kon. De persoon die haar het geheimzinnige pakje had gestuurd, had bijna zeker al die jaren geleden deel uitgemaakt van het leven in het College toen Charlie nog student was en een leerlinge van Magda's moeder Corinna, en ze af en toe op Corinna's kinderen paste. Was het Corinna Newsam zelf die de fotokopieën had opgestuurd of was het iemand anders geweest? En dan bleef er nog de vraag over: waarom?

Methodisch als altijd werkte Charlie zich door het archiefmateriaal heen. Ze was er bijna klaar mee toen er een foto op haar scherm verscheen die zich vanboven af aan stukje voor stukje openbaarde. De vrouw die zichtbaar werd, had het soort schoonheid die mensen deed staren. Zelfs een in een onbewaakt ogenblik genomen krantenfoto liet daar geen enkele twijfel over bestaan. Donkerblond haar en zo te zien een smetteloze huid, de regelmatige gelaatstrekken van een model, een mond met lippen die sensualiteit deden vermoeden. 'Wow,' zei Charlie. Vol bewondering keek ze naar het welgevormde figuur en de ontegenzeggelijk mooie benen die centimeter voor centimeter op het scherm verschenen.

Volgens het onderschrift was deze ongelooflijk mooie vrouw die prominent op de foto stond Magdalene, de weduwe van Philip Carling. 'Tjonge, Maggot, wat ben jij een mooie meid geworden,' zei ze, verwonderd over wat de genen voor elkaar gebokst hadden. Toen ze de hele foto goed bekeek, besefte Charlie dat ze geen onderschrift nodig had om de vrouw te herkennen die pal naast Magda stond. Leeftijd had geen nadelige invloed gehad op de mooie gelaatstrekken van Jay Macallan Stewart, en ze straalde nog steeds dezelfde gevaarlijke bravoure uit.

Hoewel er meer vragen werden opgeworpen dan werden beantwoord, wist Charlie nu met zekerheid dat ze het oorspronkelijke probleem van wie de knipsels had opgestuurd had opgelost. 'Als mijn dochter met Jay Stewart omging zou ik ook in actie komen,' zei ze. Ze sloeg een paar toetsen aan en zat toen in haar e-mail.

Onderwerp: Meer vragen dan antwoorden
Datum: 23 maart 2010 15:35:26 GMT
Van: cflint@mancit.ac.uk
Aan: lisak@arbiter.com

Ik heb je advies opgevolgd. Het was duidelijk dat ik niet alles had opgestuurd gekregen wat er in de pers was verschenen, dus heb ik op Google gekeken of ik kon zien wat er niet bij zat. En ziedaar, ik ontdekte bijna meteen dat in geen van de artikelen die ik had gekregen de juiste naam van de weduwe stond. Haar echte naam is niet <Mrs Magdalene Carling>. Nee, het moet zijn <dr. Magda Newsam>. Ook wel Maggot genaamd, of tenminste dat was zo toen ze 10 was en ik 21 en toen ik wel eens op haar en haar broertjes en zusje paste. Ze is de oudste dochter van Corinna Newsam, de jongste filosofiedocente in Schollie's. Ik heb les van haar gehad en ze heeft me regelmatig als babysit ingehuurd totdat daar in mijn laatste jaar een eind aan kwam, omdat ik alleen nog maar geïnteresseerd was in goede afstudeerresultaten en ik ook af en toe wat lol wilde hebben. Enfin, sindsdien hebben we elkaar nog een kaart met kerst gestuurd, maar ons contact was niet zo intiem dat ze vermeld heeft dat en op welke manier Magda bij dit proces was betrokken.
Bij het doorlezen stuitte ik op een foto van Magda – die

overigens is opgegroeid tot een bloedmooie vrouw van het type prinses Diana. En achter haar stond iemand anders die ik herkende. Vroeger heette ze gewoon Jay Stewart, maar nu kent iedereen haar onder de naam Jay Macallan Stewart. Miljonair na de verkoop van haar internetbedrijf en beroemd schrijfster van zielige memoires. Nu is ze de baas van 24/7, een bedrijf dat op maat gemaakte reisgidsen op internet zet. Misschien heb je haar wel eens als gastinvesteerder in dat programma voor jonge durfondernemers gezien. Ze zat een paar jaar onder mij op Schollie's, maar ze was zo berucht dat iedereen haar eigenlijk wel kende. Zelfs in Brighton, waar het stikt van de lesbo's, deden de verhalen over Jay Stewart volop de ronde.

Ik herinner me dat ze over lijken ging, echt een van die helden van de arbeidersklasse die zich vast hebben voorgenomen altijd het onderste uit de kan te halen en het niets kan schelen dat ze op weg naar de top slachtoffers maken. Ze is het jaar nadat ik ben afgestudeerd tot preses van de studentensociëteit gekozen. Pas nadat de hele verkiezing achter de rug was is ze uit de kast gekomen, en wel op een heel spectaculaire en stijlvolle manier, namelijk als de geliefde van het hoofd van de bureauredactie van zo'n chic modetijdschrift. Een paar docenten van het College wilden haar eruit gooien, maar ze zorgde er altijd verdomd goed voor dat ze nooit over de schreef ging.

Dus als ik Corinna Newsam was, en Jay Stewart hing in de buurt van mijn dochter rond, dan zou ik ook proberen Stewart zo zwart te maken dat ze binnen de kortste keren tot het verleden behoorde. Maar zij zou mij nooit rechtstreeks benaderen: stel je voor dat mijn lesbische solidariteit sterker was dan een loyaliteit van lang geleden aan haar en Maggot. Nu ik weet hoe het in elkaar zit, weet ik niet precies wat ik moet doen. Wil ik er wel bij betrokken raken? Voel ik me er überhaupt bij betrokken? En hoe zit het met de lesbische solidariteit? Ik sta open voor suggesties. Hopelijk ben je door je cliënten niet aan de drank geraakt. Liefs, Charlie

Onderwerp: Re: Meer vragen dan antwoorden
Datum: 23 maart 2010 19:57:32 GMT
Van: lisak@arbiter.com
Aan: cflint@mancit.ac.uk

Ha Charlie,

Als jij een hond was zou je een terriër zijn; een en al koppige vasthoudendheid, altijd betrouwbaar en met een grijns op zijn kop die een ijsberg zou kunnen doen smelten. Je ontdekkingen zijn fascinerend. Wat er ook achter mag zitten, je hebt gelijk: het is duidelijk dat het iets te maken heeft met Magda Newsam en Jay Stewart, en dat Schollie's de gemeenschappelijke factor is.

Die Corinna is opvallend onzeker over jou, als je bedenkt hoe goed ze jou kennelijk ooit heeft gekend. Als ik in haar schoenen had gestaan, had ik gewoon bij jou aangebeld en had ik je verteld dat ik je nodig had. Je zou dat heus niet hebben geweigerd. Of wel?

Aan de andere kant is het misschien juist omdat ze je wél kent en begrijpt hoe onmogelijk het voor jou is om nee tegen haar te zeggen. Daarom vraagt ze je om hulp op de enige manier die ze kan bedenken die jou de mogelijkheid biedt om te weigeren.

Of is het een test? Zoiets van: als je niet slim genoeg bent om dit uit te dokteren, heb ik ook niets aan je.

Wat denk je? Welk van de twee is het?

<Ik sta open voor suggesties> Ik ken je, Charlie. Je hebt antwoorden nodig. Je hebt je opties al ingeperkt met die eerste beslissing om de krantenknipsels te onderzoeken; of je het nu wel of niet voor jezelf wilt toegeven, jouw diepgewortelde liefde voor jouw vroegere College doet een emotioneel beroep op je. Oké, ik heb de indruk dat je geen rust hebt voordat je contact hebt opgenomen met Corinna en erachter bent wat ze van je wil.

Bekijk het maar van de positieve kant. Misschien zit er wel ergens een tripje naar Oxford in en kunnen we elkaar zien. Het zou goed zijn als we elkaar een keertje in alle rust kunnen spreken, en dan niet op een conferentie, vind je niet?

Ik ben inderdaad door mijn cliënten aan de fles geraakt, en wel aan een overheerlijke bordeaux. Als je hier was, zou ik de gelegenheid te baat nemen om je te laten afkicken van die zware wijnen uit overzeese gebiedsdelen waar jij zo aan verknocht bent. Ik weet zeker dat het je niet zal berouwen als je hierheen komt.

LKX

Dat was ongetwijfeld waar, dacht Charlie. Lisa had elke gedachte aan Magda en Corinna verjaagd met de suggestie dat ze bij haar voor de deur zou kunnen staan en haar hulp zou kunnen vragen. Dat was al voldoende om Charlie op allerlei gedachten te brengen die zowel heerlijk als verschrikkelijk waren. Alleen al de gedachte aan een ontmoeting tussen Lisa en Magda zorgde ervoor dat ze met de handen voor haar gezicht wilde gaan zitten huilen om deze hele onmogelijke situatie. Ze kon niet geloven dat Lisa niet wist wat voor effect haar woorden zouden hebben; per slot van rekening was dat mens de godganse dag bezig met de intiemste hoekjes van de menselijke geest.

'Doe niet zo kinderachtig,' mompelde Charlie. Ze dwong zichzelf om te stoppen met al die puberale fantasieën en om zich te concentreren op de praktische inhoud van de e-mail. Lisa begreep haar blijkbaar goed genoeg om te weten dat ze niet in staat was om de krantenknipsels ongemoeid te laten, en dat datzelfde gold voor de emotioneel beladen briefjes die ze elkaar hadden gestuurd. Corinna leek inderdaad de meest logische kandidaat. Er zat blijkbaar niets anders op dan bij haar langs te gaan om duidelijkheid te krijgen.

Charlie zuchtte. Ze had eindelijk iets kunnen vinden wat haar nog meer angst inboezemde dan het Medisch Tuchtcollege.

6

'Geen speld tussen te krijgen,' zei Catherine. Ze duwde haar zus de rechtszaal uit, de smalle zijgang in naar de kamer die door de officier van justitie voor hen was geregeld. 'De rechter heeft het allemaal keurig op een rijtje gezet. Ik zie niet in hoe iemand nog aan de schuld van Barker en Sanderson kan twijfelen.' Ze wrong zich handig tussen haar zus en een vrouw die ze op de perstribune had zien zitten. 'Oplazeren,' zei Catherine liefjes over haar schouder, terwijl ze achter Magda aan de kamer in liep met het bordje PRIVÉ op de deur. Ze was de jongste van de kindertjes Newsam en daardoor kon Catherine zich dingen veroorloven die haar broers en zus nooit zouden durven.

Twee weken geleden had Magda zich hier voor de eerste keer mogen terugtrekken, en ze stond nog steeds versteld van het gebrek aan comfort. Vier niet helemaal bij elkaar passende stoelen die bekleed waren met tweed dat versleten plekken vertoonde, een tafel die te groot was voor de ruimte en een metalen prullenmand die niet meer was geleegd sinds ze er die eerste keer hun gebruikte koffiebekers in hadden gegooid. Iemand had geprobeerd de zaak wat op te vrolijken door een paar Spaanse vakantieposters op de muur te plakken, maar door het schitterende blauw van de hemel leken de smoezelige muren alleen maar triester. Maar dat kon Magda allemaal niets schelen. Het enige wat telde, was dat ze een plek had waar ze zich kon verstoppen voor de blikken en het gefluister. 'Denk je dat echt? Ik weet het niet, Wheelie. Misschien is de wens de vader van de gedachte,' zei ze. Ze trok een been onder zich toen ze op het puntje van een stoel ging zitten.

Catherine knikte heftig. Met haar blonde krullen, haar ronde gezicht, haar helblauwe ogen en haar roze wangen zag ze eruit als een pop. Magda was lang en slank en van nature gracieus, maar Catherine was in elk opzicht gemiddeld. Wat meteen opviel, was niet zozeer haar uiterlijk, als wel haar onstuitbare energie, een energie die ze nu in de strijd moest gooien ter verdediging van haar grote zus. Anderen zouden Magda haar schoonheid misschien hebben misgund, maar Catherine was trots op haar zus, en blij dat ze voor de verandering Magda de steun en de hulp kon bieden waar ze zelf ook altijd op had mogen rekenen. 'Geloof me nu maar, Magda,' zei ze met een rotsvast vertrouwen. 'Je hoorde toch hoe de officier van justitie de vloer aanveegde met de verdediging? Die twee zien we de eerste tijd niet meer vrij rondlopen.' Ze had de klink van de deur nog steeds vast. 'Wil je iets eten of drinken? Koffie? Muffins?'

Het was opvallend hoe vaak Catherines gretigheid om iemand een plezier te doen zich manifesteerde in eten en drinken. 'Jij denkt blijkbaar dat het een uitgemaakte zaak is, maar volgens mij blijft de jury nog wel even weg en kun jij rustig op pad gaan om koffie te halen,' zei Magda.

Catherine voelde in de zakken van haar spijkerbroek of ze wat kleingeld had. 'Zo terug,' zei ze, en haar poging tot imitatie van de Terminator was helemaal niet gek. Magda moest onwillekeurig glimlachen en de ogen van Catherine glommen tevreden toen ze de kamer uit liep.

Voor het eerst sinds ze die morgen bij het gerechtshof was aangekomen wist Magda zich onbespied. Het wegvallen van al die aandacht voelde alsof er een ware last van haar afviel. Ze was doodmoe van al die blikken die de hele tijd op haar waren gericht. Ze vroeg zich af hoe Jay daarmee omging. Dankzij haar optreden in dat tv-programma werd ze in de onwaarschijnlijkste situaties herkend, waardoor haar privacy vaak in het gedrang kwam. 'Ik was daar zo naïef over,' had ze een keertje tegen Magda gezegd. 'Ik heb nooit beseft hoe mensen denken dat je hun bezit bent, alleen omdat je wel eens op tv bent.'

Magda wou dat ze nu bij elkaar konden zijn; ze vond het nooit vervelend als Jay haar bewonderend opnam. Maar als Jay hier nu was, zou de aandacht van de pers en van de publieke tribune nog benauwender zijn geweest. De houding van de media zou een dramatische verandering ondergaan. Ze zou geen medelijden meer opwekken, maar zou onmiddellijk gebombardeerd worden tot onderwerp van onsmakelijke speculaties en roddels in de sensatiekranten. Jay had gelijk. Ze moesten ervoor zorgen dat hun relatie niet algemeen bekend werd, totdat de rechtszaak uit het onmiddellijke bewustzijn van de mensen was verdwenen. De enige keer dat ze samen op de foto hadden gestaan, na Philips uitvaartdienst, had Jay het potentiële vuurtje weten te doven door terloops te laten vallen dat ze een oude bekende van de familie was. Dat ze inderdaad les had gehad van Corinna was uiteindelijk toch nog een pluspunt geweest.

'We moeten voorlopig ons privéleven voor onszelf houden. Je wilt toch niet dat je te boek komt te staan als de vrolijke weduwe,' had Jay gezegd. 'Ook al hebben we niets fout gedaan, er zijn genoeg mensen die maar al te graag het tegenovergestelde insinueren.'

Ze had gelijk. Niets wat ze hadden gedaan was fout geweest. Integendeel. Hoe meer getuigenverklaringen Magda in de rechtszaal had gehoord, hoe beter ze begreep hoezeer Jay het bij het juiste eind had gehad. Als ze niet hadden gedaan wat er gedaan moest worden, zou het recht nooit hebben gezegevierd. Maar nu gingen Paul en Joanne de gevangenis in, de plek waar ze thuishoorden. En ze was trots op de rol die ze daarbij had gespeeld.

Magda zocht houvast bij dit gevoel van trots. Haar gevoelens over de dood van Philip waren tamelijk eenduidig. Het was ontegenzeggelijk een vreselijke klap geweest. Op je huwelijksdag je echtgenoot verliezen door een plotselinge, gewelddadige dood zou voor iedereen een afschuwelijke schok zijn geweest. Ook als je al weken je best had gedaan je twijfels over het huwelijk de kop in te drukken. Maar als het niet was gebeurd zoals het was gebeurd, hadden Jay en zij elkaar misschien nooit meer teruggevonden. En die gedachte vervulde Magda met afgrijzen. Ze schaamde zich ervoor, maar in haar hart wist ze dat Philip verliezen om Jay te winnen een ruil was waarvoor ze de volgende keer weer zou kiezen. Haar schaamte en ontzetting over het feit dat ze die gedachte überhaupt wel eens toeliet, streden met elkaar om voorrang. Dan stak het katholieke schuldgevoel uit haar jeugd plotseling weer de kop op en dan dacht ze bij zichzelf dat ze het helemaal niet verdiende om zich zo gelukkig te voelen, en dat dit geluk elk moment weer van haar kon worden afgepakt.

Catherine duwde met haar schouder de deur open met in iedere hand een kartonnen beker met *caffè latte*. Magda was blij dat ze even van die sombere gedachten verlost was. 'Dat was vlug,' zei ze.

Catherine grijnsde. 'Ik zei toch dat een fooitje voor het meisje van het koffiekraampje geen weggegooid geld was. Ik hoef zelfs niet meer in de rij te staan.' Ze gaf de koffie door en ging op een stoel zitten, met haar ene been onder zich getrokken. 'Je bent vast opgelucht dat het bijna voorbij is.'

'Ja.' Magda zuchtte. 'Ik hoop alleen dat ik voor mezelf alles goed zal kunnen afsluiten.' Ze haalde haar schouders op. 'Dat ik er een streep onder kan zetten en verder kan gaan met mijn leven.'

'Maar daar heb je Jay toch voor?' zei Catherine. Magda zocht naar vijandigheid in haar toon, en toen ze niets vond kwam ze tot de conclusie dat haar zus alleen maar nieuwsgierig was.

'Het is net of Jay zich in een heel ander universum bevindt,' zei Magda. 'Alsof het helemaal niets te maken heeft met mijn leven met Philip.'

'Maar dat heeft ze wél,' zei Catherine. 'Ik bedoel, je bent haar toen toch weer tegengekomen? Op de dag van het huwelijk?'

Haar woorden veroorzaakten een elektrische schok in Magda's borst. 'Nee,' zei ze. 'Het was daarna. Weet je nog wel? We hebben elkaar bij een etentje ontmoet.'

Catherine keek verbaasd. 'Maar ze was er toch? In St. Scholastika's? Op je huwelijksdag? Ik heb haar gezien.'

Magda produceerde een lachje dat haarzelf onecht in de oren klonk. 'Nou ja, ze was er inderdaad. Ze moest een speech houden op een conferentie in het College. Maar ze was niet op het huwelijk. Ik heb haar niet gezien. Ik wist niet eens dat ze er was geweest – tot heel lang daarna. Het is gewoon niet ter sprake gekomen.'

Catherine fronste haar voorhoofd. 'O. Oké. Ik wist dat jullie pas later iets met elkaar kregen, maar ik denk dat ik er gewoon van uit ben gegaan dat je haar toen was tegengekomen. Toen ik haar zag, kwam ze net uit Magnusson Hall. Omdat we gebruikmaakten van de toiletten daar en van mama's kantoor, dacht ik dat je haar wel moest hebben gezien of zoiets.' Ze glimlachte aarzelend naar Magda. Haar grote zus had haar weliswaar altijd in bescherming genomen, maar als ze vond dat Catherine op haar vingers moest worden getikt, had Magda nooit geschroomd dat te doen.

Maar Magda maakte er geen probleem van. 'Dat heb je met die verdomde sociale wetenschappers. Die staan altijd veel te snel klaar met hun conclusies,' plaagde ze. Ze waren op vertrouwd terrein: de bètawetenschappers in de familie die zaten te klagen dat de anderen het maar gemakkelijk hadden. Die konden namelijk de ene theorie na de andere bedenken zonder het ongemak met empirische bewijzen te moeten komen.

'Dat is niet eerlijk,' pruilde Catherine. 'Ik probeer altijd objectief te zijn. Ik had bijvoorbeeld allerlei redenen kunnen bedenken waarom je in de getuigenbank niet helemaal de waarheid hebt verteld.'

Daar had je het. Nu was het gezegd. Dat waar Magda al maanden bang voor was geweest. De slappe koffie smaakte opeens weeïg en zuur. *Het is oké*, zei ze tegen zichzelf. Dit was niet de een of andere keiharde politieman of journalist. Dit was Catherine, het meisje dat altijd het beste met haar zus voorhad. Magda fronste haar voorhoofd en hoopte dat het er niet net zo onecht uitzag als het voelde. 'Waar heb je het over? Natúúrlijk heb ik de waarheid verteld.'

Catherine trok een moeilijk gezicht. Ze had haar emoties nooit goed kunnen verbergen en Magda zag hoe de reacties op haar gezicht elkaar afwisselden. Ten slotte vond ze de juiste woorden. 'Ik zeg niet dat je letterlijk hebt gelogen. Alleen dat je iets hebt gezegd wat niet helemaal zo kon zijn gegaan.'

Nu was het tijd om in de aanval te gaan. 'Waar heb je het in vredesnaam over?' Haar verontwaardigde vraag riep de gewenste reactie op: Catherine geneerde zich en schrok. Maar niet zo erg dat ze meteen helemaal inbond. 'Nou, jij zei dat je had gezien hoe Barker en Sanderson wegliepen van het bruiloftsfeest en dat ze verdwenen om de hoek van het Armstronghuis.'

'Dat klopt. Dat heb ik gezegd omdat ik dat heb gezien. Ze glipten weg in de richting van de aanlegplaats van de punters. Ze hadden geen enkele reden om daarheen te gaan. Je kunt vandaar alleen maar naar de aanlegplaats of terug naar de portiersloge. En hij heeft ze niet gezien.' Magda staarde naar de grond. 'Toen hebben ze hem vermoord.'

'Maar je zei dat je ze had gezien vanuit het raam van mama's kantoor. Toen je naar boven was gegaan om je om te kleden.'

'Dat is ook zo. Vanuit het kantoor keek je over het gazon van Magnusson Hall, waar de feesttent en de dansvloer waren. Dat weet jij ook.'

Catherine schudde haar hoofd. 'Maar Magda, daar was je niet. Niet toen je zei dat je er was.'

Magda verkilde helemaal, ondanks de benauwde warmte in de kamer. 'Waar heb je het over, Wheelie?'

Aan het trekken met haar mond was te zien dat Catherine zich niet op haar gemak voelde. 'Ik ben na jou naar boven gegaan. Ik wilde je nog het beste wensen, je nog een keertje omhelzen. Zoiets.' Ze trok een schouder op. 'Je weet wel, zusjes onder elkaar. Maar je was er niet. De deur zat niet op slot, maar je was er niet.'

Magda liet een geforceerd lachje horen. Ze probeerde warm en zorgeloos te klinken. 'Dat moet dan zijn geweest toen ik onder de douche stond. Ik heb me nog even vlug gedoucht, Wheelie. Van al dat dansen was ik plakkerig en bezweet geraakt. Ik wilde zo geen schone kleren aantrekken. Toen ben jij vast binnengekomen.' Ze leunde naar voren en wreef over Catherines schouder. 'Dommerdje. Heb je je daar zorgen over zitten maken?'

'Dat niet, nee. Ik vroeg het me gewoon af.' Catherine zag er nog steeds wat bezorgd uit. 'Maar Magda... volgens mij kon je toen niet onder de douche hebben gestaan. Want weet je nog, toen ik je niet kon vinden, heb ik op de terugweg de middelste trap in Magnusson Hall genomen. En toen ik beneden was, kwamen we elkaar halverwege de gang tegen. Alsof je net door de voordeur naar binnen was gekomen. En je had de kleren waarin je zou vertrekken al aan. Weet je nog wel?'

Daar was ze nu bang voor geweest. Een getuige die een vraagteken kon zetten bij de versie van de gebeurtenissen die zij en Jay hadden besloten te vertellen. Maar het was Catherine maar, zei Magda tegen zichzelf. Catherine, die er alleen maar belang bij had om de zus te geloven die ze altijd als haar grote voorbeeld had gezien. Magda schudde toegeeflijk haar hoofd. 'Maar dat is toch logisch. Je denkt toch niet dat ik de studentenbadruimte heb gebruikt? Ik had de sleutels van de badkamers van de docenten op de benedenverdieping van Magnusson Hall. Zoals ik al zei, ik had net gedoucht.'

Catherine straalde opeens van opluchting. Maar meteen daarna versomberde haar blik weer. 'Maar wannéér heb je ze dan gezien? Als je in de badkamer op de begane grond was, kon je ze van daaruit niet zien.'

Magda zuchtte geïrriteerd. 'Je hebt je roeping gemist, Wheelie. Je had advocaat moeten worden of zoiets. Ik heb ze gezien toen ik mijn kleren uit het kantoor van mama ophaalde. Ik ging bij het raam staan en keek neer op de bruiloft. Naar al die vertrouwde en dierbare mensen die het naar hun zin hadden. En ik dacht eraan hoe mijn leven ging veranderen.' Ze ontweek Catherines blik en keek naar de Spaanse vakantieposter. 'Toen heb ik ze gezien.'

'Oké.' Catherine lachte wat aarzelend. 'Dan is het me nu denk ik wel duidelijk.'

Magda nam een slokje koffie en zei niets. Ze begreep dat het alleen maar ongeloofwaardiger werd als ze die leugen ook nog eens uit ging spinnen. 'Lekkere koffie,' zei ze. 'Bedankt dat je tijdens het proces zo goed voor me hebt gezorgd. Dat waardeer ik echt, Wheelie.'

Catherine haalde haar schouders op. 'Wat zou ik anders moeten doen? Je bent mijn zus.'

'Ik ben ook de dochter van mijn moeder, maar zij heeft zich hier niet laten zien.'

'Ze heeft het moeilijk met dat gedoe met Jay, Magda. Eerst het verlies van Philip... Nou ja, het was echt een dubbele klap voor haar.'

'Bedankt, Catherine.' Magda's stem klonk scherp. 'Ik wist niet dat het feit dat ik gelukkig ben onder dezelfde categorie valt als een vermoorde schoonzoon.'

Als door een wesp gestoken schoot Catherine in de verdediging. 'Je moet het vanuit haar standpunt bekijken. Philip was haar droomschoonzoon. En precies op de dag dat al haar dromen voor jou uitkomen, sterft hij een afschuwelijke, gewelddadige dood. En dan blijk jij opeens in een lesbienne te zijn veranderd. Dat is wat moeilijk te pruimen voor een toegewijde katholiek als mama. Je moet wat geduld met haar hebben, je moet met haar praten. Je moet haar duidelijk maken dat je haar standpunt begrijpt, ook al ben je het er niet mee eens.'

Magda voelde hoe haar keel werd dichtgeknepen van emotie. 'En mijn standpunt dan? Wanneer gaat ze daar ooit eens rekening mee houden? Hoe denk je dat ík me voel?'

'Ik denk dat je je rot voelt,' zei Catherine zachtjes.

Voordat Magda nog iets anders kon zeggen, ging de deur open en het vertrouwde kale hoofd van de zaalwachter verscheen in de deuropening. 'De jury is weer in aantocht,' zei hij.

'Nu al?' vroeg Catherine. Ze keek Magda aan. 'Ik zei toch dat het een uitgemaakte zaak was.'

'Zolang het maar de goede uitgemaakte zaak is.' Magda liep achter Catherine en de zaalwachter de deur uit, en ze hoopte vurig dat wat zij en Jay hadden gedaan niet tevergeefs was geweest.

7

Er was een tijd dat Charlie meer dan een beetje verliefd was geweest op dr. Corinna Newsam. Voor die verliefdheid, die het grootste deel van haar eerste jaar op St. Scholastika's College had geduurd, waren diverse goede redenen aan te voeren. Corinna, de jongste filosofiedocente van het College, was de slimste vrouw die ze ooit had ontmoet. Ze was ook de minst saaie docente, de interessantste gesprekspartner en de meest veeleisende docente die Charlie was tegengekomen. Ze was gecharmeerd van het Canadese accent van Corinna, vol ontzag voor haar geest en weg van haar sardonische glimlach. Een echtgenoot, vier kinderen en een vurig beleden katholicisme waren slechts bijzaken die nauwelijks invloed hadden op Charlies dromerige fantasieën. En ze had absoluut niet in de gaten dat Corinna niet alleen haar gezin volledig onder de duim had, maar ook haar, Charlie.

De aantrekkingskracht overleefde Charlies eerste echte liefdesrelatie niet. Vlees en bloed waren gewoon altijd sterker dan dromen. Bovendien had Charlie intussen ontdekt dat Oxford vol zat met slimme, interessante vrouwen die een minder ingewikkelde bagage met zich meedroegen dan Corinna Newsam. Maar haar bewondering voor Corinna hield niet op. Wat wel ophield was het fantaseren over die momenten dat de lichte aan- raking van twee handen plotseling zou kunnen ontbranden in iets anders. Waarschijnlijk maar goed ook, aangezien ze toen al af en toe optrad als oppas voor de kindertjes Newsam. Als je de handen en de hoofden van vier onafhankelijke en intelligente kinderen moest bezighouden, had je niet veel aan koortsachti- ge lustgevoelens, die bovendien nog onbeantwoord bleven ook.

Uiteraard kwam Charlie er uiteindelijk achter dat Corinna een controlfreak was en dat zij gewoon het zoveelste radertje was in het geoliede gezinsleven van de familie Newsam. Toen ze weg- ging uit Oxford wist Charlie dat het ondanks wederzijdse be- loften voor Corinna uit het oog, uit het hart was. Ze hadden een paar jaar een begeleidend briefje bij hun kerstkaart gestopt, maar ook die gewoonte was geleidelijk verdwenen. De enige keer dat ze elkaar hadden ontmoet sinds Charlie was afgestudeerd was bij een reünie na tien jaar geweest. Ze hadden zich toen allebei opgelaten gevoeld en geen van beiden hadden ze goed geweten hoe ze de kloof tussen verleden en heden moesten overbruggen.

En nu moest ze ergens de moed vandaan halen om haar te bellen. Zes maanden geleden zou het niet zo'n opgave geweest zijn, toen Charlie nog iemand was die een fatsoenlijke reputa- tie op haar vakgebied had, zij het dat er toen al een luchtje aan haar zat. Maar nu? Charlie staarde naar de telefoon en zuchtte. Het had geen zin om te proberen net te doen alsof Corinna nog niets af wist van haar schande. De Colleges in Oxford waren roddelfabrieken en in alle docentenkamers gonsde het van de speculaties, die allemaal berustten op een niet erg overtuigende verzameling halve waarheden en geruchten. Maar in haar geval hadden ze alleen maar een blik hoeven te werpen op de keuri- ge stapel dagbladen op de leestafel in de docentenkamer om een uitgebreide excursie door het zedelijk moeras van de beroepsac- tiviteiten van dr. Charlie Flint te kunnen maken.

'Shit,' mompelde Charlie, en ze pakte de telefoon. Op dit tijd- stip van de dag was Corinna vast nog op haar werk. En als ze geluk had, was ze niet aan het lesgeven maar aan het lezen. Of ze lag op de grote groene fluwelen chaise longue na te denken.

49

De portier nam op toen de telefoon de derde keer overging. Uiteraard was er geen professionele telefoniste; de eenentwintigste eeuw was al enige tijd een feit, maar het College functioneerde nog steeds alsof de negentiende eeuw net was afgelopen.

'St. Scholastika's College. Waarmee kan ik u van dienst zijn?' Een brommerig plaatselijk dialect dat klonk alsof de spreker meedeed in een kostuumstuk van de BBC.

'Ik zou graag met dr. Newsam willen spreken,' zei Charlie op een toon die meer kortaf klonk dan de bedoeling was.

'Mag ik vragen met wie ik het genoegen heb?'

'Dr. Charlotte Flint.'

'Dr. Flint? Wat leuk u te horen. Een moment, ik zal kijken of dr. Newsam te spreken is.'

Dat stomme Oxford. Je komt er nooit van los. Charlie wachtte, de stilte klonk hol in haar oor. Geen ordinaire, ingeblikte muzak voor haar alma mater. Ze had het al bijna opgegeven toen ze een scherpe klik hoorde, gevolgd door een bekende, lijzige stem. 'Charlie? Ben jij het?'

'Corinna,' zei ze, verbaasd over het warme gevoel dat haar opeens doorstroomde. 'Maar je bent niet echt verbaasd, hè?'

'Dat hangt ervan af waarom je belt.'

Het duel was begonnen. Charlie voelde zich al moe als ze eraan dacht. Ze bewoog zich tegenwoordig in heel andere kringen en daar voelde ze zich prettiger bij. 'Ik bel je omdat je me een pakketje met krantenknipsels hebt gestuurd,' zei ze. 'Over het proces tegen die twee van wie wordt beweerd dat ze Magda's man hebben vermoord op hun huwelijksdag.'

'Waarom zou ik zoiets doen?' Corinna klonk alsof ze een routinevraag stelde over een detail van een werkstuk.

'Ik denk dat het een soort test was, Corinna. Je wilde weten of ik met behulp van de inhoud van het pakketje uit zou kunnen vissen wie het had gestuurd. En waarom. Je deed het omdat je filosoof bent. Je bent er zo aan gewend geraakt iedereen te onderwerpen aan allerlei soorten tests dat je bent vergeten hoe je een normale vraag moet stellen.'

'En wat zou mijn motivering voor zo'n test dan wel kunnen zijn?' Charlie dacht dat ze nu wat spanning in Corinna's stem kon horen, maar ze zou er geen eed op durven doen.

'Dat weet ik niet zeker,' zei ze. 'Maar ik ben een foto op het spoor gekomen waar ik zo mijn vraagtekens bij had. Ik denk dat als ik moeder was en mijn dochter had een relatie met Jay Macallan Stewart, dat ik er dan ook hulptroepen bij zou halen. Nu weet ik wel dat ik niet voldoe aan het algemene beeld van de cavalerie, maar waarschijnlijk was ik de enige die je zo gauw kon bedenken.'

Er klonk geen humor door in Corinna's lach. 'Ik dacht al dat ik op mijn geheugen kon vertrouwen. Je had altijd al een talent voor onderzoek en oplossing; het is goed te zien dat dat talent met de jaren alleen maar groter is geworden. Goed zo, Charlie.'

'Waar gaat dit over, Corinna? Behalve dat ik dus schijn te voldoen aan jouw verwachtingen?' Ze klonk ongeduldig, maar dat kon haar niets schelen.

'Ik heb je hulp nodig.'

Charlie zuchtte. 'Het is al zeventien jaar geleden dat ik ben afgestudeerd, Corinna. Je weet niets meer van me.'

'Ik weet voldoende, Charlie. Ik weet vrij zeker dat je op dit moment ongelooflijk graag iets zou willen goedmaken.'

Charlie sloot haar ogen en masseerde haar voorhoofd. 'Dat klinkt wel wat aanmatigend, vind je niet?'

Het was even stil. Toen zei Corinna kordaat: 'We kennen je hier, Charlie. En onder de stafleden hier aan het College zijn er een heleboel die denken dat ze jou tot zondebok hebben gemaakt. Dat je feitelijk naar eer en geweten hebt gehandeld. Het kwam misschien destijds niet goed over, maar je maakte je juist sterk voor de onschuld van Bill Hopton toen hij inderdaad onschuldig was. Het is niet jouw schuld dat hij naderhand aan het moorden is geslagen.'

'Ik denk niet dat iedereen het met je eens is,' zei Charlie op vermoeide toon. 'Er zijn misschien mensen die zeggen dat hij door het lint is gegaan, juist door zijn ervaringen met degenen onder ons die zich bezighouden met het handhaven van de wet.'

'Als filosoof vind ik dat een onhoudbare stelling,' zei Corinna kordaat. 'Welnu, het is duidelijk dat we niet iets voor je kunnen doen waar je in je beroep iets aan hebt. Hoewel ik zeker weet dat we overal waar we enige invloed hebben, die invloed zullen aanwenden. Maar wat ik wel kan doen, is je de kans bieden om van nut te zijn. Of liever gezegd: om je talenten te benutten.'

Charlie wist niet waarom, maar ze wilde het liefst haar hoofd op het bureau leggen en gaan huilen. 'Ik weet absoluut niet waar je het over hebt, Corinna. En ik weet vrij zeker dat ik dat ook niet wil weten.'

'Charlie, we kunnen elkaar helpen. Maar dit moeten we eigenlijk niet telefonisch afhandelen. Kom met me praten. Kom dit weekend naar Oxford. Je mag ook je partner meenemen. Ik weet zeker dat ze zich hier in de stad wel zal kunnen vermaken. En je hoeft niet bij ons te komen logeren als je je daar misschien niet prettig bij voelt na zo lange tijd. Er is vast wel een kamer beschikbaar in het College.'

'Ik denk het niet, Corinna.'

'Ik vraag alleen maar dat je naar me luistert, Charlie. Zonder enige verplichting. Als je het niet voor mij wilt doen, doe het dan voor Magda. Jij en Magda hebben altijd goed met elkaar kunnen opschieten. Charlie, ik begrijp waarom je doet wat je doet. Je doet het omdat je ontzettend graag de kwetsbaren in de maatschappij beschermt. En op dit moment, Charlie, is mijn dochter kwetsbaarder dan ooit. Weet je zeker dat je nog meer op je geweten wilt hebben?'

'Dat is een uiterst zwakke poging tot emotionele chantage, Corinna.'

'Je hebt zelf gezegd dat als jij een dochter had die met Jay Macallan Stewart omging, je om hulp zou roepen. Dat is het enige wat ik nu doe.'

'Dat begrijp ik. Maar ik ben niet de juiste persoon om je daarbij te helpen. Ik weet niet hoe ik ervoor kan zorgen dat Magda en Jay Stewart uit elkaar gaan, ook al zou ik dat wenselijk vinden.'

'Ik vraag je niet om mijn dochter en Jay Macallan Stewart van elkaar te scheiden,' zei Corinna. Voor het eerst klonk ze wat onzeker. 'Zo bot zou ik nooit zijn. Ik ken mijn Magda goed genoeg om te weten dat als ze eenmaal de waarheid weet over Jay Stewart, ze uit zichzelf wel weggaat. Wat ik vraag, is dat jij je talenten inzet om die waarheid boven tafel te krijgen. Als puntje bij paaltje komt, gaat het hier om een rechterlijke dwaling. Ik dacht dat je die dingen nog steeds belangrijk vond, Charlie.'

Een stilte door de telefoon neemt al heel snel enorme vormen aan. Na een paar seconden zei Charlie: 'Ik begrijp het niet.'

'Paul Barker en Joanne Sanderson hebben mijn schoonzoon niet vermoord, Charlie. De jury beraadt zich vandaag en het belastende materiaal is heel overtuigend. Ze gaan de gevangenis in. En dat is fout.'

'Heb je dan niet wat te lang gewacht om mij hierbij te halen? Als je echt een gerechtelijke dwaling had willen vermijden, had je me toch al weken geleden moeten bellen?'

Corinna's zucht van ergernis klonk Charlie vertrouwd in de oren. 'Dit is niet bepaald gemakkelijk voor me geweest. Ik dacht dat de zaak geseponeerd zou worden. Ik had geen idee hoeveel... Kijk eens, Charlie, waar het nu om gaat is dat die twee mensen in de beklaagdenbank onschuldig zijn. Zij hebben Philip niet vermoord.'

Charlie kon zich niet meer inhouden. 'Wie dan wel?'

'Sommige dingen kun je niet door de telefoon bespreken. Kom je met me praten, Charlie?'

Verkocht, dacht Charlie. Daar gaan we weer.

8

Ik ben uit Northumberland vertrokken als Jennifer Stewart, maar eenmaal in Oxford was ik Jay. Een onbenullig feit ongetwijfeld, maar het was de eerste stap van mijn metamorfose. En er was nog veel meer nodig, dat werd al snel duidelijk. Jaren later heb ik nog steeds levendige herinneringen aan de vernedering van mijn eerste college bij dr. Helena Winter.

Helena Winter was een van de redenen waarom ik voor St. Scholastika's had gekozen. Zij was de schrijfster van het eerste boek over filosofie dat mijn enthousiasme voor dat onderwerp had aangewakkerd. Toen ik naar het College was gekomen voor mijn gesprekken, vond ik haar de ele-

gantste vrouw die ik ooit had gezien. Ze zag er onberispelijk uit in haar antracietkleurige gestreepte mantelpak en ze
straalde rust en kalmte uit. Haar gezicht was ondoorgron-
delijk, haar haren waren opgestoken in een volmaakte haar-
wrong met de spierwitte kleur van een nieuwe stapel print-
papier. Ik wilde verschrikkelijk graag indruk op haar maken.
Mijn eerste werkstuk over de geschiedenis van de filosofie
had ik geschreven met haar in gedachten, en zoals ons was
opgedragen begon ik het hardop voor te lezen. Het is misschien moeilijk te geloven als je me ooit hebt gehoord op
radio of tv, maar toentertijd sprak ik met zo'n erg accent
dat je op een kilometer afstand kon horen dat ik uit Northumberland kwam. Ik was nauwelijks op gang gekomen
toen ik merkte dat dr. Winter haar hand had opgestoken,
als een keurige agent van de verkeerspolitie. Ik viel stotterend stil.
'Het spijt me verschrikkelijk, miss… Stewart,' zei dr. Winter. Het interesseerde haar duidelijk geen zier of ze neerbuigend klonk of niet. 'U hebt echt een prachtig accent en
het zou prima van pas komen als u Angelsaksisch zou studeren of Middelengels. Maar helaas heb ik geen woord ver-
staan van wat u tot dusver hebt gezegd. Zou u misschien
zo vriendelijk willen zijn om nog eens opnieuw te beginnen en dan wat langzamer te praten?'
Ik was tot in het diepst van mijn ziel gekwetst. Maar als
achttienjarige wist ik niet dat je een vrouw als Helena Winter ook op haar plaats kon zetten, laat staan hoe ik dat moest
doen. Dus begon ik opnieuw en dwong ik mijn mond om
het soort klanken uit te stoten die me in mijn geboortestreek op spot en minachting zouden komen te staan. Tegen het eind van dat eerste trimester was ik tweetalig: BBC-
engels voor dr. Winter, het accent uit Northumberland als
ik dacht of als ik in mezelf praatte.
De jongste filosofiedocente vormde een krachtig tegenwicht
tegen de vormelijkheid van dr. Winter. Corinna Newsam
was volslagen anders dan de meeste van de docenten van
het College. De lijst van verschillen was lang en interessant.
Ze kwam uit Canada; ze was katholiek; ze was getrouwd,

dus ze woonde in een echt huis, niet in een paar kamers in het College; ze had zelf kinderen; ze was net vijfendertig, dus nog een kind naar de maatstaven van docenten in Oxford; en ze was heel gewoon, ze wilde per se dat we haar Corinna noemden. Dat waren de concrete verschillen. Maar er waren ook meer abstracte. Ze was levendig, ze bracht de ideeën van de oude Griekse filosofen op een fascinerende manier tot leven. Ze deed nooit neerbuigend en ze was geen snob. Waarschijnlijk was de helft van ons half verliefd op haar.

Jay stopte en las de laatste alinea nog eens door. 'Nee,' mompelde ze, 'die laatste zin moet weg.' Ze moest er steeds aan blijven denken dat ze niet altijd meer even openhartig kon zijn. Magda zou deze memoires lezen. Het merendeel van wat ze niet wilde dat Magda te weten kwam overlapte met datgene wat ook zij niet aan de rest van de wereld wilde meedelen. Maar er waren nu nog meer dingen taboe. Het was smakeloos om aan je geliefde te laten weten dat toen zij ooit smoorverliefd was op jou, jij dezelfde gevoelens koesterde voor haar moeder. Dus wiste ze de laatste zin en zette haar bril af. Ze poetste de glazen op met haar T-shirt, zinnend op een alternatief.

Kortom, zij was de enige van het docententeam die we ons allemaal als vriendin zouden kunnen voorstellen.
Wat ik me toen niet realiseerde, was dat ik geen behoefte had aan vriendschap. Wat ik miste in mijn leven, was wat ik altijd al had gemist. Ik had behoefte aan een moeder. En op de een of andere manier voorzag Corinna in die behoefte.

Jay glimlachte tevreden. Dat zou veel beter vallen bij Magda. En het zette ook Corinna in een welwillend daglicht, waardoor Magda weer meer wapens in handen kreeg tegen haar moeders vijandigheid. Ze kon zich voorstellen hoe Magda tegen Corinna iets zei als: 'Maar ze is zo positief over jou. Ze heeft het erover hoe aardig je tegen haar was. Waarom ben je nu zo onaardig?' En alle beetjes helpen, nietwaar?

Jay keek in de onderhoek van haar computerscherm hoe laat het was. De volgende nieuwsberichten waren over achttien minuten. Volgens Magda zou de jury zich in de loop van de dag terugtrekken voor beraad. Maar het was de goden verzoeken te verwachten dat ze snel met hun uitspraak zouden komen. Jay wou dat alles achter de rug was, zodat zij en Magda zonder angst verder konden gaan met hun leven. Maar ze wist uit ervaring dat als je een reeks gebeurtenissen in gang zette, geduld de enige bondgenoot was die je aan je zijde moest zien te krijgen. Het zou allemaal goed komen. Met het balletje dat zij op Magda's huwelijksdag aan het rollen had gebracht, zou ze binnenkort vast wel een doelpunt scoren. Van het eerstvolgende nieuwsbulletin hoefde ze nog niets te verwachten. Ze kon nog best een stukje verder schrijven.

Aan het eind van ons derde mentorgesprek riep Corinna me terug. 'Heb je haast?' vroeg ze.
'Nee.'
Ze knikte grijnzend. 'Heb je zin in een biertje? Ik wil graag even met je praten over je werk.'
Ik wist niet of ik bang moest zijn of blij. Het was nog maar vier weken geleden dat ik in een wereld had geleefd waarin volwassenen niets te maken wilden hebben met wat zij beschouwden als kinderen. We liepen het College uit naar de dichtstbijzijnde pub; we renden door de striemende regen, waardoor we geen woord tegen elkaar konden zeggen. Een paar studenten keken even op toen we binnenkwamen. Ongetwijfeld herkenden ze Corinna toen ze zich als een hond stond droog te schudden. Aan de bar bestelde ze twee grote glazen donker bier zonder te vragen wat ik wilde en duwde me toen naar een tafeltje in de hoek.
'Ik dacht dat je wel een groot glas zou lusten,' zei ze. Toen nam ze een grote slok van haar bier, zodat het peil in het glas een flink stuk daalde. Ik besloot dat dit niet het moment was om Corinna eraan te herinneren dat ik officieel nog te jong was voor bier en haar erop te wijzen dat mijn achtergrond bestond uit streng protestantse geheelonthouders.

'Bedankt,' zei ik. 'Waar wilde je met me over praten?' Ik was destijds nog niet zo tactvol. Ik nam een slokje bier. Het was waterig en bitter en rook naar natte hond.

'Je werkstuk was uitstekend. Een van de beste die ik ooit van een student onder ogen heb gekregen. Misschien zou je kunnen overwegen om taalfilosofie als keuzevak te nemen?' Ik wilde wat zeggen, maar Corinna stak haar hand op. 'Ik vind dat je blijk geeft van interessante inzichten over dat onderwerp. Je zou waarschijnlijk een van de weinigen aan het College zijn met dat keuzevak, dus daardoor krijg je veel meer aandacht van je mentor. En dat zou ik zijn.' Ze grijnsde. 'Ik pik graag de meest talentvolle studenten in voor mijn vak. Daar kan ik goede sier mee maken als de examenresultaten binnenkomen.'

Ik had kleine slokjes van mijn bier genomen terwijl Corinna aan het woord was, en het was me gelukt om ongeveer evenveel op te drinken als mijn mentor. 'Ik heb al besloten wat mijn keuzevak gaat worden,' zei ik tegen haar. Ik liet Corinna zo lang in spanning dat ik al teleurstelling op haar gezicht zag. 'Ik kies voor taalfilosofie. Ik heb toch al de meeste van de opgegeven teksten gelezen.'

Ik had geen betere keus kunnen maken. Als een van de weinigen kon ik profiteren van Corinna's intelligentie en kennis. Ik was verliefd op die kennis. Binnen een paar weken waren we zover dat we regelmatig ergens iets gingen drinken, een of twee keer in de week, meestal om een uur of negen 's avonds als Corinna na haar werk naar huis was geweest, haar kinderen eten had gegeven, ze in bad had gedaan en naar bed had gebracht en samen met Henry had gegeten. Ik vond haar geweldig; ik kon me niet voorstellen hoe ze al die ballen allemaal tegelijk in de lucht kon houden. Corinna was ook om andere redenen geweldig. Het deed er niet toe hoeveel drank ze op had; ze was altijd coherent, altijd stimulerend. Misschien was ik zelf wel te dronken om iets anders te zien. We praatten over onze achtergrond en roddelden over mensen aan het College. Corinna klaagde over Henry, ik klaagde over de man die er op dat moment toevallig in mijn leven was. De mannen duurden nooit langer dan een paar weken en elk spoor van hun namen is allang uit mijn geheugen verdwenen. Maar Corinna moest altijd bulderen van het lachen om mijn verhalen, en ze zei regelmatig tegen me dat ik nooit voor een man moest vallen alleen omdat hij me aan het lachen maakte. Ik begreep dat het lang geleden was dat Henry die uitwerking op haar had gehad. Ik begreep ook dat hij meer van de drank hield dan van haar. En in de loop der jaren had zijn kijk op de wereld zich verhard tot een kruising tussen aartsconservatief en orthodox katholiek, waarbij immigranten, linkse rakkers en homo's met elkaar streden om de eerste plaats op zijn haatlijst. Ik had duidelijk het gevoel dat Corinna zonder pardon Henry uit haar huis en uit de levens van haar kinderen had verwijderd, als ze zelf ook niet zo streng katholiek was geweest.

Jay stopte weer. Het was allemaal goed en wel om zo lekker door te schrijven, maar ze zou haar indiscrete opmerkingen moeten kuisen voordat Magda de tekst onder ogen kreeg. Dat laatste stukje zou er in ieder geval uit moeten, al was Henry nog steeds dezelfde waardeloze zak. Maar ook al wist Magda dat haar moeder haar vader behandelde met alle minachting die een lamlendige zuiplap verdiende, ze zou niet blij zijn als Jay Henry's zwakheden overal ging rondbazuinen. Ze wiste alles wat na 'iets anders te zien' kwam en begon weer te typen.

Na sluitingstijd gingen we altijd naar Corinna's grote, slordig gebouwde huis in Noord-Oxford en dan trokken we ons terug in de rommelige keuken in het souterrain. Henry kwam er nooit bij zitten, en dat heb ik nooit vreemd gevonden. Als ik er al een gedachte aan wijdde, dan ging ik ervan uit dat hij zich niet interesseerde voor Collegeroddels of voor ingewikkelde filosofische verhandelingen. Corinna en ik dronken dan sterke zwarte koffie en we praatten over ideeën en taal tot na middernacht, waarna ik mijn rechterbeen over de stang van de fiets van mijn stiefneefje Billy gooide en slingerend de nacht in reed.

Een paar weken na dat eerste drankje vroeg Corinna of ik

wilde babysitten. 'De kindertjes hebben hun eten op en hun pyjamaatjes aan. Je hoeft ze alleen nog een stel verhaaltjes voor te lezen. Ik heb ze gedreigd dat ze flink op hun kop krijgen als ze lastig zijn. Duld geen tegenspraak. Accepteer geen grote mond,' had ze gezegd, terwijl ze zwierig langs me heen liep in een nauwsluitend zwart jurkje en in een wolk parfum waar je een os mee zou kunnen vellen.

Ik keek de keuken rond. Maggot, de oudste van elf, die zo werd genoemd omdat Patrick 'Magda' te moeilijk vond toen hij leerde praten, lag languit op een oude chaise longue en was zogenaamd in een roman van Judy Blume aan het lezen, maar in feite zat ze me als een havik te bespieden van onder haar witblonde pony. Patrick en James waren negen en acht, maar ze zagen eruit als een eeneiige tweeling. Ze waren iets ingewikkelds aan het bouwen uit een bouwdoos en negeerden me terwijl ze zaten te ruziën over welk stukje nu kwam. En de vierjarige Catherine, de jongste, die Wheelie werd genoemd omdat ze was geboren op een avond met veel vuurwerk, waaronder de populaire Catherine wheels, zat voor de tv, maar keek niet naar de Pippi Langkous-video. In plaats daarvan zat ze me aan te staren met een blik die zowel fascinatie als angst uitdrukte.

Ik haalde diep adem en boog me met uitgestrekte armen voorover. 'Bedtijd, Wheelie.'

Catherine trok een lelijk gezicht en sloeg haar armen over elkaar als een karikatuur van een moeder van een groot gezin uit mijn geboortestreek. 'Nee. Ik wil opblijven.'

Ik ging op mijn hurken voor haar zitten. 'Het is bedtijd, Wheelie. Je bent vast heel erg moe.'

'Nee,' zei ze opstandig, met haar onderlip naar voren gestoken.

Ik probeerde haar op te tillen. Het was alsof ik onder water met een zeehond aan het worstelen was. 'Nee,' krijste Catherine. Ze deed haar armen van elkaar waarbij ze hard in aanraking kwam met mijn mond. Mijn lip klapte tegen mijn tanden. Ik voelde hoe mijn lip opzwol. Nu begreep ik hoe mensen ertoe komen hun kinderen in elkaar te slaan.

Van ergens achter me zei Maggot: 'Je moet zeggen dat je

haar een verhaaltje zult voorlezen en dat zij mag zeggen welk. Dat werkt meestal wel.'

Ik knikte. 'Oké, Wheelie. Als je met me meegaat naar boven lees ik je een verhaaltje voor. Jij mag kiezen welk.'

Een halfuur en vijf verhaaltjes later vielen de ogen van Catherine dicht. Ik bleef bijna een minuut staan kijken of ze ze niet weer opendeed en sloop toen naar beneden. Met de jongens had ik minder moeite. Ik heb een deal met ze gemaakt; zij mochten naar een documentaire kijken over Isambard Kingdom Brunel op voorwaarde dat ze er in bed naar keken en me plechtig beloofden dat ze naderhand de tv uitzetten.

'Dat doen ze niet, hoor,' zei Maggot tegen me toen de deal was gemaakt.

'Misschien niet,' zei ik. Het kon me geen zier schelen. 'Ik kijk straks wel even.'

'Uiteindelijk vallen ze wel in slaap en dan kun je de tv uitzetten voordat mama en papa thuiskomen,' zei Maggot. 'Anders worden ze alleen maar lastig.'

'En hoe zit het met jou?' vroeg ik. 'Ik hoef jou toch niet voor te lezen?'

'Nauwelijks,' zei Maggot met de kalme superioriteit van een kind dat nog niet onderhevig is aan de kwellingen van de puberteit. 'Ik ga om negen uur naar bed. Ik lees tot halftien. Daar kun je op vertrouwen. Tot die tijd mag je met me praten.'

Ik had geen flauw idee waar nette elfjarige burgermeisjes zoal over praatten. Waar ik vandaan kwam ging het altijd over jongens en winkeldiefstal. Om de een of andere reden dacht ik niet dat die onderwerpen bij Magdalene Newsam op de agenda stonden. 'Kun jij *cribbage* spelen?' vroeg ik met de moed der wanhoop.

Nee,' zei Maggot nieuwsgierig. 'Wat is dat?'

Dat heb ik haar dus geleerd. Er was geen cribbage-bord in huis, maar ik heb wat geïmproviseerd met de lego van de jongens. We praatten ook wat met elkaar, en dat ging gemakkelijker bij een spelletje kaart dan dat we tegenover elkaar aan de geboende grenen tafel zaten en naar onderwerpen zochten om de stilte te verbreken. Er was niets aan die eerste ontmoeting wat voorspelde wat erop zou volgen. Maar dat verhaal past hier niet. Nog niet, lieve lezer.

Tegen het eind van dat eerste trimester ging ik ongeveer één keer per week bij de familie Newsam babysitten. Ik ging ook nog met Corinna naar de pub, en ik kwam bij haar langs als ik in de buurt was. Het grootste deel van dat trimester had ik heimwee en was ik eenzaam. Ik voelde me ontheemd, zo ver van huis en omringd door mensen van een andere sociale klasse. Maar Corinna gaf me het gevoel dat er een plaats was waar ik thuishoorde, een plaats waar ik wat voorstelde. En in die periode van mijn leven kreeg ik dat gevoel nergens anders.

Jay hield weer op met schrijven. Ze wist wat ze wilde zeggen. Had het eigenlijk wel zin om een regel te typen die de eerste de beste revisie niet zou overleven? 'Ja,' zei ze. Ze wilde zien hoe het er op de pagina uitzag.

Ik zou toen zonder enige scrupule een moord voor Corinna hebben gepleegd.

9

Ze moest op de een of andere manier zonder Maria in Oxford zien te komen, en zonder dat Maria dat in de gaten kreeg: dat was de bedoeling geweest. Dat was de taak die Charlie zich had gesteld. Als de clichés klopten zou het belachelijk eenvoudig moeten zijn; een psychiater tegenover een tandarts, duidelijk wie er als winnaar uit de bus zou komen. Maar Charlie kende Maria te goed om daarop te vertrouwen. Maria was meer de vrouw van het overzicht, terwijl Charlie meer bezig was met de details. Maria was de eerste geweest die haar had gewaarschuwd dat er aan de hele situatie met Bill Hopton hachelijke aspecten zaten. De eerste van velen. De velen naar wie ze niet had willen luisteren omdat ze zich zo monomaan had geconcentreerd op het principe en niet op de smerige praktijk. En moet je zien welke gevolgen het voor haar had gehad.

Ze vroeg zich nu af of ze iets anders had kunnen doen. Ze herinnerde zich nog hun gesprek de avond voordat ze het rapport had ingeleverd waardoor het balletje was gaan rollen. Hoewel Charlie uit principe nooit vertrouwelijke details aan Maria vertelde, had ze altijd wel gepraat over de problemen die eraan ten grondslag lagen. 'Morgen moet ik een rapport schrijven dat bij niemand goed zal vallen,' had ze gezegd. 'Ze hebben iemand die ze gaan beschuldigen van een buitengewoon akelige moord, maar ik denk niet dat hij het heeft gedaan. Ik denk wel dat hij een psychopaat is en ik denk dat er alle kans is dat hij op een dag inderdaad een zedendelict zal gaan plegen, maar zover is hij nog niet. Er zijn collega's van me die dat al reden genoeg zouden vinden om hem zonder meer op te sluiten, maar dat kan ik niet.'

Maria had indringende vragen gesteld over de opties die ze had en over hoe zeker ze van haar zaak was, waarna ze met een bezorgd gezicht aan tafel was gaan zitten. 'Je moet dit echt niet doen,' zei ze.

'Ik kan niet tegen mijn principe in gaan.'

'Is er geen andere manier? Kun je je niet met een smoes uit deze zaak terugtrekken? Net doen alsof er een belangenverstrengeling is of zo?'

Charlie zuchtte. 'Ik zou niet weten hoe.'

Maria dacht na. 'Als je dit rapport indient, dan wordt daar geen melding van gemaakt in de rechtszaal, hè?'

'Natuurlijk niet. Dat zou deze toch al niet erg sterke zaak volledig onderuithalen. Misschien vragen ze er nog wel iemand bij om te zien of een second opinion anders uitpakt, maar het openbaar ministerie houdt mij er zeker buiten.'

'In dat geval moet je de politie en de officier van justitie ervan overtuigen dat ze geen woord zeggen over jouw betrokkenheid. Laten ze het in de rechtszaal zelf maar uitzoeken. Hou jij je erbuiten, Charlie. Je weet hoe het is als het openbaar ministerie faalt. Dan zoeken ze een zondebok.'

En als alles gelopen was zoals Maria had bedacht, was er nog niets aan de hand geweest. Maar dat was niet zo. Het was grandioos fout gegaan. Iemand had haar rapport laten uitlekken bij het team van advocaten van Bill Hopton, en Charlie had het toen moeten ontgelden. Ze hadden haar de getuigenbank in gesleept en toen was het over en uit voor de eisende partij.

Dat was op zich al gênant geweest, maar Charlies carrière en reputatie zouden het wel hebben overleefd. Als ze namelijk hadden geluisterd naar haar aanbeveling om Hopton naar een beveiligde inrichting te sturen zou dat kunnen hebben geteld als een bevredigend resultaat. Maar in plaats daarvan had Hopton uiteindelijk vier vrouwen vermoord. En Charlie was de gebeten hond.

Corinna had gelijk. Als ze ergens naar snakte, was het wel een taak waarmee ze haar gevoel van eigenwaarde weer wat op kon vijzelen. Het rechtzetten van een gerechtelijke dwaling zou daar prima geschikt voor zijn. En misschien was de kans om wat tijd met Lisa Kent door te brengen wel de kers op de taart.

Charlie goot de pasta af en deed het spul weer terug in de pan, waarna ze er een flinke scheut bij deed van de pikante tomatensaus die ze al eerder had bereid. 'Het eten is klaar,' riep ze, terwijl ze alles in een schaal deed en naar de keukentafel bracht. Maria kwam aanlopen, nog half en half verdiept in een hoofdartikel in de krant. Ze ging zonder te kijken op een stoel zitten, met een dun lijntje van een frons tussen haar wenkbrauwen.

'Eng hoor,' zei ze. Ze legde de krant terzijde en keek met een tevreden knikje naar de maaltijd.

'Wat is er eng?'

'Eng op een positieve manier,' zei Maria, terwijl ze een lepel parmezaankrullen opschepte. 'Dat stamcelgedoe. Weet je nog dat ik je een poosje geleden vertelde dat we nieuwe tanden bij onszelf kunnen laten groeien van een heel kleine hoeveelheid cellen?'

Charlie knikte. Meestal lette ze op als Maria iets zei omdat ze goed kon luisteren en vlug van begrip was. 'Dat weet ik nog, ja. Het grootste probleem was om te ontdekken hoe de cellen wisten wat voor soort tand ze moesten worden, zei je toen.'

'Precies, ja. Omdat niemand zit te wachten op een kies op de plaats van een snijtand. Zelfs niet als het hun eigen kies is.' Maria nam gulzig een paar grote happen van de pasta. 'Mmm, lekker. Nou, er is een team van tandheelkundige onderzoekers die denken dat ze het geheim bijna hebben doorgrond.' Ze rolde met haar ogen.

'Maar dat is positief, of niet soms?'

'Het is positief nieuws als jij de persoon bent met een groot gat op de plaats van een tand. Het is minder positief als je de tandarts bent die er veel tijd en geld voor over heeft gehad om de beste implantoloog in het noorden van Engeland te worden.' Maria reikte naar het glas water naast haar bord en nam een flinke slok. 'Ik drink erop dat het hun meer tijd kost dan ze denken om het probleem op te lossen. En wel zoveel meer tijd dat ik mijn geld kan verdienen en met pensioen kan gaan.'

Charlie lachte. 'Je bent net veertig.'

Maria's hand bleef halverwege haar mond hangen. 'En hoe lang denk jij dat ik nog iedere dag naar de puinhopen in de monden van mensen wil blijven staren?'

Het was nooit bij Charlie opgekomen dat ze over pensioenen zouden moeten praten. Ze hield van haar werk. Nee, dat klopte niet meer. Ze had gehouden van het werk dat ze had gedaan. Toen er nog niets aan de hand was met haar carrière was pensioen iets geweest voor andere mensen. Ze hadden haar met geen zeven paarden van haar werk af kunnen halen. Ze was ervan uitgegaan dat Maria er hetzelfde over dacht. Blijkbaar had ze daar ongelijk in gehad. Misschien hadden de mensen die haar nu beschuldigden het bij het rechte eind. Misschien stelde ze als psychiater niet veel voor. 'Ik dacht dat je hield van je werk.' Het klonk als een beschuldiging.

Maria's wenkbrauwen gingen omhoog. 'Ik houd van de uitdaging. Ik houd van de moeilijke gevallen. Maar het gewone alledaagse werk? Daar is niets aan om van te houden. Wat ik altijd voor ogen heb gehad, was dat ik over een paar jaar mijn praktijk zou opgeven en dat ik me dan nog een paar dagen in de maand zou bezighouden met de echt specialistische gevallen.'

'Daar heb je nooit iets over gezegd.'

Maria stak haar hand uit en streek over Charlies haren. 'Het is nooit ter sprake gekomen, Charlie. Ik weet niet of jij je dat ooit hebt gerealiseerd, maar wij praten bijna nooit over de toekomst. Of over het verleden. Ik ken geen ander stel dat zo sterk in het heden leeft als wij.'

'En dat is maar goed ook.' Charlie duwde haar eten wat rond op haar bord.

'Maar de laatste tijd ben jij veranderd.' Maria was wat zachter gaan praten en ze legde haar vork op haar bord. 'Sinds de Hopton-zaak heb je zitten piekeren over het verleden en je zorgen zitten maken over de toekomst.'

'Dat doe je nu eenmaal als het heden niet zo rooskleurig is.'

Maria zuchtte. 'Ik weet dat het ellendig is als je het moet hebben van elk kruimeltje dat je kunt oppikken om te voorkomen dat je gek wordt van frustratie en verveling, maar dit is tijdelijk, Charlie. Iedereen zegt dat je als het allemaal achter de rug is van alle blaam wordt gezuiverd, en dat je dan weer met een schone lei kunt beginnen.'

Charlie snoof. 'Wat mijn beroep zelf betreft misschien wel, ja. Maar de publieke opinie...'

'Je wordt niet door de publieke opinie ingehuurd voor profielschetsen en behandelingen.'

'Maria, ik ben onbruikbaar als getuige-deskundige als ik zo bekend ben dat ze geen onbevooroordeelde jury meer kunnen vinden.'

Maria staarde op haar bord. 'Je hoeft je niet meer met rechtszaken bezig te houden; je kunt andere dingen doen die je minstens evenveel bevrediging schenken. Dat heb je tenminste altijd gezegd.'

Charlie zei niets. Elk antwoord dat ze nu gaf zou oppervlakkig en vaag zijn, en zo was het niet voor haar. Getuigen voor de rechtbank was belangrijk voor haar omdat het een van de weinige aspecten van haar werk was waarin het eindproduct iets concreets was. Als ze haar werk goed deed gingen de schuldigen naar de gevangenis en werden de onschuldigen vrijgelaten, en kregen degenen die ziek waren een behandeling. Zelfs als er een resultaat uit de bus kwam waar ze niet achter stond, dan was er toch ergens een knoop doorgehakt. Er was iets afgeperkt. Als je in je werk constant te maken had met mensen die zo abnormaal waren dat ze bij jou waren terechtgekomen, dan wilde je gewoon dingen kunnen afperken. Nu ze had meegemaakt hoe prettig het was om als getuige-deskundige op te treden, wist ze niet zeker of ze zonder die voordelen nog goed kon functioneren.

'Er zijn nog steeds meer dan genoeg uitdagingen voor je,' zei Maria, die opstond en een fles wijn haalde. Ze schonk twee glazen in en zette ze op tafel. Charlie herkende het gebaar. Maria zette een streep onder een gesprek dat haar niet zinde, omdat het nergens toe leidde. Haar volgende zet zou een volledige verandering van onderwerp zijn. 'Over uitdagingen gesproken,' zei ze. 'Ben nog iets meer te weten gekomen over die krantenknipsels? Die met de post zijn gekomen?'

Bingo. Charlie glimlachte. Er was veel te zeggen voor een leven met iemand van wie je de gedachtegang begreep. 'Jazeker,' zei ze, en ze liet zich meevoeren naar een plek waar ze sowieso al naartoe wilde. 'Ik heb online naar andere verslagen van het proces gekeken en ik kwam er algauw achter dat ik de weduwe van het slachtoffer kende.'

'Wat? Bedoel je dat je haar persoonlijk kende?'

'Persoonlijk en in de verleden tijd. Ik heb vroeger bij haar thuis opgepast toen ik nog studeerde.'

'Hoe dat zo?' Maria pakte verstrooid haar vork en begon weer te eten.

'Haar moeder was mijn filosofiementor. Ze had vier kinderen en een waardeloze echtgenoot, dus koos ze elk jaar een paar studentes uit die op de kinderen pasten als zij weg moest. Ik was de gelukkige in mijn tweede jaar.'

Maria keek verschrikt op. 'Gelukkige! Op vier kinderen passen!'

Charlie haalde een schouder op. 'Het waren geen echt lastige kindertjes. En ik kreeg ervoor betaald. Om nog maar te zwijgen over de extra studiebegeleiding bij een glas wijn laat op de avond. Corinna Newsam was altijd heel scheutig met haar tijd en haar drank.' Ze nam een slokje wijn. 'En nu wil ze er iets voor terug.'

'Iets voor terug?'

'Ze wil dat ik iets voor haar doe. Vandaar dat intrigerende pakje vanmorgen.'

'Heeft zij je die knipsels gestuurd? Die Corinna Newsam?'

'Inderdaad.'

'Maar waarom? Waarom jij en waarom al die geheimzinnigheid?'

Charlie grijnsde. 'Ze is een professor uit Oxford. Het is verdorie net een middeleeuwse queeste. Eerst moet je bewijzen dat je de taak aankunt. Dan moet je erachter komen wat de taak is. En daarna moet je ten strijde trekken tegen een legioen van vijanden en terugkomen met de Heilige Graal.'

Maria schudde haar hoofd in opperste verwarring. 'Ik ben maar een eenvoudige, aardig goede tandarts, Charlie. Je zult me dat moeten uitleggen in woorden van één lettergreep.'

'Je bent maar een aardig goede tandarts zoals Albert Einstein aardig goed was in sommetjes maken. Corinna heeft me een raadsel opgestuurd. Als ik het niet had kunnen oplossen of als ik geen interesse had, dan was ik kennelijk niet de juiste persoon om haar te helpen. Dus op die manier weet ze de ongeschikte kandidaten al uit te schakelen zonder gezichtsverlies te lijden omdat ze om hulp vraagt. Ik heb het opgelost en ik heb haar gebeld, dus ben ik geslaagd voor de test.'

'Heb jij haar gebeld?'

Charlie haalde opnieuw wat halfslachtig haar schouders op. 'Nou, eigenlijk wel, ja. Ik bedoel, hoe kon ik er anders achter komen wat er speelde?'

'En wat speelt er dan?'

Charlie sloeg haar ogen ten hemel. 'Wist ik dat maar. Maar we hebben het over Oxford. Dus iets simpels als opbellen en ernaar vragen is onmogelijk. Als ik het wil weten moet ik persoonlijk met Corinna gaan praten.'

Magda schudde verbaasd haar hoofd. 'Hebben ze de hele tijd dat je daar studeerde zo met jouw hoofd zitten knoeien? Geen wonder dat je zo goed om kunt gaan met zieke geesten. Je hebt haar hopelijk toch wel verteld dat je niet geïnteresseerd bent?'

'Het is allemaal niet zo simpel, Maria. Corinna is slim. Ze weet wat er met me is gebeurd. En ze heeft een aas aan de hengel gedaan met het enige zinnetje waarvan ze wist dat ik zou happen. "Gerechtelijke dwaling," zei ze.' Charlie zweeg, nam een slokje wijn en zag de ontzetting op het gezicht van Maria. 'Misschien is het wel mijn kans om iets goed te maken. Ik kan in dit stadium geen nee zeggen. Ik moet erheen om te horen waar Corinna mee zit.'

'Charlie, je stapt nooit ergens in als iemand direct contact met je zoekt. "Geef het maar door aan de politie. Of aan een advocaat. Als zij vinden dat ik de aangewezen persoon ben voor deze klus komen ze wel naar me toe." Dat zeg je altijd. Daar poeier je ze mee af. Ik vind het vreemd dat je opeens zo nodig naar Oxford moet terwijl het waarschijnlijk toch een hopeloze onderneming is, en dat alleen maar omdat je vroeger op de kindertjes van dat mens paste.'

'Maar ze kómen niet meer naar me toe, hè?' Charlie kon opeens haar woede niet meer inhouden; het was een steenpuist die te lang op knappen had gestaan. 'Ik ben geschorst voor mijn klinische werk, ik ben geschrapt van de lijst van door de overheid geaccrediteerde getuige-deskundigen, en van de universiteit mag ik zelfs geen les meer geven aan studenten. Ik mag alleen nog maar surveilleren bij proefwerken in eindexamenklassen en daar af en toe lesgeven. Een hopeloze onderneming is beter dan helemaal niets.' Ze kneep haar ogen dicht en probeerde normaal te ademen.

'Ik begrijp het,' zei Maria na een lange stilte.

'Sorry,' zei Charlie mat. 'Dat verdiende je niet.'

Ze wachtte nog even om de juiste nonchalante toon te vinden. 'Als je wilt zou je mee kunnen komen.'

'Naar Oxford?'

'Je doet net of het naar de maan is.'

'Dat het om een andere planeet gaat is duidelijk. Het is jouw wereld, niet de mijne. Ik ben maar een simpel meisje uit het noorden.'

'Je zou ervoor kunnen zorgen dat ik niet aan een hopeloze onderneming begon.' Charlie trok een quasi zielig gezicht. 'Dat ik niet in zeven sloten tegelijk loop.' De beste leugens waren altijd die leugens die het dichtst bij de waarheid lagen, hield ze zichzelf voor.

'Ik moet werken.' Maria verzamelde de lege borden en begon ze ijverig op elkaar te zetten.

'Ik ga pas in het weekend, ik moet deze week nog wat lesgeven en surveilleren. Ga toch mee. Je hebt St. Scholastika's nog nooit gezien. Misschien vind je het er wel leuk.'

Maria snoof minachtend. 'Ik ben te oud om verleid te worden door die mooie oude gebouwen en al die grote geesten. Ik ontspan me graag in mooie lege stukjes natuur, niet in steden. Het is al goed. Ga jij maar lekker nostalgisch doen. Kijk maar wat je oude lerares voor je in petto heeft.'

'Zeker om daarna beleefd voor de eer te bedanken en naar huis te komen.'

'Alleen als je dat zelf ook wilt.'

Charlie zag de bezorgde blik in Maria's ogen en voelde een vleugje schuldgevoel. Het maakte niet uit dat Maria zich om het verkeerde zorgen maakte. Het gevaarlijke avontuur waar Charlie aan begon had in feite niets te maken met haar beroep. Wat voor klus Corinna ook voor haar had, het kon niet half zo riskant zijn als een verblijf in de buurt van Lisa Kent. Maar ze was in de greep van iets wat ze niet meer onder controle had. 'Bedankt,' zei Charlie. Ze stond op van tafel en wendde zich af zodat Maria haar gezicht niet kon zien. 'Je kunt nooit weten. Misschien is het wel precies wat ik nodig heb.'

10

Met haar rug in een boog gekromd, en met verkrampte spieren, slaakte Magda een kreet. Het geluid kwam diep uit haar keel en kon zowel op wanhoop als op genot duiden. Met haar vingers klauwde ze in het onderlaken. Ze was zich van niets meer bewust behalve van het hevige orgasme dat door haar heen golfde. Woorden waren onmogelijk, behalve een paar onbegrijpelijke klanken. Jay legde haar vingers op Magda's lippen. 'Ik hou van je,' murmelde ze.

'Ungh,' kreunde Magda. Nog nooit was seks zo geweest. Wild, lekker vies, duister en nooit helemaal genoeg. Zo was het met Jay. Het maakte haar dronken en vrolijk tegelijk. Als een ontdekkingsreis.

Philip had haar in bed nooit teleurgesteld. Toen ze elkaar eenmaal goed kenden, was het altijd best plezierig geweest. Ze had het zelfs zo prettig gevonden dat zij meestal het initiatief nam. Maar met Jay was het hartstocht geweest vanaf de allereerste keer dat ze samen in bed waren beland. Misschien had het ermee te maken dat ze nu pas haar ware aard had ontdekt. Of misschien kwam het omdat haar geliefde er ongetwijfeld erg goed in was. De seks alleen al zou genoeg zijn geweest om haar verslaafd te houden. Maar het ging niet om seks alleen. Er was zoveel meer. Magda kreunde weer toen Jays vingers langs haar wang en hals streken. 'Dank je,' zei ze.

'Nog eens?' Jays hand was naar Magda's borst gedwaald en daarna naar haar buik.

Magda ging wat verliggen. 'Nee,' zei ze. 'Het is genoeg geweest. Ik wil er gewoon van genieten dat ik bij jou ben. Dat wil ik vieren.' Ze streelde Jays rug, zich ervan bewust dat hun lichamen van elkaar verschilden maar ook op elkaar leken. De kleur en de structuur van de huid. De spanning en ligging van de spieren. De vorm en contouren van hun lijven. De kleur en de dikte van de haren. Ze had gehoord dat homoseksualiteit een vorm van narcisme was, maar zo zag zij het niet. Jay en zij waren allebei volkomen anders.

'Wil je nog wat champagne?' vroeg Jay. Ze hadden al een hele fles opgedronken toen Magda terugkwam van de Old Bailey. Ze waren zo opgelucht dat ze het achteroversloegen als limonade op een hete zomerdag.

'Ik wil me niet bewegen. Ik wil hier liggen en genieten.' Magda zuchtte. 'Ik heb het gevoel dat er vandaag een last van me is afgevallen. Net alsof ik een streep kan zetten onder het verleden en vooruit kan kijken.'

'Dat begrijp ik.' Jay ging zo liggen dat ze op haar zij naast Magda lag, haar buik tegen een heup gedrukt, een arm bezitterig onder Magda's borsten. 'Er is recht gedaan. Paul en Joanne zitten in de gevangenis voor wat ze Philip hebben aangedaan. En jij hebt gedaan wat je kon om zijn dood niet ongewroken te laten. Dus je kunt nu trots zijn op jezelf en je mag je best opgelucht voelen.'

Magda liet haar vingers over Jays haren glijden. 'Dat heb ik allemaal aan jou te danken.'

'Doe niet zo raar. Ik hoefde niet te getuigen.'

'Nee, maar er was niets te getuigen geweest als jij niet een handje had geholpen,' zei Magda liefdevol. Ze gaf Jay een zoen op haar voorhoofd.

'Dat kunnen we nu verder maar beter vergeten,' zei Jay resoluut. 'Hoe minder we erover praten, hoe minder waarschijnlijk het is dat we ons een keertje verspreken.'

Magda was te verliefd om zich te storen aan de suggestie dat zij haar mond niet zou kunnen houden. 'Maar ik zal het nooit vergeten. Wat jij deed was riskant. En je hebt het voor mij gedaan. Je hebt het voor mij gedaan toen we nog maar heel kort bij elkaar waren. En je wist absoluut niet hoe het met ons zou gaan.'

'Ik had niet het gevoel dat ik een risico liep. Ik wist al dat jij de ware voor mij was. Ik wist hoe moeilijk het overlijden van Philip was en ik moest doen wat ik kon om de pijn wat minder erg te maken.' Ze ging nog wat dichter tegen Magda aan liggen. 'Ze vrijuit laten gaan zou een belediging voor zijn nagedachtenis zijn en een belediging voor jou. Dus heb ik gedaan wat gedaan moest worden.'

'Als ik al bewijs nodig had dat jij de ware voor mij bent...' Magda leunde met een glimlach achterover. 'En nu hoeven we ons niet meer te verstoppen. We kunnen samen uitgaan, de dingen doen die geliefden doen zonder ons zorgen te hoeven maken dat we in de een of andere roddelrubriek terechtkomen.'

Jay grinnikte. 'De kans is groot dat we toch wel in zo'n rubriek terechtkomen. Maar dat doet er nu niet meer toe. Het heeft geen invloed meer op de rechtszaak. We hoeven ons er geen zorgen meer over te maken dat de een of andere raadsman insinueert dat jij een even groot motief had om Philip dood te willen als Joanne en Paul.'

'Ik heb altijd gezegd dat dat onzin was. Ik bedoel, als ik had geweten dat ik eigenlijk bij jou zou willen zijn, zou ik toch nooit met Philip zijn getrouwd?'

'Misschien wilde je wel de fatsoensnormen in ere houden,' zei Jay. 'Ik weet dat je gedeeltelijk met hem bent getrouwd omdat iedereen dat van je verwachtte.'

'En ik ben altijd degene geweest die deed wat er van haar werd verwacht.' Magda glimlachte; een onbekend gevoel dat ze kattenkwaad uithaalde borrelde in haar omhoog. 'Tot nu toe tenminste.'

'Godzijdank. Natuurlijk had je het ook gemunt kunnen hebben op Philips geld. Dat is net zo'n goed motief.' Jays toon werd wat minder luchthartig. 'Je moet niet vergeten dat het nog steeds mogelijk is dat iemand ons samen heeft gezien op je huwelijksdag. Dan denken ze waarschijnlijk dat die ontmoeting niets betekende. Tenzij ze de toespelingen van de een of ander boulevardjournalist lezen en tot de conclusie komen dat wíj het allemaal hebben beraamd, niet Joanne en Paul.'

'Je hebt een enorme fantasie; je zou misdaadromans moeten schrijven.' Magda stak haar hand uit en kietelde Jay tussen haar ribben. 'Niemand die ons beiden kent, zou zoiets belachelijks kunnen denken. Waar ga je me voor ons eerste gezamenlijke uitje mee naartoe nemen?'

Jay deed net alsof ze nadacht. 'Zal ik voor kaartjes zorgen voor de wedstrijd van Arsenal in het Emirates-stadion op zaterdag?' Magda kneep in de huid op Jays heup. 'Au! Ik maakte maar een grapje.'

'Dat weet ik. Maar sommige grapjes gaan gewoon te ver. Kom op, jij bent de uitgever van de meest fantastische reisgidsen op deze planeet. Je hebt vast al iets bedacht.'

Jay leunde achterover in de kussens. 'Ik dacht dat we misschien naar Barcelona konden gaan voor het weekend. Een heerlijk luxehotel vlak bij de Ramblas, ergens in een toprestaurant eten... Wat zeg je ervan?'

'Dit weekend?'

'Daar zat ik aan te denken, ja. Is dat een probleem?'

'Ik werk op zondag,' zei Magda. 'En ik was van plan om zaterdag in Oxford bij mijn ouders langs te gaan. Ik moet ze over ons vertellen.'

'Ik dacht dat je moeder het al wist. Je zei dat ze alsmaar vragen over mij stelde toen je vorige maand thuis was.'

'Ze weet het omdat ze het heeft geraden. Ik heb het haar nog niet echt verteld. Niet met zoveel woorden. En pa weet helemaal nog van niets. En dat wordt een ramp.' Magda trok zich een klein beetje terug en ging met haar hoofd achterover naar het plafond liggen staren. 'Ik weet nu al welke fundamentalistische katholieke tirade hij gaat afsteken. Eerlijk waar, bij hem vergeleken is Zijn Heiligheid Benny de Zestiende een libertijn.'

'Zou het helpen als ik met je meekwam?' Jay tilde haar hand op en streek Magda over haar haren.

Magda's lachje klonk onecht. 'Niet in een betekenis van het woord "helpen" die ik ken. Ben je vergeten dat mijn moeder je toentertijd de toegang tot het huis heeft ontzegd toen ze ontdekte dat je lesbisch was? Nee, ik moet gewoon mijn tanden op elkaar zetten en doorbijten. Hopelijk is het effect niet al te afschuwelijk. En Wheelie gaat met me mee, dus ik sta er niet alleen voor.'

'Arme Maggot,' zei Jay. 'Misschien moet ik wel buiten in de auto op je wachten voor het geval je wordt verstoten als een gevallen vrouw uit victoriaanse tijden.'

'Dat is helemaal niet onmogelijk.' Magda kwam overeind en steunde op haar ellebogen. 'En nu houden we erover op. We waren eigenlijk iets aan het vieren. Is er nog iets te eten in huis of moeten we telefonisch iets bestellen? Ik sterf van de honger.'

'Al dat vrijen, daar krijgt een vrouw honger van. Wat denk je van pizza?'

Magda grijnsde. 'Kan niet beter. Die kunnen we in bed opeten. Dan hoeven we achteraf niet zover meer.'

'Dat is waar. We moeten de komende dagen zo veel mogelijk genieten van elkaar als je me in de steek gaat laten voor Oxford.'

Magda trok een wenkbrauw op. 'Misschien moet je toch maar buiten in de auto gaan zitten wachten.'

11

Zaterdag

Charlie was niet van plan geweest om St. Scholastika's nog eens te bezoeken, maar om vanuit het pension waar ze een kamer had geboekt bij het huis van de familie Newsam te komen, moest ze langs de poort van het College. En de aantrekkingskracht van al die plekken van vroeger was te sterk. Ze wist dat er mensen waren die de navelstreng die hen verbond met hun College in Oxford nooit doorsneden en elk excuus aangrepen om terug te komen – een lezing, een gastdiner, een reünie – maar daar had zij nooit bij gehoord. Ze had het grootste deel van haar tijd aan Schollie's fijn gevonden, maar ze was klaar geweest voor de buitenwereld, waar het er wat harder aan toeging. De enige keer dat ze terug was geweest, was tien jaar na haar afstuderen, een gebeurtenis die haar onbeschrijfelijk droevig had gemaakt.

Het was destijds een vreemde ervaring geweest om weer op Schollie's te zijn. Bijna schizofreen. Charlie had zich de vrouw gevoeld die ze op dat moment was – een succesvolle vrouw met een carrière, wier mening werd gezocht en gerespecteerd door haar vakgenoten, een vrouw die de overgang van verliefdheden naar liefde had gemaakt, die lekker in haar vel zat – en tegelijkertijd was ze dat onhandige wezen op de grens van puberteit en volwassenheid dat wanhopig bezig was om te ontdekken hoe haar toekomst eruit zou zien. Mensen tegenkomen die alleen maar wisten hoe ze was geweest en niet wie ze was geworden – het was een verwarrende ervaring geweest. Ze voelde zich aan het eind van de avond net iemand die van gedaante kon veranderen en was blij dat ze kon ontsnappen naar het spartaans ingerichte kamertje met het akelige eenpersoonsbed. Het was geen ervaring geweest die ze nog eens wilde herhalen. Dus een zwerftocht langs al haar oude bekende plekjes had niet op Charlies agenda gestaan. Het grootste deel van de drie uur durende rit van Manchester naar Oxford had ze afwisselend gefantaseerd over Lisa Kent in combinatie met een nacht zonder slaap, om zichzelf daarna weer bestraffend toe te spreken omdat die gedachte überhaupt bij haar opkwam. Maar dat ze zich ging blootstellen aan verleiding stond als een paal boven water.

Zodra ze er zeker van was dat Maria haar niet zou vergezellen op haar tochtje naar Oxford, had Charlie een sms naar Lisa gestuurd.

Ben in Oxford op vrijdag/zaterdag, misschien zondag. Elkaar zien?

Lisa had alleen maar terug ge-sms't

stuur wel e-mail

waarna Charlie helemaal ongeduldig werd. Toen het mailtje uiteindelijk kwam, was het een teleurstelling. Maar Charlie moest erkennen dat in haar huidige gemoedstoestand bijna elke reactie datzelfde effect zou hebben gehad. Volgens Lisa was haar weekend helaas voor het merendeel bezet: trainingsbijeenkomsten met degenen die waren uitverkoren om het evangelie van OMK te verspreiden onder de mensen, vergaderingen met organisatoren van conferenties en een paar privésessies met particuliere patiënten. Charlie vroeg zich af of ze misschien alleen maar een tijdje alleen met Lisa zou kunnen zijn wanneer ze een sessie boekte.

Toen kwam er meteen na het teleurstellende bericht een ander binnen. Charlie vroeg zich af of er een spelletje met haar werd gespeeld, maar dat interesseerde haar niet. In ieder geval werd het spelletje met een gelijke gespeeld. Nu bood Lisa haar aan om vrijdagavond laat ergens iets met haar te gaan drinken. Ze zou toch om halftien, op z'n laatst tien uur, wel vrij zijn?

Zullen we afspreken in de Gardener's Arms? In de buurt van jouw pension?

En dus was Charlie iets na achten in de pub gearriveerd en had ze zich ergens geïnstalleerd van waaruit ze zicht had op de deur van de huiskamerachtige bar. Ze had een Thaise curry van de vegetarische menukaart besteld en had er heel lang mee gedaan. Om halftien was ze al toe aan haar derde glas wijn en ze kon maar met moeite de verleiding weerstaan om het in één teug achterover te slaan om de knellende, nerveuze spanning wat te temperen. Lisa zou zo meteen tegenover haar zitten, de lucht tussen hen zou tintelen van de spanning. Onweerstaanbaar, dat zou het zijn, zei Charlie tegen zichzelf. Het bed in het pension zou leeg blijven; ze zouden teruggaan naar het huisje van Lisa in het dorpje Iffley. Charlie had geen idee wat er na die slapeloze nacht en die slaapdronken morgen zou gebeuren. Maar het zou als een mes door haar leven snijden. De twee delen zouden uiteenvallen als een stuk fruit dat doormidden wordt gesneden.

Het geroezemoes van een pub op een vrijdagavond leek om Charlie heen steeds meer aan te zwellen terwijl de tijd tergend langzaam voorbijkroop. De stemmen weerklonken luid in haar oren, het gelach voelde bijna agressief aan. Kwart voor tien en geen Lisa. Ze keek elke minuut op haar telefoontje of er een sms was, maar het schermpje bleef leeg. Om tien uur begon Charlie zich misselijk te voelen. Haar handen waren plakkerig, haar huid was rood en zweterig. Ze moest de drang onderdrukken om door de menigte heen te dringen om wat frisse lucht te happen. Toen de telefoon eindelijk om tien over tien trillend aangaf dat er een sms was, schoot Charlie met een schok overeind.

Sorry, sorry, sorry, alles loopt uit. Kan er niets aan doen. Zien elkaar morgen. Lx

Ze las de woorden en voelde hoe de gal omhoogkwam. Ze kon nauwelijks op tijd de smalle straat buiten bereiken. Ze braakte alles wat ze die avond gegeten en gedronken had uit in de goot tussen twee dicht bij elkaar geparkeerde auto's. Bibberend en zwetend leunde ze tegen de muur en vervloekte zichzelf. Waarom had ze zichzelf zo mee laten zuigen in dit emotionele spelletje? Met Lisa was alles meerduidig en vaag. Was het waar wat ze sms'te? Was ze teruggeschrokken voor een affaire met een getrouwde vrouw? Of was ze gewoon een spelletje aan het spelen? Of was het allemaal gewoon echt waar en zat Charlie zichzelf te kwellen uit schuldgevoel?

Terug in het pension had Charlie wakker gelegen, afwisselend overmand door zelfmedelijden en zelfhaat. Daarna was de wroeging om de hoek komen kijken en kon ze helemaal niet meer slapen. Ergens rond een uur of één had ze het opgegeven en was ze online gegaan en had ze alles gelezen wat er te vinden was over de moord op Philip Carling. Dan was ze in ieder geval voorbereid op haar ontmoeting met Corinna. Net als vroeger bij een werkgroep. Oude gewoonten raak je nooit kwijt.

Om drie uur was ze gaan gapen. Voordat ze uitlogde zocht ze nog even snel iets op over Jay Macallan Stewart, zodat ze weer wist wat er destijds over haar in de kranten was geschreven. In Wikipedia stond een redelijk overzicht. Na Oxford had Jay profijt getrokken van het economiegedeelte van haar studie en had ze een baan aangenomen als onderzoeker bij een denktank voor sociale politiek. Binnen twee jaar was ze erachter welke kant het op ging in de wereld; ze nam ontslag en begon haar eigen internetbedrijf. Ze kocht lege vliegtuigstoelen en leegstaande vakantiehuisjes op voor dumpprijzen en ze verkocht de arrangementjes die ze daaruit samenstelde met een vette winst door. *Doitnow.com* was een van de doorslaande successen geweest van de eerste internethype en Jay was zo verstandig geweest om de zaak te verkopen voordat de zeepbel uit elkaar spatte. Ze had een paar jaar veel gereisd, meestal onopvallend, en stuurde berichten naar huis aan verschillende kranten en tijdschriften.

Bij haar volgende onderneming had ze gebruikgemaakt van de tweede internetgolf. Toen korte reisjes heel populair werden, was er opeens behoefte aan een serie reisgidsen die constant werden bijgewerkt, die online beschikbaar waren en die precies op maat waren gesneden voor de individuele consument. En zo was de merknaam *24/7* ontstaan. Je moest erop geabonneerd zijn, anders kon je er geen gebruik van maken, en het bedrijf van Jay ging er prat op dat er geen stad ter wereld was waar zij geen gids voor konden produceren die was aangepast aan de persoonlijke behoeften van de klant. Charlie had zelf ook een abonnement, waarvoor ze met plezier elke maand 4.99 pond overmaakte. Dan wist ze tenminste altijd waar ze heen moest reizen.

Door dit alles had Jay een goede naam in de zakenwereld opgebouwd. Redacteuren van de economiepagina's wisten wie Jay Macallan Stewart was. Maar ze had pas echt landelijke bekendheid gekregen door schaamteloos mee te liften op de populariteit van de zogenaamde 'jankmemoires'. Jays opvoeding was wat onorthodox geweest. Haar moeder was een hippie en een junkie. De eerste negen jaar van haar leven had Jay God noch gebod gekend en ze was als een halve wilde opgegroeid. Toen had haar moeder zich plotseling bekeerd tot een van de extremere vormen van het christendom en was ze met een van de ergste bullebakken in het noordoosten van Engeland getrouwd. Het was, om Jay te citeren, 'net alsof ze keihard tegen een stenen muur was op gelopen.' Tel daarbij op dat Jay geleidelijk tot het besef kwam dat haar ontluikende seksualiteit haar nog veel meer in de rol van uitgestotene zou drukken, en je had een recept voor precies het soort jankverhaal waar miljoenen boeken van werden verkocht. Charlie had geen idee hoe waarheidsgetrouw Jays boek *Zonder berouw* was geweest, maar er was niemand opgedoken om de inhoud tegen te spreken, en het was bijna onmiddellijk boven aan de bestsellerslijsten terechtgekomen.

En daar eindigde het verhaal online. Er stond niets over Jays privéleven, afgezien van het feit dat ze lesbisch was. Ze was iemand van wie men de naam kende, maar die nog niet de twijfelachtige eer te beurt viel tot de Bekende Engelsen te behoren. Charlie moest toegeven dat Jay het allemaal feilloos had georkestreerd. Op de een of andere manier was had ze de onaangename dingen uit haar levensverhaal weten te retoucheren.

Want die onaangename dingen waren er wel. Zelfs Charlie wist dat. Ze was in slaap gevallen met een beeld van Jay Macallan Stewart nog helder voor ogen. Niet de Jay zoals ze nu was, maar de Jay zoals ze was geweest toen Charlie haar voor het eerst had gezien. Lang, slank, in een ruimvallende schipperstrui, haar haren een massa wanordelijke donkere krullen, met om zich heen de blauwe walm van een Franse sigaret. Ze had Charlie, die twee jaar ouder was, het gevoel gegeven dat ze onhandig en puberaal was. Zelfs toen al, ook al had ze geen geldige reden voor deze intuïtieve gedachte, had ze begrepen dat Jay iets van gevaar uitstraalde.

Charlie had beter geslapen dan ze had verwacht of had verdiend, en toen ze slaapdronken wakker was geworden was er nauwelijks tijd om te douchen en op tijd aan het ontbijt te zitten. Daarna was er nog meer dan een uur over voordat ze Corinna zou ontmoeten. Een wandeling door de tuinen en de wei langs de rivier bij Schollie's op een heldere lentemorgen had in ieder geval het voordeel dat ze terugging in de tijd en dus even niet dacht aan het pijnlijke heden en de manier waarop Lisa Kent haar manipuleerde. En, wat belangrijker was, het zou haar een helder beeld geven van de plaats waar Philip Carling was vermoord. Ze verwachtte niet dat het terrein van het College sterk zou zijn veranderd sinds zij er had gestudeerd. Per slot van rekening ging Oxford er prat op dat de tradities in ere werden gehouden. Maar het zou natuurlijk toch anders zijn, ook al waren die verschillen maar heel klein. Als – en op dat moment was het nog een heel groot 'als' – ze zich zou gaan buigen over wat volgens Corinna een gerechtelijke dwaling was, dan zou ze op precies dezelfde manier te werk moeten gaan als bij elke andere zaak en zou ze elk vooringenomen standpunt moeten zien te vermijden. En hoewel zij zich eigenlijk bezighield met het onderzoeken van de menselijke geest, kon het geen kwaad om zelf een kijkje te gaan nemen op de plaats delict.

Destijds, toen Charlie nog studeerde, was Schollie's een College voor vrouwen geweest, een van de laatste universitaire instellingen waar uitsluitend een van beide seksen mocht studeren. Samen met St. Hilda's waren ze niet bezweken voor de verleiding om mannen toe te laten en hielden ze stug vast aan het principe dat een universiteit die uit diverse Colleges bestaat, zoals in Oxford, haar studenten een groot assortiment aan keuzemogelijkheden moest bieden. Ze waren uiteindelijk, ironisch genoeg, gedwongen geweest om hun tegenstand te laten varen vanwege het nietsontziende economische belang van een wetgeving die uitging van gelijkheid der seksen. Dus nu was Schollie's net als elk ander College in de universiteit vrij toegankelijk voor zowel mannen als vrouwen. In tegenstelling tot de vroegere Colleges voor mannen konden de diverse gebouwen niet mooi of voornaam genoemd worden, en ondanks het ruim bemeten en aantrekkelijke terrein was het College niet erg geliefd bij toeristen. Dus hoefde je er geen toegangsgeld te betalen, en hoefde je je ook niet te identificeren om binnen te komen. Iedereen mocht kennelijk vrij rondlopen in de tuinen en de graslanden van St. Scholastika's.

Het trimester was net afgelopen, dus werden er koffers en blauwe IKEA-tassen naar auto's gezeuld, terwijl ouders stonden te wachten en studenten een vrolijk gezicht probeerden op te zetten omdat ze naar huis gingen. Sommigen, die ervoor betaalden dat ze nog een week mochten blijven, lagen languit op banken. Ze hadden iets zelfvoldaans over zich, want ze waren nog steeds bevrijd van de oude levens die hen ieder moment weer konden opslokken. Charlie glipte door de portiersloge en over het parkeerterrein voor Magnusson Hall naar het deel van de tuin waar de bruiloftsreceptie was gehouden. Het was ongeveer zo groot als een voetbalveld; een volmaakt gemaaid gazon, omringd door een grindpad met borders die er in maart wat verkommerd en niet al te veelbelovend bij lagen. Maar Charlie wist dat in juli, toen Magda en Philip waren getrouwd, die borders vol hadden gestaan met een weelderige bloemenzee en allerlei tinten groen. In het midden van het gazon prijkte een tweetal libanonceders, hoger en breder dan ze zich herinnerde. Aan de andere kant van het gazon stond een bank waar Charlie vaak op een zomermorgen had zitten lezen of gewoon voor zich uit had zitten staren, diep in gedachten om zich zo goed mogelijk voor te bereiden op haar volgende college, terwijl de modderige bruine rivier vadsig langs stroomde.

Charlie liep het gazon over en probeerde zich een beeld te vormen van de zomerbruiloft die zo gewelddadig was geëindigd. Waarschijnlijk had er een grote feesttent gestaan, misschien wel twee. Tafels op het gras. Een muziekband, een dansvloer. Overal mensen, gesprekken over van alles en nog wat, dansende paren. Moeilijk om precies te volgen waar iedereen was. Zelfs de bruid en bruidegom.

Wat zeker ook gold voor bruiloften in het College was dat een doeltreffende beveiliging ontbrak. Iedereen kon het College in en uit lopen; hetzelfde gold voor privéfeesten, vooral als die in de open lucht plaatsvonden. Ze konden niet op een efficiënte manier worden beveiligd, niet als er ook buitenstaanders rondliepen die legaal toegang hadden tot de gebouwen rondom het gazon. De zijdeuren van Magnusson Hall hadden opengestaan, zodat gasten naar het toilet konden. Dus iedereen in Magnusson had zonder enig probleem naar buiten kunnen lopen en zich onder de feestgangers kunnen mengen, alsof ze daar het volste recht toe hadden. Er stonden ook nog andere gebouwen rondom de tuin – het Chapter House, een klein gebouw waarin alleen wat kamers waren waarin werkgroepen en colleges werden gegeven, en Riverside Lodge, een gebouw met kamers voor studenten. Charlie vroeg zich af of Chapter House op zaterdag gesloten was. In haar tijd was dat wel zo geweest.

Ze was nu bij haar oude bank aanbeland. Ze draaide zich om

en wierp een blik op Magnusson Hall. Het victoriaanse gebouw had ooit gediend als krankzinnigengesticht, een bron van veel wrange grappen onder de studenten. Maar desondanks was het een evenwichtig bouwwerk van gele en rode bakstenen die artistiek waren verdeeld. Volgens de rechtbankverslagen die Charlie had gelezen was Magda op de kamer van haar moeder geweest toen ze Paul en Joanne stiekem had zien wegglippen van het feest. Ze waren om de achterzijde van Riverside Lodge gelopen en verdwenen tussen het gebouw en de rivier, een route die alleen maar naar de steiger leidde waar het lichaam van Philip naderhand was gevonden. 'Tenzij de branddeur van Riverside openstond,' zei Charlie binnensmonds.

Ze liep naar de hoek van Riverside en keek van daaruit naar Magnusson. Ze probeerde zich te herinneren welke kamer van Corinna was. Het was een kamer met een erker, herinnerde ze zich. Op de tweede verdieping. Er waren maar twee kamers mogelijk, en vanuit allebei keek je recht op de plek waar zij nu stond. Dus het was heel goed mogelijk dat Magda inderdaad getuige was geweest van wat ze volgens eigen zeggen had gezien.

Charlie draaide zich om en liep het smalle tegelpad op tussen Riverside en het water. Een hoog ijzeren hek stond boven op de kniehoge muur om te voorkomen dat de studenten in de rivier vielen. Links van haar was het puntdak van Riverside zichtbaar, een steile grijze bakstenen rots waarin vierkante ramen zaten die modern waren in de jaren zeventig, toen het werd gebouwd. Ongeveer in het midden van het gebouw bevond zich de branddeur, vierkant en met dubbel glas met een brede band van zwart metaal er dwars overheen. In Charlies tijd was het 's zomers binnen altijd zo benauwd geweest dat de deur meestal open had gestaan. Ze vroeg zich af of dat nog steeds het geval was. Iedereen was zich tegenwoordig meer bewust van veiligheid. Maar als ze de jongelui aan wie ze lesgaf als maatstaf nam, dachten de studenten nog steeds dat ze onverwoestbaar waren. Ze zouden het gevaar afwegen tegen de ondraaglijk bedompte sfeer in het gebouw en vervolgens de deur openzetten. Dat wist ze eigenlijk wel zeker. Bij de hoek van het gebouw liep het pad dood op een zacht glooiende, betonnen helling. Daarachter lag de stoere houten aanlegsteiger waar de punters aan kettingen lagen. Daar was

Philip Carling gevonden. Zijn hoofd was aan weerszijden bewerkt met een zware houten peddel die zijn schedel had kapotgeslagen. Daarna was hij het water in gerold en was hij met zijn hoofd onder een punter geduwd om hem te laten verdrinken. Het was geen waardige dood geweest, maar het was waarschijnlijk wel vrij snel gegaan. Eventuele geluiden waren opgeslorpt door het lawaai van het bruiloftsfeest. De dader moest kletsnat zijn geweest, maar als hij de tegenwoordigheid van geest had gehad om andere kleren te verstoppen in de buurt van Riverside of, een stukje verderop langs de rivieroever, in het botenhuis van het College zouden eventuele sporen gauw zijn uitgewist. Volgens getuigen had Sanderson, toen zij en Barker zich weer bij het feest voegden, een andere jurk aangehad en hij een ander overhemd. Ze hadden ter verdediging aangevoerd dat ze stiekem waren weggegaan voor een vrijpartij; dat in het vuur van de strijd haar jurk was gescheurd en dat zijn overhemd onder de lippenstift en de mascara zat en dat ze dus iets anders hadden aangetrokken. Het was een verklaring die best redelijk klonk, maar die een wat geforceerde indruk maakte. Vooral omdat zij de enige logische verdachten waren.

Natuurlijk was het wel een argument dat zwakker werd als je wist van Magda en Jay. Als Charlie zich al met deze hele zaak zou gaan bemoeien, zou ze op een heleboel vragen een antwoord moeten hebben. Bijvoorbeeld op de vraag wanneer Jay en Magda iets met elkaar hadden gekregen. Of waar Jay die bewuste zaterdagavond was. En, als je een akelig achterdochtige geest had, hoe lang Magda zelf niet aanwezig was geweest op haar feest. Charlie moest even lachen. Die laatste vraag zou Corinna vast ontzettend leuk vinden.

Charlie draaide zich langzaam om en keek langs de helling omhoog naar het Meadow Building. Daar had ze drie jaar gewoond, eerst in een piepklein hokje tussen een trap en een voorraadkast, daarna in een grote frisse kamer op de bovenste verdieping, die ze had bemachtigd omdat ze penningmeester was van de studentensociëteit. Ze was volwassen geworden in dat gebouw. Ze had evenveel kennis over zichzelf opgedaan als over haar academische onderwerpen. Ze was verliefd geworden, had liefdesverdriet gehad en was weer verliefd geworden. Precies zoals de bedoeling was. Ze had er vrienden gemaakt en ze had haar toekomst een andere draai gegeven.

Nu was ze de grip op die toekomst die ze voor zichzelf had gecreëerd aan het verliezen. Het ging bergafwaarts met haar beroepsleven en met haar persoonlijke leven. En nu stond ze hier weer, waar het allemaal was begonnen. Het zou nooit bij haar zijn opgekomen om hier haar heil te zoeken. Maar misschien had Corinna wel gelijk. Misschien was dit haar kans om haar leven weer terug te krijgen.

12

Jay stond bij het raam en keek hoe Magda wegreed. Ze vond het vreselijk om Magda alleen de strijd met haar ouders te laten aangaan, maar ze schoot er niets mee op als ze er ruzie over ging maken. Als Corinna en Henry ervoor kozen om Magda ongelukkig te maken vanwege haar partnerkeuze, dan zou ze zich met alle liefde in de strijd werpen. Een strijd naar Jays hart. Maar eigenlijk deed het er niet toe; Jay wist dat Magda van haar was, ongeacht wat haar ouders zeiden of deden. Voorlopig maakte zij een betere indruk als ze een stapje terug deed en Magda haar eigen boontjes liet doppen. En nu had ze weer een hele dag om te schrijven. Daar was sinds de uitspraak niet veel tijd voor geweest. Jay maakte een kop koffie voor zichzelf en ging achter het toetsenbord zitten.

Die eerste vakantie ging ik maar twee weken naar huis. Ik hoorde er niet meer. Bekenden van school richtten hun levens zo in dat ik er niet meer in paste. De meesten waren met een stel vrienden tegelijk naar de universiteit gegaan. Anderen hadden een baan en verdienden geld, waardoor ze uit de groep vielen. Het huis waarin ik een jaar of zes had gewoond voordat ik naar Oxford ging, voelde ook niet meer als thuis. Dat was niet meer mogelijk na de grote verdwijntruc van mijn moeder. Mary Hopkinson, die naast ons woonde, vertelde me met nauwverholen genoegen dat niemand meer iets van haar had gehoord sinds die koude winteravond toen ze was verdwenen met een koffer met haar beste kleren, haar toiletartikelen en een ingelijste foto van mij toen ik zes was. Als ze een foto had meegenomen waarop ik ouder was, dacht ik, zou dat haar echte leeftijd verraden.

Het huis van mijn stiefvader was niet een plek waar iemand uit vrije wil zou willen wonen. Hij had er alles uit gehaald wat hem aan mijn moeder deed denken en nu was het vrij van alle beeltenissen, net als het kerkje waar ik in mijn puberteit alle zondagen had moeten doorbrengen. Door terug te gaan ontdekte ik pas hoe bevrijdend het was geweest om er een jaar daarvoor weg te gaan. Ik bracht de meeste tijd buitenshuis door, zelfs als dat betekende dat ik drie uur en een dozijn hoofdstukken deed over een kop koffie in de plaatselijke hamburgertent. Op 2 januari vluchtte ik terug naar Oxford en mocht ik drie nachten bij de familie Newsam op zolder slapen voordat ik terug kon naar het College.

De rest van mijn eerste jaar was Corinna mijn rots in de branding en waren de kinderen af en toe mijn redders. Vanzelfsprekend had ik inmiddels wel vrienden gemaakt onder mijn medestudenten. Ik was zelfs gekozen als afgevaardigde van het bestuur van de studentensociëteit. Maar bij Corinna voelde ik me meer op mijn gemak, en met haar kon ik beter praten dan met mijn medestudenten. Het was alsof ik tegenover haar niets hoefde te bewijzen. En het kwam mijn studie ook ten goede. Ik zweer dat er verbazing in de stem van Helena Winter doorklonk toen ze me de resultaten meedeelde van mijn propedeuse. Ik heb zelden zo van iets genoten.

Bij de herinnering aan dat moment moest Jay onwillekeurig glimlachen. Ze had sindsdien meer dan genoeg loftuitingen gehad, maar die eerste triomf kon haar nog steeds ontroeren. Het was vreemd hoe levendig deze herinneringen waren. Ze vroeg zich af of ze ook zo zou zijn geweest als Magda niet in haar leven was verschenen.

Het viel niet te ontkennen dat het emotionele leven van Jay dat jaar om Corinna had gedraaid. Ze had haar geadoreerd, had over haar gedroomd, had over haar gefantaseerd en ze was er hopeloos dankbaar voor geweest dat ze zo dicht in de buurt van het onderwerp van haar verlangen mocht zijn. Maar ze moest altijd op haar hoede zijn, ze moest er constant voor waken met geen woord of gebaar de verdenking bij Corinna te wekken dat er iets 'tegennatuurlijks' aan haar gevoelens was. Ter wille van Corinna en van alle anderen had Jay vreselijk veel moeite gedaan om het beeld in stand te houden van een gewone studente die door Corinna onder haar hoede was genomen, niet in het minst omdat ze goed met de kinderen kon omgaan.

Geen van die feiten zou Magda ter ore mogen komen. Jay zuchtte en stond op. Ze moest zich nu weer helemaal concentreren op het verleden en zich niet door de gedachte aan Magda mee laten slepen naar het heden. Ze liep naar de keuken en haalde een pakje Gitanes en een oude koperen aansteker uit de la van de grote grenen tafel.

Buiten op het terras stak Jay een van de sterk geurende Franse sigaretten op en liet de rook haar mond in stromen. Ze had al jaren niet meer echt gerookt, maar tijdens het schrijven van *Zonder berouw* had ze ontdekt dat ze door de smaak en de geur van de zware tabak binnen de kortste keren weer het verleden in werd gekatapulteerd. Ze dacht wel eens dat de voorliefde voor die sigaretten het enige was wat ze gemeen had met haar moeder. Ze deed haar mond open zodat de rook kon wegdrijven en keek hoe de blauwe walm werd opgenomen door de koude ochtendlucht. Zelfs na al die jaren van onthouding voelde de sigaret volkomen natuurlijk aan tussen haar vingers. Ze liet hem uitbranden en hield hem zo dicht bij haar gezicht dat de rook zijn toverkunsten kon uithalen. Nu herinnerde ze zich weer hoe sterk die emoties waren, hoe rauw de ervaring was die ze wilde vertalen naar de bladzijden.

Na de zomer veranderde alles. Niet tussen mij en de familie Newsam, maar tussen mij en de rest van de wereld. De reden? Mijn nieuwe buurvrouw op het College. Een eerstejaars die moderne talen studeerde. Louise Proctor.

Ik liep door de gang te strompelen met een zware kartonnen doos, toen Louise haar kamer uit kwam. Toen we elkaar in de smalle gang probeerden te passeren, ontmoetten onze blikken elkaar, en ik voelde voor de eerste keer de schok en de vonk van een aantrekkingskracht op het eerste gezicht.

Het was een moment van pure angst.

Op de een of andere manier wist ik me langs Louise heen te manoeuvreren en struikelde ik mijn kamer in. Ik liet de doos met een klap vallen en zeeg neer op het bed. Het bloed suisde in mijn oren. Al mijn zintuigen stonden op scherp. Ik voelde het weefsel van de sprei onder mijn vingers. Ik zag de ruwe stukjes opgedroogd gips in de kerfjes in de muur op plekken waar met punaises gaatjes waren gemaakt. Ik rook stof en de sigarettenpeuken in mijn asbak en de schaal met oranje en gele potpourri die Corinna en haar dochtertjes die morgen langs hadden gebracht als een soort welkomstgeschenk, nadat de familie twee weken van een geheel verzorgde vakantie in Griekenland had genoten. En ik hoorde een stem in de kamer naast de mijne die 'Louise?' riep.

Ik liep struikelend naar het raam en duwde het open. Uit het raam naast het mijne leunde een vrouw naar buiten van middelbare leeftijd met halflang golvend grijs haar, die zwaaide naar het meisje tegen wie ik even tevoren bijna was aan gebotst. Louise keek omhoog en zag ons beiden ongeveer op hetzelfde moment dat haar moeder mij zag. 'Hallo!' zei mevrouw Proctor vrolijk. 'We zijn bezig mijn dochter hierheen te verhuizen!' Toen keek ze weer naar beneden. 'Louise, je moet nu die grijze koffer naar boven brengen, lieverd.'

Louise knikte en maakte de achterbak van de rode Volkswagen Golf open. Haar glanzende donkere hoofd verdween even, waarna ze weer tevoorschijn kwam met de koffer. Ik besefte opeens dat ik een idiote indruk maakte en trok mijn hoofd terug. Ik liep de kamer door en deed mijn deur dicht. Toen ging ik weer op mijn bed zitten, en probeerde te begrijpen wat er met me gebeurde. Het voor de hand liggende antwoord beviel me niet, dus probeerde ik net te doen alsof er niets aan de hand was.

De reactie van Louise maakte dat gemakkelijker. Er was iets wereldschokkends met mij gebeurd, maar Louise gedroeg zich alsof zij niet hetzelfde had gevoeld, ondanks mijn overtuiging dat dit moment van pure elektrische aantrekkingskracht wederzijds was geweest. Na die eerste ontmoeting leek Louise mij te mijden. Als we elkaar desondanks tegen het lijf liepen op weg van onze kamer naar de badkamer of op de trap trok ze een lelijk gezicht en ontweek ze mijn blik.

Er was natuurgeweld voor nodig om alles te veranderen.

Destijds had men het een lachwekkend idee gevonden dat elke student een eigen badkamer had. Elke verdieping had een gemeenschappelijke badkamer met aparte douche- en badhokjes. Zonder dat we het van elkaar wisten, namen Louise en ik een bad in aangrenzende hokjes. Buiten was het enorm aan het waaien en onweren, het rommelde en donderde zo hard dat de ramen rammelden in de sponningen. Felle bliksemschichten schoten door de lucht, vergelijkbaar met het effect dat angst heeft op het centrale zenuwstelsel. Toen volgde er een klap die veel harder was dan de andere; en er klonk gekraak, en gekreun van hout dat in de verdrukking komt, en plotseling vielen er grote brokken gips van het plafond.

Ik riep iets onsamenhangends en sprong uit het bad. Onmiddellijk zat ik helemaal onder het gruis van het gips dat aan mijn natte huid bleef plakken. Ik greep mijn ochtendjas, wrong de deur van het badhokje open – precies op het moment dat iemand de andere deur opentrok. Louises lange zwarte haren hingen in strengen langs haar bange gezicht. Ze zat helemaal onder de vegen van dezelfde viezigheid die aan mij plakte. We keken allebei met open mond naar de deur die van de badkamers naar de gang leidde. In een hoek van vijfenveertig graden hing er een dakspant dwars voorlangs. Aangezien de deur naar binnen openging, zaten we in de val. Ik keek op. Door de puinhoop heen die nog over was van het dak zag ik de zware tak van de enorme rode beuk die niet langer het gazon tegen de zon beschermde.

'O shit,' zei ik.

'Dat woord is wel terecht,' antwoordde Louise droog.

'Eigenlijk zijn het twéé woorden, maar dit is waarschijnlijk niet het juiste tijdstip om muggenzifterig te zijn,' zei ik, want ik wilde me niet laten kennen.

De nooddienst had bijna de hele nacht nodig om de deur vrij te maken. Toen we er ons eenmaal van hadden vergewist dat het gekreun en gekraak van het overbelaste hout niet levensbedreigend was, gingen Louise en ik dicht tegen elkaar aan zitten, tegen de buitenmuur aan, en begonnen we voor het eerst echt te praten. Toen het licht begon te worden wisten we dat er iets tussen ons was wat we geen van beiden ooit eerder hadden meegemaakt. We wilden geen van beiden erkennen wat het was, maar dat het er was wisten we allebei.

Toen we eenmaal waren bevrijd, werden we meteen meegenomen door de verpleegster van het College, ondanks onze bewering dat we allebei alleen maar een paar schrammen en sneetjes hadden. Toen we weg mochten, gingen we, na het uitspreken van een paar pakkende zinnetjes tegen de journalisten, naar een snackbar in Banbury Road. Boven een bord met bacon, eieren, worstjes en gebakken brood kon ik eindelijk zeggen: 'Ik heb dit nog nooit eerder gevoeld.'

'Ik ben bang,' zei Louise. 'Ik weet niet wat we nu horen te doen.'

Ik haalde mijn schouders op. 'Gewoon, wat erop volgt?'

'Ja, maar wat is dat precies?'

'Dat weet ik niet. Ons gevoel volgen?' Ik leek niet in staat om iets anders dan clichés te debiteren, maar Louise merkte het niet. Of ze vond het niet erg.

Louise doopte een stukje worst in haar eidooier. 'Ik dacht dat ik zo wereldwijs was toen ik hier kwam studeren.' Ze keek naar me op met een smekende blik in haar ogen. 'Maar ik weet eigenlijk nergens echt iets over.'

'We vinden er wel iets op,' beloofde ik. Ik was maar zes weken ouder dan Louise, maar ik liep wel een academisch jaar op haar voor. Op de een of andere manier maakte me dat verantwoordelijk voor wat de toekomst brengen zou. Het was het meest angstaanjagende vooruitzicht van mijn leven. Opeens had ik helemaal geen honger meer.

Ik keek toe hoe Louise haar ontbijt opat en daarna liepen we arm in arm terug naar het College. Het was een lichtelijk gedurfd gebaar, maar iedereen was onderhand op de hoogte van ons avontuur, dus je kon er zonder veel moeite een onschuldige uitleg aan geven. Toen we weer op mijn kamer waren, gingen we tegenover elkaar staan. Toen, centimeter voor behoedzame centimeter, naderden onze gezichten elkaar, totdat onze lippen elkaar raakten.

Wat ik me het meest herinner was het gevoel dat er een lichtexplosie in mijn hoofd had plaatsgevonden. Toen ik Louise in de ogen keek, zag ik daar dat zij diezelfde wonderbaarlijke ervaring had gehad. Op dat moment voelde ik me onoverwinnelijk.

Helaas heeft het leven mij geleerd dat dit gevoel nooit van lange duur is.

13

Charlie verbaasde zich erover hoe weinig Corinna was veranderd. Ze droeg nog steeds het bekende, zware, ovale brilmontuur dat misschien in 1963 een poosje in haar geboorteland Canada in de mode was geweest, maar sindsdien nooit meer. Hetzelfde gold voor haar kapsel, dat alleen in de jaren zestig even in zwang was geweest. Met de scheiding opzij, getoupeerd, krulde het zich om haar tamelijk zware kaak, en het hele monstrueuze gevaarte werd op zijn plaats gehouden met een laag haarlak zo hard als schellak. Het had nog steeds dezelfde donkerbruine kleur van de schoensmeer van het merk Cherry Blossom. Ze begroette Corinna met een aarzelend glimlachje.

'Charlie. Je bent gekomen.' Dezelfde warme trans-Atlantische stem. Corinna stak haar hand uit en legde hem op Charlies arm.

'Beloofd is beloofd.' Charlie liet zich de hal in trekken. Waar Corinna nauwelijks was veranderd, zag het er daar anders uit dan in haar herinnering. De door vier jonge kinderen veroorzaakte slijtplekken en krassen waren weggeschuurd en weggeverfd. Een Afghaans kleed op de geschuurde en gepolijste planken vloer verving het versleten chocoladebruine tapijt. En er hingen echte schilderijen aan de muur, niet de felkleurige kliederwerkstukjes van de kinderen. 'Wow,' zei ze. 'Wat ziet het er hier anders uit.'

Corinna lachte nog steeds op haar vertrouwde, gekke, kakelende manier. 'Dat gebeurt er als je kinderen opgroeien en je man oud wordt. Dan staat niets je meer in de weg om het eindelijk eens naar je zin in te richten.' Ze ging Charlie voor, de trap af naar de keuken in het souterrain. 'Maar hier is nog niet veel veranderd.'

Ze had gelijk. De keuken zag er nog altijd uit als een ruimte waar een bescheiden tornado had huisgehouden. Kleren, boeken, sportspullen, tijdschriften, kranten en cd's lagen overal verspreid over de banken en leunstoelen die langs een deel van de muren stonden. Het donkerrode fornuis had nog steeds een roomwit deurtje, omdat ze bij Newsam eraan gewend waren genoegen te nemen met wat er voorhanden was, vooral als er geld mee werd uitgespaard. Op de achtergrond klonk het zachte geluid van de klassieke zender Radio 4.

'Alleen de boektitels zijn anders,' zei Corinna. Ze trok een stoel onder de keukentafel vandaan en wees ernaar. 'Koffie, ja?' Ze wierp een blik op de klok. 'We hebben minder tijd dan ik had gehoopt. Magda en Wheelie komen hier lunchen. Dan kunnen we met z'n allen wat bijpraten.'

Bijpraten? Met Corinna over haar leven praten? 'Wordt dat niet een beetje moeilijk? Gezien de reden waarom ik hier ben? Hoewel ik natuurlijk nog steeds niet precies weet wat die reden is.'

Corinna keek haar even bevreemd aan, terwijl ze koffie in de cafetière lepelde. 'Nou, ik ging er niet van uit dat je Magda aan een kruisverhoor zou gaan onderwerpen over de kippenpastei. Ik vertrouwde erop dat je wat subtieler te werk zou gaan.' Toen

zei ze met wat meer overtuiging: 'Bovendien zijn ze eraan gewend dat vroegere studenten langskomen. Het is hier eigenlijk
altijd wel de zoete inval geweest.' Ze bracht de pot naar de tafel, samen met een tweetal bekers. 'In hoeverre ben je op de
hoogte van wat er met Magda is gebeurd?'

'Ik weet dat ze afgelopen juli met Philip Carling is getrouwd.
Ze kenden elkaar al een jaar of drie. Of vier, afhankelijk van de
krant die je leest. De bruiloft en de receptie vonden plaats in
Schollie's en Philip Carling is laat in de avond dood aangetroffen in de rivier bij het botenhuis. Hij was bewusteloos geslagen
en onder een punter geschoven. Klopt dat?' Charlie nam met
opzet geen blad voor de mond omdat ze een reactie wilde uit-
lokken.

De reactie die ze kreeg had ze wel zo ongeveer verwacht. 'God-
samme, Charlie. Ik zie dat je het eufemisme nooit onder de knie
hebt gekregen.'

'Ik laat liever geen ruimte over voor onduidelijkheden. Een
paar weken later zijn Philips zakenpartners gearresteerd op verdenking van moord. Ze hadden gebruikgemaakt van voorkennis om hun slag te slaan op de aandelenbeurs. Philip was erachter gekomen en hij was van plan aan de bel te trekken als hij
terugkwam van zijn huwelijksreis. Dus hebben ze hem vermoord. Magda heeft het cruciale bewijsmateriaal gevonden en
dat heeft bij het proces de doorslag gegeven. En deze week zijn
ze allebei schuldig bevonden aan de moord op hem. En terwijl
dit allemaal speelde heb jij me een pakketje met krantenknipsels gestuurd.'

Corinna roerde gedachteloos in haar koffie en zuchtte toen.
'Wat ik nu ga zeggen klinkt idioot. Ik heb erover gedacht om
naar de politie te gaan, maar ik wist dat ze me niet serieus zouden nemen. Hun zaak tegen Paul en Joanne was veel te sterk.
Daarom wilde ik met jou praten en niet met de een of andere
wildvreemde op een kantoor van een privédetective. Jij weet tenminste dat ik niet gek ben.'

Charlie vertrok haar gezicht in een grimas. 'Je hoeft niet gek
te zijn om af en toe een maffe fixatie te hebben, Corinna. Dat
gebeurt voortdurend.'

'Geloof me, Charlie. Dit is geen maffe fixatie. Ik ben ervan overtuigd dat Paul Barker en Joanne Sanderson Philip niet hebben vermoord.'

Corinna verwachtte kennelijk dat dit bij Charlie als een bom zou inslaan, maar die was al van tevoren tot de conclusie gekomen dat ze iets dergelijks te horen zou krijgen. 'Dus de politie zit fout? En de jury ook?'

Corinna legde eindelijk haar lepeltje neer. 'Dat zou niet voor het eerst zijn.'

Dat was een welgemikte steek onder water, en het deed pijn. 'Het gebeurt minder vaak dan je denkt.'

'Het is bijna gebeurd met Bill Hopton.' Corinna hield haar stem en haar blik zo neutraal mogelijk. 'Ik wed dat je wou dat het echt was gebeurd.'

Charlie haalde diep adem door haar neus en telde tot tien. Ze was even vergeten hoe Corinna je tot het uiterste kon tarten. 'Nee, dat doe ik niet. Ik weet dat bijna niemand het met me eens is, maar ik geloof nog steeds dat het rechtssysteem niets voorstelt als we de waarheid niet als hoogste goed blijven zien.'

Tot haar verbazing begon Corinna te grijnzen. 'Zo ken ik je weer. Daarom wil ik dat je me helpt.'

Charlie schudde haar hoofd. 'Een deskundige die in diskrediet is gebracht en die elk moment kan worden geroyeerd? Niemand die ook maar een greintje verstand heeft, wil op dit moment met mij worden geassocieerd.'

Corinna wapperde wat ongeduldig met haar hand. 'Dat komt allemaal wel goed. Dat zul je zien. En ondertussen ben jij precies de juiste persoon die de waarheid boven water kan krijgen.'

'De waarheid waarover? Waarom weet je zo zeker dat het hier om een gerechtelijke dwaling gaat?'

'Omdat ik weet wie de echte moordenaar van Philip is.'

Charlie wist dat nu het moment was aangebroken dat ze, net als de onderzoeksjournalist die een massagesalon wordt in gelokt, de aftocht moest blazen. Hoewel ze nu al wist dat ze er spijt van zou krijgen, vroeg ze: 'Wie dan?'

'Degene die mijn schoonzoon heeft vermoord is Jay Macallan Stewart.'

14

Soms had Jay het gevoel dat het verleden dichterbij was dan het heden. Ze kon zich verliezen in een vrijpartij met Magda, maar als ze achteraf naast elkaar lagen, merkte Jay vaak dat haar gedachten wegdreven, dat ze zich een weg zocht door haar geheugen en bij een bepaalde episode terechtkwam. Een reden daarvoor was uiteraard dat ze in haar verleden aan het graven was, omdat ze haar memoires zo pakkend mogelijk wilde maken. Maar het was altijd al zo geweest. Het was net alsof ze het verleden steeds weer opnieuw onder de loep nam, omdat ze er alsnog een acceptabel verhaal van wilde maken. Jay wilde terugkijken op een reeks van jaren, en wat ze dan wilde zien was een keurig pad dat omhoogliep. Soms kostte dat haar meer moeite dan anders.

Tegen de tijd dat Louise en ik ontdekten wat lesbiennes nu precies in bed deden, had ik me al kandidaat gesteld voor de functie van preses van de studentensociëteit. Dat is altijd al een van die baantjes geweest die er op een cv indrukwekkender uitzien dan ze in werkelijkheid zijn. Maar voor mij was het de volgende stap in de wederopbouw van de onbeduidende Jennifer Stewart. Ik kon eraan afmeten welke afstand ik al had afgelegd.

Toen ik op Schollie's studeerde, stelde die functie nog niet veel voor. Je moest zorgen dat de andere bestuursleden deden waarvoor ze waren gekozen; je had een wekelijkse ontmoeting met het hoofd van het College om zo nodig een paar netelige kwesties op te lossen en om de droge sherry te drinken die ik na veel oefenen had leren appreciëren; je moest vergaderingen op het College organiseren en, afhankelijk van de al dan niet stalinistische neigingen van degene die de functie vervulde, het leven van de studenten van het College zowel op politiek als op praktisch gebied richting geven. Als je bepaalde ideeën aanhing, dan kon je de leden van de studentensociëteit er bijvoorbeeld van overtuigen dat ze al hun geld moesten doneren aan het Leger des Heils – of aan de een of andere marxistische Midden-Amerikaanse guerrillagroep. Afhankelijk van je standpunt was het ofwel macht zonder verantwoordelijkheid, of verantwoordelijkheid zonder macht.

Mijn voornaamste concurrente voor de functie van preses bleek Jess Edwards te zijn, een studente geografie met een groot talent voor spreken in het openbaar. Ze zat in de dames-acht van Oxford en koesterde een verontrustende bewondering voor de historische prestaties van Margaret Thatcher. De standpunten die ons scheidden lagen zowel op het praktische als op het ideologische vlak. Ik kwam bijvoorbeeld met het voorstel geld in te zamelen voor een wasserette voor het College die voorzien was van het allernieuwste type wasmachine; Jess wilde meer geld uitgeven aan roeicoaches om de groeiende reputatie van het College op de rivier te verbeteren. De debatten tussen ons logen er niet om, maar al snel nadat Louise en ik geliefden waren geworden, besefte ik dat ik sterk aan felheid had ingeboet. De liefde had me wat milder gemaakt. Waar ik vroeger Jess in een hoek zou hebben gedreven en haar metaforisch in mootjes zou hebben gehakt, begon ik me nu nog softer te uiten dan de meest slappe, weekhartige liberaal.

Jay leunde achterover in haar stoel en herinnerde zich hoe gefrustreerd ze zich had gevoeld toen ze besefte dat het haar allemaal door de vingers glipte, omdat ze geen zin meer had om te vechten. Ze had zichzelf nooit gezien als iemand die genoeg had aan de liefde. Daar hadden de zwakheid van haar moeder in haar vroegste jeugd, en daarna de onverbiddelijke strengheid die erop was gevolgd wel voor gezorgd. Maar met Louise werd ze overspoeld door emotie, en het gevoel dat ze de belangrijkste was in het leven van een ander was merkwaardig bedwelmend.

Het probleem was dat ze haar ambities niet in de wachtkamer kon zetten. Ze zat bijna op de helft van haar studietijd op Schollie's. Ze had niet veel tijd meer om een indruk achter te laten, om een basis te creëren voor een leven dat lichtjaren verwijderd was van de akelige en bekrompen vooruitzichten van haar puberteit. Voor mensen als zij bestond er geen tweede kans. Dit was die kans, en ze moest eruit zien te halen wat erin zat. Op de een of andere manier zou ze de situatie moeten zien om te draaien.

Als een roofdier dat bloed ruikt stortte Jess zich genadeloos op de zwakke plek. Vier dagen voor de verkiezing zat ik te werken op mijn vaste plek in de bibliotheek van het College toen er een schaduw over mijn aantekeningen viel. 'Ik wil je even spreken,' zei Jess zachtjes.

Ik liep achter haar aan de tuin in en nam de gelegenheid te baat om een penetrant ruikende Gitane op te steken. Ik wist dat Jess de pest had aan mijn sigaretten, en dat maakte het genoegen alleen maar groter. 'Als ik deze opgerookt heb, ga ik weer naar binnen,' zei ik bot.

'Zo lang heb ik niet nodig. Ik wil dat je je terugtrekt als kandidaat-preses.'

Ik schudde ongelovig mijn hoofd. 'Als je weer met beide benen op de grond staat, kun je me bellen,' zei ik sarcastisch.

'Het is in je eigen belang dat ik dit voorstel. Ik wil je een vernedering besparen. De leden van de studentensociëteit zullen vast geen lesbienne kiezen als hun preses,' was de reactie van Jess. De zelfgenoegzaamheid droop van haar gezicht.

Ik voelde even iets van paniek. We waren zó voorzichtig geweest. Onze omhelzingen hadden allemaal binnen de veilige muren van onze kamers plaatsgevonden. Ik dacht niet dat we ooit iets in de openbare ruimte hadden gedaan wat ze ons nu onder de neus zouden kunnen wrijven; we waren zelfs nog nooit naar een homobar geweest. Jess was vast aan het bluffen, dacht ik. Ze kon het onmogelijk zeker weten. Niemand kon het *weten*. 'Dat zal best,' zei ik vriendelijk. 'Maar waarom denk je dat ik me daar iets van moet aantrekken?'

'Ik heb tien jaar op kostschool gezeten, Jay. Ik ben niet gek. Ik weet dat jij niet zo bevoorrecht bent opgegroeid als ik, maar je bent toch niet zo naïef om te denken dat jij en Louise elkaar sinds het dak op jullie is gevallen bij het ontbijt luchtzoentjes kunnen geven zonder dat zeker de helft van de sociëteit het ziet.'

Ik voelde hoe mijn oren knalrood werden. Op dat moment wist ik niet of ik bozer was omdat onze liefde werd afgedaan als een schoolmeisjesverliefdheid of omdat Jess me eraan had herinnerd dat ik qua afkomst niet veel voorstelde. Wat het ook was, het deed er niet toe. Met die paar zinnen had Jess de Jay die door de liefde veel milder was geworden weer in één klap veranderd in de oude felle Jay. 'Je bent een bitch, Jess,' snauwde ik.

'Dat denk ik toch niet. Zoals ik al zei, ik ben vast niet de enige die het heeft gemerkt. Maar als je je kandidatuur niet intrekt, vrees ik dat het op de verkiezingsdag bij veel meer mensen bekend is.'

'Probeer je me te chanteren?'

'Lieve help, nee,' protesteerde Jess. 'Maar toen ik net naar buiten liep, zag ik in het voorbijgaan dat de verkiezingsposter in de keuken op jouw verdieping van het Sackville Building was beklad. En we willen toch niet dat hetzelfde gaat gebeuren in het hele College, hè?'

Sinds ik Northumberland had verlaten had ik al verscheidene keren de aandrang gevoeld om mijn straatvechterstalenten te demonstreren. En op dat moment voelde ik die aandrang meer dan ooit. Op de een of andere manier wist ik me te beheersen; ik ontspande mijn handen, die ik al tot vuisten had gebald. In plaats daarvan duwde ik Jess opzij. Mijn boeken en aantekeningen liet ik liggen; die zou ik later wel ophalen. In plaats daarvan liep ik rechtstreeks naar het Sackville Building.

Het was nog erger dan ik me had voorgesteld. Op de poster waar die morgen nog had gestaan ZET WEER EEN STEWART OP DE TROON was nu POT over mijn naam geplakt. En aan mijn prioriteitenlijst was nu toegevoegd: 'In de bibliotheek komt een afdeling lesbische erotische literatuur,' en: 'Uit de kast komen met professionele begeleiding.'

Ik rukte het papier van de muur en scheurde het in stukken. Ik gooide de resten in de gootsteen en met een bevende hand draaide ik aan het wieltje van mijn aansteker en stak de fik in die vuilspuiterij. Ik leunde buiten adem tegen het aanrecht aan; de rook was niet de enige reden dat mijn ogen prikten. Ik wist dat zo vroeg op de dag nog niet veel mensen waren langsgekomen die het hadden gezien, maar dat hielp niet echt. Ik kon niet geloven wat Jess Edwards me had aangedaan. Ik had gedacht dat ik veel harder was dan zij.

Maar als ik iets zeker wist, dan was het wel dat voordat de dag om was het nieuws als een lopend vuurtje door het hele College zou zijn gegaan. En dan was mijn kans om preses van onze sociëteit te worden verkeken en ze zouden niet uitgepraat raken over mijn vernedering. Telkens als mijn naam ergens viel in het bijzijn van iemand die samen met mij in Oxford had gestudeerd, zou het gaan van: 'O, was dat niet die lesbische trut die dacht dat ze preses van de studentensociëteit kon worden?'

En dan was er ook nog Louise met wie ik rekening moest houden. Zij had andere ambities dan ik; zij had geen behoefte aan macht of roem. Ze had al moeite genoeg gehad om te wennen aan het idee dat ze lesbisch was zonder dat ze ook nog door haar medestudenten met de nek werd aangekeken. En dat laatste stond als een paal boven water, dacht ik verbitterd: we zouden met de nek worden aangekeken. Het romantische beeld van solidariteit en onderlinge steun in een gemeenschap van hoogopgeleide vrouwen was niet erg realistisch. Op St. Scholastika's was iedereen even kinderachtig, afgunstig en egocentrisch als overal elders. Dankzij het feit dat Corinna haar mond nog wel eens voorbijpraatte, wist ik dat er twee stafleden op het College waren die al bijna twintig jaar geen woord met elkaar wisselden vanwege een onverzoenbaar verschil van mening over de vraag waar de wieg stond van de klassieke beschaving. Nee, mijn medestudenten zouden ongelooflijk veel moeite hebben met Louise en zouden mij zeker nooit vergeven dat ik zo met mijn persoonlijke leven te koop liep, ook al had ik zelf niets te maken met de verspreiding van het nieuws. Voor het eerst van mijn leven wist ik echt niet wat ik moest

doen. Ik kon zelfs geen beroep doen op Corinna. Ik had
haar niet over Louise verteld; om de een of andere reden
had ik dat niet aangedurfd. Ik wist maar al te goed wat het
standpunt van de katholieke kerk was op het gebied van homoseksualiteit, want dat was het voornaamste struikelblok
tussen Louise en mij. Ik kon er simpelweg niet op vertrouwen dat Corinna haar persoonlijke sympathie zwaarder zou
laten wegen dan haar godsdienstige overtuiging. En zoals
later zou blijken, had ik daar gelijk in.

Jay hield haar hoofd schuin en dacht na over wat ze zojuist over
Corinna had opgeschreven. Ze dacht niet dat er iets stond waardoor Magda overstuur zou raken. Per slot van rekening sprak
het latere gedrag van Corinna voor zich, en Jay was niet van plan
er doekjes om te winden als ze bij dat deel van het verhaal was
aanbeland. Wat er verder ook gebeurde, het gold nog steeds. Als
Corinna haar nu als schoondochter zou verwelkomen, was dat
ongeveer even opzienbarend als de bekering van Saulus op weg
naar Damascus; zo niet, dan kon Jay zich beroepen op het morele gelijk en zou ze standhouden onder de voortdurende afkeuring van Corinna. Misschien dat het Magda zou dwingen
tot een moeilijke keus, maar Jay was ervan overtuigd dat ze, als
puntje bij paaltje kwam, haar geliefde zou kiezen boven haar
moeder. En als die keuze eenmaal was gemaakt, kon ze niet meer
terug. Net zoals er al die jaren geleden ook geen weg terug was
geweest.

Ik zat achter mijn bureau en staarde naar buiten naar de
weilanden toen Jess weer opdook. Ze klopte aan en stak
haar hoofd om mijn deur. 'Ik zie dat je de poster hebt weggehaald.'
'Zou jij dat dan niet hebben gedaan?'
'Laat me even weten wat je besluit,' zei ze op onverschilli-
ge toon, alsof ze me vroeg hoe ik mijn koffie dronk. 'Ik zie
je wel aan het ontbijt.'
Maar dat was niet zo. Want vóór het ontbijt was Jess Edwards dood.

DEEL TWEE

I

Charlie keek Corinna stomverbaasd aan. 'Zit je nou echt te beweren dat je denkt dat Jay Macallan Stewart een moordenares is? Jay Macallan Stewart, de internetmultimiljonair en schrijver van soapachtige memoires? Jullie familievriendin Jay Macallan Stewart?'

Corinna keek beledigd. 'Ze is geen vriendin van onze familie.'

'Volgens de kranten wel. Ik weet dat Magda niets tegen de pers heeft gezegd, maar ik heb wel een foto gezien die op straat was genomen en waarop ze met – Charlie maakte het gebaar van aanhalingstekens – "vriendin van de familie" Jay Macallan Stewart staat.' Ze hield haar hoofd wat scheef. 'Ik had daar wel vraagtekens bij.'

'Ze is absoluut geen vriendin. Ze is hier in huis niet welkom. Dat is al meer dan vijftien jaar zo. Verdorie, Charlie. Die stomme media ook, met hun leugens.'

'Maar *Jay*? Hoe kom je er godverdorie bij dat Jay Philip heeft vermoord?'

Corinna verschoot van kleur. Vloeken of obsceniteiten kwetsten haar, een staaltje van preutsheid dat Charlie altijd wel komisch had gevonden. 'Omdat ze het al eerder heeft gedaan. Minstens één keer en bijna zeker vaker.'

Tot dat moment was Charlie nog wel bereid geweest om Corinna het voordeel van de twijfel te gunnen. Maar dit was te gek. 'Is dit de een of andere ingewikkelde grap die ze alleen in Oxford begrijpen? Zit je me nu te belazeren of hoe zit dat?'

'Het is de waarheid, Charlie.' Ditmaal sprak ze op de intense toon die Charlie herkende uit haar beroepsleven. Ze had hem vaak gehoord bij mensen die oprecht geloofden in waandenkbeelden.

Charlie stak haar handen op, met de handpalmen naar voren. 'Oké, we gaan dit nu eens stap voor stap bekijken. En we schuiven voorlopig de suggestie dat Jay Macallan Stewart een seriemoordenaar is even terzijde en kijken alleen naar deze laatste zaak. Charlie, waarom zou Jay Philip dood willen hebben? Hoe staat het ene in verband met het andere?'

Ze had wel eens eerder meegemaakt dat Corinna teleurgesteld was over de een of andere opmerking van haar, maar Charlie had gedacht dat ze daar onderhand immuun voor was. Tot haar verbazing was ze toch wat geprikkeld toen Corinna zei: 'Zie je dat dan niet, Charlie? Jij hebt toch zelf die krantenfoto ter sprake gebracht.'

'Magda? Wil je nu echt beweren dat Jay Philip heeft vermoord omdat ze Magda wilde hebben? Heb je enig idee hoe krankzinnig dat klinkt? Zelfs uit de mond van de meest toegewijde moeder zou dat idioot klinken.'

'Oké, Charlie. Maar ze zijn nu wél bij elkaar. Jay is de geliefde van mijn dochter. Mijn mooie slimme dochter. Magda heeft nog niet de moed gehad om het me in zoveel woorden te zeggen, maar ik ken mijn dochter en ik weet wat er gaande is. Ik heb geen idee hoe ze elkaar weer hebben ontmoet, maar wat ik wel weet is dat Magda liegt over hoe het allemaal is gegaan. Ze zegt dat ze elkaar tegen het lijf zijn gelopen in het huis van een collega, een paar maanden na de dood van Philip. Maar volgens mij hadden ze toen allang wat met elkaar.'

Charlie fronste haar wenkbrauwen. 'Maar waarom zou Magda in godsnaam met Philip trouwen als ze al een relatie met Jay had?'

Charlie haalde gefrustreerd haar schouders op. 'Ik geloof niet dat ze toen al iets met elkaar hadden. Daarvoor is Magda te eerlijk, te fatsoenlijk. Ik kan me niet voorstellen dat ze Philip heeft bedrogen, hoe sterk ze zich ook tot Jay aangetrokken voelde. En Jay is niet gek. Ze moet beseft hebben dat ze alleen maar een kans had bij Magda als ze Philip kwijt was.'

'Dat is wel heel erg vergezocht. De bruidegom vermoorden op de huwelijksdag in de hoop dat je dan bij de bruid kunt intrekken? Als psychiater zou ik dat een staaltje van hoogmoedswaanzin noemen.'

Corinna schonk nog eens koffie in en het hele gedoe met haar theelepeltje begon weer van voren af aan. 'Kom nou, Charlie. Je bent psychiater. Jay weet ook dat mensen die net een verlies hebben geleden een gemakkelijke prooi zijn voor roofdieren. Jay kon die kans niet laten lopen. Ze is goed in manipuleren. Dat weet je toch nog wel?'

'Ik heb haar nooit goed gekend. Ik zat twee jaar boven haar, weet je nog. Dat is voor studenten heel veel. Maar Corinna, het is een enorme sprong van "ik vind haar leuk" tot "ik ga een moord voor haar plegen".'

'Die sprong is niet zo groot als je het al eens eerder hebt gedaan.'

Charlie stak haar hand op om haar te onderbreken. 'Daar komen we nog op, wees maar niet bang. Laten we er voor het gemak eens van uitgaan dat Jay haar zinnen op Magda had gezet en dat ze haar ten koste van alles wilde hebben. Maar dan zijn we aan het gissen. Het is – sorry, Corinna, maar het is echt gewoon fantasie. Je moet een tastbaar bewijs in handen hebben of iets wat erop lijkt, voordat je met dit soort beschuldigingen op de proppen komt.'

'Denk je dat ik me daar niet van bewust ben? Ik heb nog wel een paar ijzers in het vuur. De bruiloft was niet het enige evenement die dag in het College. Er werd ook een weekendseminar gehouden over hoe je een onlinebedrijf moet opstarten. En raad eens wie de belangrijkste spreker was?'

'Jay?'

'Inderdaad. Ze was vlak in de buurt toen Philip werd vermoord.'

'Datzelfde geldt voor een heleboel mensen. Minstens twee van hen hadden een door de rechtbank bevestigd motief – heel wat anders dan een potentieel motief dat je zelf hebt geconstrueerd.'

Corinna trok een afkeurend pruimenmondje. 'Als we het toch over motieven hebben… Weet jij hoe de politie aan dat bewijsmateriaal tegen Barker en Sanderson is gekomen?'

'Ik heb gelezen dat er een brief op Philips computer stond die gericht was aan het Serious Fraud Office en aan de Financial Services Authority waarin werd aangegeven hoe die twee aan hun vertrouwelijke informatie waren gekomen en hoe ze gebruik hadden gemaakt van die voorkennis om zichzelf te verrijken. Zo is het toch gegaan?'

Corinna keek zelfvoldaan alsof ze Charlie eindelijk te pakken had. 'Dat klopt bijna, ja. Behalve dat het niet op Philips computer stond. Niet op zijn desktop op kantoor, niet op zijn desktop thuis en niet op zijn laptop. Het stond op een externe harde schijf die hij hier op Magda's kamer had laten liggen. Hij heeft daar de nacht voor de bruiloft geslapen, dus vermoedelijk had hij hem uit veiligheidsoverwegingen verstopt in de la waarin Magda's ondergoed lag.' Corinna's stem droop van de scepsis. 'En laat Magda hem nu toevallig vinden, net toen de politie begon te wanhopen of de moord ooit zou worden opgelost.'

Verbluft zei Charlie: 'Ik begrijp niet wat dat met Jay te maken heeft.'

'Die brief is heel gedetailleerd. Nergens anders in Philips papieren wordt erover gerept. Maar kennelijk is daar wel het merendeel van de informatie uit die brief te vinden. Volgens een erg aardige rechercheur met wie ik een tijd geleden heb gesproken, zou die brief kunnen zijn samengesteld door iemand die iets afweet van boekhouden en van computers, en die toegang heeft tot kantoorsystemen waarop Barker en Sanderson hun eigen digitale spoor hebben achtergelaten. Met de beste wil van de wereld kun je mijn dochter daar niet toe in staat achten. Maar zo'n succesvolle zakenvrouw als Jay moet hier toch wel het talent voor hebben. Denk jij ook niet?'

'Jay Stewart en een hele zooi andere mensen,' zei Charlie. 'En die brief op de externe schijf bestaat echt. Ze zijn er gewoon op gestuit toen duidelijk werd dat de politie geen enkel houvast had.'

'Juist, ja. Maar Magda heeft een fout gemaakt. Het weekend voor het proces is ze hier op zondag komen lunchen. Uiteraard hadden we het over de zaak, en Patrick zei dat het wel ongelooflijke mazzel was geweest dat Magda de externe schijf had gevonden die de politie aan het doorslaggevende bewijsmateriaal had geholpen. En Magda zei tussen neus en lippen dat het Jay was geweest die had geopperd dat er misschien wel ergens een back-up lag en dat Magda precies moest nagaan waar hij voor de bruiloft was geweest om te zien of ze die kon opsporen.'

'En waarom was dat een fout?'

'Omdat de ontdekking van de harde schijf een paar weken eerder plaatsvond dan het moment dat Magda Jay zogenaamd weer tegenkwam.' Corinna bleef Charlie strak aankijken met een afgemeten blik waarin absoluut niets krankzinnigs te bespeuren was.

'Dat is inderdaad vreemd,' zei Charlie. 'Maar het hoeft niet per se te wijzen op een complot om Paul Barker en Joanne Sanderson er in te luizen. Want we mogen er toch van uitgaan dat de politie de interne informatie op de externe harde schijf heeft gecontroleerd om te zien wanneer het bestand is gemaakt en opgeslagen.'

Corinna gooide haar handen in de lucht. 'Van dat soort dingen weet ik niets af. Maar ik heb wel eens gelezen dat er soms met gegevens op bestanden wordt geknoeid. En Jay heeft haar hele werkende leven bij internetbedrijven gewerkt. Als er iemand toegang heeft tot het type nerds dat digitale informatie kan veranderen, is zij het wel.'

'Dat is nog steeds geen bewijs. Corinna, je hebt geen poot om op te staan als we het hebben over een gerechtelijke dwaling. Zelfs als ik bij Jay in de buurt zou kunnen komen en als ik professioneel gezien ervan overtuigd zou zijn dat ze in staat is tot wat jij suggereert, dan nog is er niets wat je een bewijs zou kunnen noemen.'

Corinna sloeg haar armen over elkaar. 'Ik was al bang dat je dat zou zeggen. En hoe graag ik het ook anders zou willen zien, ik begrijp best dat er weinig kans is dat Jay ter verantwoording kan worden geroepen voor de dood van Philip. Maar ze moet worden tegengehouden, Charlie. We hebben het hier wel over mijn dochter. Misschien wil Jay haar nu wel alles geven wat haar hartje begeert, maar wat gebeurt er als daar de klad in komt? Wat gebeurt er als ze niet meer van Magda houdt en Magda wil haar niet laten gaan? Of wat als Magda bij zinnen komt en bij haar weg wil? Heb je enig idee hoe je je voelt als je weet dat je dochter haar nachten doorbrengt met een moordenares?'

'Nee, dat kan ik niet. En ik snap ook hoe jij je vastklampt aan hersenschimmen omdat je je zorgen maakt over je kind.'

'Dit zijn geen hersenschimmen.' Voor het eerst verhief Corinna haar stem. 'Ze laat een spoor van lijken achter zich. Magda denkt dat ik Jay al die jaren geleden de toegang tot het huis heb ontzegd omdat ik erachter kwam dat ze lesbisch was. Welnu, jij kent me goed genoeg om te weten dat dat niet het geval kan zijn. Ik heb nooit geprobeerd jou bij mijn kinderen weg te houden, hoewel ik vrijwel vanaf het begin wist dat je lesbisch was. De echte reden waarom ik Jay uit onze levens heb verbannen, was omdat ik ervan overtuigd was dat zij Jess Edwards had vermoord.'

Charlie was met stomheid geslagen; de woorden galmden nog na in haar hoofd. Ze schudde even met haar hoofd. 'Dat was een ongeluk,' zei ze ten slotte, en ze knipperde heftig met haar ogen om het beeld van Jess kwijt te raken.

'Dat dacht ik destijds niet en dat denk ik nu nog steeds niet.'

'Wat heb je in godsnaam voor reden om dat te zeggen?' Het huilen stond Charlie nader dan het lachen. De slimme mooie Jess, het meisje met de prachtige, gouden toekomst waar ze nooit aan toe was gekomen. Ook al was ze nog maar een eerstejaars toen Charlie in haar laatste jaar zat, ze had indruk gemaakt. Charlie was nog maar net weg van Schollie's toen Jess was gestorven, maar het was een overlijden dat ook zijn uitwerking op haar had gehad. Een afkappen van mogelijkheden dat opeens wel heel dichtbij was gekomen.

'De morgen dat Jess stierf...' Corinna staarde door het raam van het souterrain naar buiten, haar ogen gevestigd op het modderige wintergras. Ze zuchtte. 'In die tijd ging ik altijd heel vroeg naar het College toe om alvast wat te werken. Daarna ging ik weer snel naar huis om de kinderen eten te geven, en ze aan te kleden en klaar te maken voor school. Die morgen kwam ik om een uur of zes binnen door het hek in de wei. En ik zweer dat ik Jay Stewart door de wei aan zag komen lopen uit de richting van het botenhuis.'

Charlie wist even niet wat ze moest zeggen. Toen zei ze: 'Was het zo vroeg in de morgen niet donker?'

'Het was donker. En ook wat nevelig. Maar ik weet wat ik heb gezien. Ik kende Jay vrij goed. Goed genoeg om zeker te weten dat zij het was.'

'En je hebt nooit iets gezegd?' Charlie was erin getraind om de gemeenste moordenaars te ondervragen zonder een oordeel in haar stem te laten doorklinken. Maar ze moest als vakvrouw nu haar uiterste best doen om niet tegen Corinna te gaan schreeuwen. 'En dat heb je voor jezelf gehouden?'

Corinna zette haar bril af en wreef hem op aan haar trui. 'Ik maakte mezelf wijs dat er een onschuldige verklaring moest zijn geweest. Misschien had Jay een ontmoeting gehad met Jess om de angel uit de nogal valse verkiezingscampagne te halen.' Ze keek op naar Charlie. Zonder bril zag haar gezicht er klein en naakt uit. Charlie vroeg zich af of dit berekening was. 'Ik had toen geen reden om te denken dat Jay iemand zou kunnen vermoorden. Ik dacht dat ik haar kende. En Charlie, je moet dit bedenken. Als ik aan de politie had verteld wat ik had gezien' – ze spreidde haar handen – 'had het nog niets bewezen. Het zou alleen maar een stroom van geruchten en verdachtmakingen hebben veroorzaakt die de naam van het College zouden hebben bezoedeld. Ik wilde niet dat er in de sensatiebladen allerlei dingen over Schollie's zouden worden afgedrukt. En bovendien was er toen, en later ook niet, niets wat er ook maar in het minst op wees dat de dood van Jess iets anders was dan een verschrikkelijk ongeluk. Als ik had verteld wat ik had gezien, had dat niets uitgehaald. Ik heb dat besluit ook niet alleen genomen. Ik heb het besproken met dr. Winter en zij was het met me eens.'

Helena Winter, hoedster van de goede naam van Schollie's, dacht Charlie. Ze zou met alles hebben ingestemd als de reputatie van het College maar niet door het slijk werd gehaald. Charlie dwong zichzelf om stil te blijven zitten en om niet te laten zien dat ze nogal overstuur was van Corinna's verhaal. 'Goed, dat is één verdacht sterfgeval. Hoe zit het met de rest?'

Corinna zette haar bril weer op en wierp een blik op haar horloge. 'We hebben niet veel tijd meer. Er zijn nog twee andere sterfgevallen die volgens mij zouden moeten worden onderzocht. Het gaat onder andere om Kathy Lipson, haar zakenpartner bij *doitnow.com*.'

'Dat weet ik nog. Dat was een klimongeluk.'

'Jay heeft het touw doorgesneden.'

'Dat achtte de rechtbank niet bewezen.' Charlie was nu, net als Corinna, harder gaan praten.

'Daarom is ze nog niet onschuldig. En hun partnerschap hield in dat Jay de erfgename was van Kathy's deel van het bedrijf. En dat was maar een paar weken voordat ze het bedrijf voor miljoenen van de hand deed.'

'Dat is idioot, Corinna. Je kunt hier geen kant mee op. Er is niets wat ook maar in de verste verte op bewijs lijkt.'

'Dan was er ook nog een man, die Ulf Ingemarsson heette. Dat heb ik overigens op Google gevonden. Nadat ik had ontdekt dat Jay in het College was geweest op de avond dat Philip stierf, begon ik me af te vragen of er misschien nog meer lijken in de kast lagen. En toen stuitte ik op zijn verhaal. Ingemarsson is vermoord. Hij was op vakantie in Spanje. Hij had een villa gehuurd in de bergen boven Barcelona. Heel afgelegen. En nu komt het, Charlie. Hij had het idee van *24/7* bedacht. Hij was het project aan het ontwikkelen. Maar Jay heeft zijn werk gestolen. Hij stond op het punt om haar voor de rechtbank te slepen. Hij was naar Spanje gegaan om in alle rust de rechtszaak te kunnen voorbereiden. Hij is doodgestoken. Hij was al minstens een week dood toen ze hem vonden. De Spaanse politie zei dat het om een uit de hand gelopen inbraak ging. Maar zijn vriendin dacht er anders over. Zijn laptop was weg, maar ook de papieren die hij volgens haar had meegenomen om aan te werken waren verdwenen. Daar zou een inbreker niets aan hebben gehad. Maar Jay Stewart des te meer.'

Charlie sloot haar ogen en zuchtte. 'En is er ook maar het geringste bewijs dat Jay hiermee in verband kan worden gebracht?'

'Dat weet ik niet,' zei Corinna. 'Maar het was wel ongelooflijk toevallig, vind je niet? Telkens als er iemand tussen Jay Stewart en datgene wat zij wil hebben in staat, gaat die persoon dood. Dat kun je met geen mogelijkheid meer toeval noemen, Charlie.'

Charlie voelde zich ontzettend moe. Ze kon de energie niet meer opbrengen om met Corinna in discussie te gaan. 'Misschien niet,' zei ze mat. 'Maar ik ben geen rechercheur. En jij ook niet. Je zult dit moeten loslaten, Corinna. Anders vreet het je op en maakt het je gek.'

Corinna schudde heftig haar hoofd. 'Ik kán het niet loslaten, Charlie. Het gaat hier om het leven van mijn dochter dat op het spel staat. Als jij me niet kunt helpen – als de wet me niet kan helpen – zal ik het heft in eigen handen moeten nemen. Ik ben niet bang voor de gevolgen. Ik zit liever de rest van mijn leven in de gevangenis, als ik maar weet dat Magda veilig is.'

Charlie had gedacht dat ze Corinna kende. Nu besefte ze hoe fout die gedachte was. Het deed er niet toe hoe intelligent Corinna was en ook niet hoe goed ze was in filosofisch onderzoek. Als het om haar kinderen ging, kwamen de meest primitieve instincten in haar boven. Charlie twijfelde er geen moment aan dat Corinna bloedserieus was. Ze zou Jay vermoorden om Magda te redden. En ze had geen betere medeplichtige kunnen uitkiezen. Ze begreep dat Charlie ernaar snakte om iets goed te maken. Ook al had ze niets fout gedaan, er waren door haar toedoen mensen gestorven. Nu bood Corinna haar de gelegenheid om een leven te redden dat misschien helemaal niet verdiende gered te worden. Met haar verstand wist Charlie dat er niet zoiets bestond als een ruil waarmee ze in één klap alles goed kon maken – maar haar gevoel sprak een andere taal.

'Ik zal haar vermoorden,' zei Corinna. 'Als het niet anders kan.'

Zo scherp lag de keuze. Charlie moest op de een of andere manier Jay haar gerechte straf laten ondergaan of ze moest haar onschuld bewijzen – zo niet, dan zou Corinna zeker een serieuze poging wagen om Jay te vermoorden. De moeilijkheid was dat Charlie er niet van overtuigd was dat ze een van beide doelen kon verwezenlijken. Maar als ze haar hulp aanbood, kon ze misschien voldoende tijd winnen om Corinna van haar krankzinnige plan af te brengen. 'Dat begrijp ik,' zei ze rustig. 'En dat kan ik niet laten gebeuren.' Ze streek met haar hand door haar haren, maar eigenlijk had ze die er uit frustratie het liefst met bossen tegelijk uit gerukt. 'Ik help je.'

Corinna's glimlach was broos, haar blik wantrouwend. 'Ik wist dat ik op je kon rekenen, Charlie.' Ze gaf Charlie een klopje op haar hand. Een zeldzaam moment van lichamelijk contact.

Voordat Charlie kon antwoorden, hoorde ze de voordeur opengaan, daarna het gekletter van voetstappen en toen stemmen die riepen: 'Mam, waar ben je?'

'Hoi mam, we zijn thuis.'

Corinna stond op. 'Bedankt Charlie, we hebben het er nog wel over.' Ze wendde zich abrupt af en keek naar de trap. 'We zijn beneden, lieverds.'

O god, dacht Charlie. Dit kan een gezellige lunch worden.

Magda leunde naar opzij en maakte het portier aan de passagierskant open. Catherine sprong van het muurtje af waarop ze had gezeten en liep vlug naar de auto. Magda zette de cd van Isobel Campbell en Mark Lanegan wat zachter toen Catherine instapte. 'Je bent steenkoud,' zei Magda en ze gaf haar zusje een zoen op haar ijskoude wang.

Catherine trok een grimas. 'Je weet dat ik geen kou voel.'

Daar kon je moeilijk iets tegen inbrengen, aangezien Catherine op een koude lentemorgen een zwarte legging aanhad, met daaroverheen een katoenen jurkje en een dun leren giletje. 'Je had binnen moeten wachten, Wheelie.' Het was het liefhebbende standje van een oudere zus die eraan gewend is om de verantwoordelijkheid voor de jongsten op zich te nemen.

'Ik was klaar. En het is altijd een nachtmerrie om op een zaterdagmorgen hier in de buurt te moeten parkeren, dat weet je. Dus ik dacht dat ik jou ermee hielp om buiten te wachten. Laat me toch, Magda.' Catherine sloeg haar ogen ten hemel en haalde een gefrustreerde hand door haar verwarde kapsel.

Magda, de grote zus die er perfect opgemaakt uitzag, reed weg en zocht zich bekwaam een weg door de doolhof van straten ten zuiden van Shepherd's Bush Green. 'Oké, oké. Heb je al ontbeten?'

'Natuurlijk heb ik ontbeten, het is bijna elf uur. En ik ben tweeëntwintig jaar. God, Magda, ik had gedacht dat je al je moederinstincten wel bij Jay kwijt kon, nu je met haar samen bent.'

Magda grijnsde. 'Nee hoor. Jay is prima in staat om voor zichzelf te zorgen.'

Catherine kreunde. 'O ja, hoe kon ik het vergeten? Je wilt alleen maar je broers en je zusje bemoederen. Als het op geliefdes aankomt, heb je altijd liever iemand die voor jóú zorgt. Je wappert wat met die mooie lange wimpers van je en zet die Grace Kelly-glimlach op en ze zijn als was in je handen.'

'Dank je, Wheelie. Zo klink ik wel als een enorme trut.'

Catherine giechelde. 'Hé, heb ik soms gezegd dat het slecht

was? Als ik een vent kon vinden die zo achter mij aan rende als Philip bij jou deed, zou ik geen nee zeggen, echt niet.'

Magda's handen grepen het stuur onwillekeurig wat steviger vast. 'Als jij ooit iemand vindt die half zo aardig is als Philip mag je in je handen knijpen.'

Catherine verschoof op haar stoel en keek haar zus zo indringend aan dat Magda haar ogen van de weg haalde. 'Wat is er?' vroeg Magda toen ze weer voor zich op de weg keek.

'Je gaf echt om hem, hè?'

Magda maakte een afkeurend geluid. 'Goddomme, natuurlijk gaf ik om hem. Ik ben met hem getrouwd, weet je nog?'

'Ja, maar...' Catherines stem stierf weg.

'Er is geen maar, Wheelie. Ik hield van hem.' Met een bruusk gebaar zette Magda de muziek harder.

Ze reden paar minuten in stilte door, maar Catherine was onstuitbaar en pakte de draad weer op. 'Hoor eens, je wilt er vast niet over praten, maar ik ga het toch vragen omdat ik het wil weten en omdat jij de enige bent die het me kan vertellen.'

Magda kreunde. Ze herkende de bekende openingszin van een van die vasthoudende ondervragingen van haar zus. 'Je hebt gelijk, Wheelie. Wat het ook is, ik wil er vast niet over praten.'

'Ik kan er helemaal in komen dat je van Philip hield. Tot aan het moment dat je me over Jay vertelde, is het nooit bij me opgekomen dat je dat níét deed. Maar nu houd je van Jay. Ik bedoel, ik kan duidelijk zien dat je van haar houdt en dat die liefde jou gelukkig maakt. Maar bij Philip dacht ik dat ook. Die beide dingen zijn op zichzelf heel logisch. Maar samen? Ik zie de logica daar niet meer van in.' Catherine ging ineengedoken op haar stoel zitten, trok haar benen op en sloeg haar armen om haar benen.

Magda probeerde zich op het rijden te concentreren. Maar de woorden van Catherine boorden te diep om te worden genegeerd. Catherine stond aan haar kant. Als ze al niet met haar kon communiceren, hoe moest het dan in vredesnaam met haar ouders gaan? 'Het ligt ingewikkeld,' zei ze.

'Ja, duh. Dat had ik al door. Wat ik probeer uit te leggen... Is het dat je lesbisch bent en dat je dat altijd bent geweest maar dat je dat gewoon altijd hebt ontkend, of gaat het gewoon om Jay?'

Magda had het gevoel alsof er een steen op haar maag lag. Waarom kon ze niet gewoon haar eigen leven leiden? Waarom moest ze zich altijd tegenover anderen verantwoorden? Terwijl ze dat dacht, wist ze het antwoord al. Omdat ze de oudste was. Omdat haar leven nooit van haarzelf was geweest. Omdat ze was opgegroeid met twee jongere broertjes en een zusje, die altijd het hoe en waarom van alles wilden weten. Ze was eraan gewend geraakt om te antwoorden en zij waren eraan gewend dat ze antwoord kregen, en nu dachten ze dat ze er recht op hadden. 'Ik denk dat ik altijd lesbisch ben geweest,' zei ze langzaam. 'Maar ik wilde het niet toegeven. En al helemaal niet tegenover mezelf.'

'Waarom niet? We leven in de eenentwintigste eeuw, Magda. Je kunt tegenwoordig zelfs trouwen.'

'Het duurde lang voordat het tot me doordrong, Wheelie. Je weet hoe het is als je een tiener bent: iedereen is wel eens verliefd op leraressen, op andere meisjes, op actrices, noem maar op. Dus is er niets vreemds aan als je verliefd bent op je beste vriendin, behalve dat er een ongeschreven regel is dat je er niet over praat. Je blijft bij elkaar slapen en je gaat lekker dicht bij elkaar liggen en je praat tot het licht wordt, maar je praat nooit over gevoelens die je voor elkaar hebt. En dan begin je allemaal verkering te krijgen, want dat hoort zo. Je doet mee met de rest. En je voelt nog steeds hetzelfde voor je beste vriendin, alleen is het nu duidelijk dat je daar absoluut nooit iets over zegt.' Magda zweeg. Ze wist opeens niet wat ze nog meer moest zeggen.

'Nou ja. Oké. Behalve als je zegt dat je nog steeds hetzelfde voelt. Ik voelde dat niet meer toen ik jongens begon te zoenen.'

Magda glimlachte wrang, waardoor haar schoonheid even iets griezeligs kreeg. 'Nu snap ik dat. Maar destijds niet. Ik dacht dat het gewoon zo hoorde. En ik had geluk. De jongens met wie ik verkering had waren aardige jongens.'

'Dat komt vast omdat jij mooi bent en je ze voor het uitkiezen had,' viel Catherine haar met een droevig clownsgezicht in de rede.

'Ja, dat zal wel. Het enige wat ik wist, was dat ze me geen pijn in mijn borst bezorgden, zoals meisjes dat deden. Ik ging niet sneller ademen van jongens of de uren tellen tot ik ze weer zag.

Maar ze behandelden me best goed en ik had geen hekel aan hun gezelschap. Het was gemakkelijker om gewoon te doen wat iedereen deed, Wheelie.' Ze duwde een streng haar uit haar gezicht en keek in de binnen- en buitenspiegel voordat ze van rijbaan wisselde.

'Waarom vond je het zo belangrijk om te doen wat iedereen deed?'

'O god. Om allerlei redenen. Ik wilde dokter worden en met kinderen werken. Ik was veel te veel bezig met mijn werk om me te bekommeren om iets wat emotioneel ingewikkeld lag. Ik wilde thuis ook niet de boel in het honderd sturen. Het gaat al zo lang zo afschuwelijk slecht tussen mam en pap. Ik kon de gedachte niet verdragen om nóg een bot naar ze toe te gooien waar ze om moesten vechten. En ik moest altijd degene zijn die het goede voorbeeld gaf. Ik wilde niet opeens de verschoppeling zijn, Wheelie.' Ze zuchtte. 'Het klinkt nu allemaal erg stom, maar toen was het belangrijk.'

'Dus je bent met Philip getrouwd om iedereen tevreden te houden?' Catherine klonk ongelovig, en Magda kon het haar niet kwalijk nemen.

'Zo berekenend was het niet,' protesteerde ze. 'Ik dacht dat ik van hem hield. Ik was echt heel erg op hem gesteld, Wheelie. We hadden plezier samen. Ik was graag bij hem.'

'En de seks dan? Merkte je dan niet dat je niet op hem viel? Of liever gezegd, heeft hij het niet gemerkt?'

Magda kromp in elkaar. 'Je windt er zoals altijd geen doekjes om. Hoor eens, de seks was prima. Ik treed niet in detail, want daar heb je geen barst mee te maken. Ik ben met open ogen met Philip getrouwd. Ik wist dat ik er een succes van kon maken. Het maakte me echt niet uit dat het geen wereldschokkend grote passie was. Eerlijk gezegd vond ik dat men dat soort dingen zwaar overschatte, als ik zag wat voor puinhoop de meeste van mijn vriendinnen ervan hebben gemaakt.'

Catherine floot zachtjes. 'En toen kwam je Jay tegen.' Ze begon opgetogen te lachen. 'En zij heeft je helemaal binnenstebuiten gekeerd. Ik denk dat ze in de hemel in hun vuistje hebben gelachen, Magda. Nu heb jij eindelijk je grote passie, en wat voor eentje.'

'Donder op, Wheelie,' zei Magda zonder een spoor van wrevel. 'Nu ben ík aan de beurt om jou een vraag te stellen.'

Catherine trok haar wenkbrauwen op. 'Ga je gang, zusje.'

'Jij hebt geen enkele gêne als het gaat om de privacy van andere mensen, hè? Hoe komt het dan dat je zo lang met deze vraag hebt gewacht?'

3

Jay glimlachte in zichzelf. Hoe dichter ze bij de structuur van een roman bleef, hoe meer de lezers mee werden gesleept – dat had ze geleerd van haar eerste memoires. Een cliffhanger aan het eind van een hoofdstuk en een paar toespelingen op wat er nog komen ging, dat waren de dingen waarmee je je lezer vasthield. Ze had eigenlijk helemaal geen zin gehad om terug te keren naar bepaalde perioden uit haar jeugd, maar nu ze eenmaal goed op gang was, vond ze het verrassend bevredigend om te zien hoe het langzaam vorm kreeg. En nu de rechtszaak achter de rug was, merkte ze dat ze zich veel beter kon concentreren. Kennelijk hadden de dingen die zich afspeelden in de rechtbank haar veel meer aangegrepen dan ze tegen zichzelf wilde bekennen.

Toen ze dat onder ogen had gezien, vroeg ze zich ook af of ze wel goed in de gaten had gehad onder hoeveel stress ze had gestaan toen Jess was overleden. Toen het gebeurde had ze zich een tijd gedeisd gehouden en gedaan wat gedaan moest worden. Maar bij nader inzien had het waarschijnlijk een veel grotere impact op haar gehad dan ze had beseft. Het was goed om dat in haar achterhoofd te houden bij het schrijven van het volgende deel. Het kon geen kwaad om wat van haar kwetsbaarheid te laten zien, een glimp van hoe ze was omgegaan met haar verdriet.

Ik zat alleen in de eetzaal te ontbijten toen ik het nieuws hoorde. Ondanks de hatelijke opmerking van Jess hadden Louise en ik er juist een punt van gemaakt om altijd apart de zaal binnen te komen bij het ontbijt, hoewel we meestal wel bij elkaar gingen zitten als zij al aan de toast en de koffie zat. Maar die morgen was Louise er nog niet. Ik zat met mijn gezicht naar de deur toe; na haar dreigementen van de avond tevoren wilde ik niet dat Jess onverwacht voor mijn neus zou staan.

Het nieuws begon als gemompel en een snik aan de andere kant van de zaal nadat er een handjevol roeisters was binnengekomen die er allemaal verfomfaaid uitzagen. Normaal gesproken waren zij altijd bij de eersten die ontbeten, omdat ze ernaar snakten de calorieën aan te vullen die ze net hadden verbrand als ze zich zo vroeg in de morgen inspanden op de rivier. Maar die dag waren ze aan de late kant. En Jess was er niet bij.

Het verhaal slingerde zich als een slang over de tafels in de eetzaal en er vormden zich groepjes mensen in de middenpaden. 'Jess Edwards is dood,' hoorde ik ten slotte iemand een paar plaatsen van mij af op verbaasde en geschokte toon zeggen. Ik liet met een kletterend geluid mijn vork vallen. 'Jess?' riep ik uit. 'Jess Edwards?'

'Ja,' bevestigde de studente die zojuist schuin tegenover me was komen zitten. 'Ik heb het net gehoord bij het doorgeefluik.' Ze maakte een hoofdbeweging in de richting van de roeisters die nu gebogen over hun koppen koffie zaten, in elkaar gedoken, met hun schouders naar elkaar toe gebogen, zodat ze een apart groepje vormden. 'Zij hebben haar gevonden.'

'Wat afschuwelijk! Wat is er gebeurd?' vroeg iemand anders voordat ik dezelfde vraag kon stellen.

'Dat weet niemand nog,' zei onze zegsvrouw. 'Ze hebben haar in de rivier gevonden. Met haar gezicht naar beneden. Aan het eind van de wei bij het botenhuis. Ze was vast blijven zitten in een van de wilgen. Ze waren vanmorgen net bezig de boot te water te laten toen een van hen haar benen zag.'

'O mijn god. Dat moet vreselijk zijn geweest. Ik kan het niet geloven,' zei ik bijna in mezelf. Een gecompliceerde mengeling van emoties overspoelde me. Ik was ontsteld over de dood van een van mijn leeftijdgenoten. Ook al was de situatie tussen ons nog zo moeilijk geweest, Jess was iemand die op hetzelfde punt in haar leven stond als ik, en ik was me scherp bewust van het vreselijke drama van haar dood. Maar ik zou oneerlijk zijn als ik niet toegaf dat ik ook iets van opluchting voelde. Jess was dood, maar ik was veilig. Ook al wisten de kompanen van Jess van het plan voor een lastercampagne, door haar dood waren ze vast veel te veel van slag om er munt uit te slaan.

Ik duwde mijn stoel achteruit met een schrapend geluid van hout op hout en stond op. 'Ik kan het gewoon niet begrijpen,' zei ik, en ik liep als in trance de eetzaal uit.

Alsof het vanzelfsprekend was, namen mijn voeten me mee het Sackville Building uit en de nevelige tuin in. Ik klauterde de treden van de rotstuin af naar de rivieroever en liep langzaam in de richting van de wei. Ik hoefde niet ver te lopen. Ik zag meteen een met linten afgebakend stuk grond en de donkere silhouetten van politiemensen die in de buurt van het botenhuis stonden. Het was echt waar, Jess was dood. Ze was een van de meest succesvolle meisjes van mijn generatie geweest, en nu was alles voor haar voorbij.

Een dergelijke gebeurtenis kan een bepalend moment zijn voor de groep die erdoor wordt geraakt. Ik zal niet net doen alsof we vriendinnen waren, maar de herinnering aan Jess Edwards komt verscheidene keren per jaar bij me boven. Bij elke jaarlijkse roeiwedstrijd tussen Oxford en Cambridge herinner ik me hoe zij de boot van ons College naar de overwinning voerde. Telkens als ik jonge sportmensen zie, herinner ik me de kracht en de schoonheid van haar lichaam. Ik betreur het verlies aan belofte en ik vraag me af wat ze van haar leven zou hebben gemaakt. Ik kijk naar de levens van de andere populaire meisjes en prent mezelf dan in dat de meesten eigenlijk niet veel spectaculairs hebben gedaan. Alsof dat een soort troost is. Natuurlijk is het dat niet.

Heb ik nu de juiste toon te pakken? De truc is om oprecht over te komen zonder dat ik erin ga zwelgen. Jay wist dat absolute eerlijkheid niet werkte, voor haar niet en evenmin voor iedereen die aan een dergelijke onderneming begon. De waarheid was dat ze verdomde blij was geweest toen Jess Edwards was gestorven. Het was haar destijds prima uitgekomen en zelfs nu nog vond ze niet dat het wegvallen van weer zo'n verwend nest dat er gewoon voetstoots van uitging dat ze overal recht op had, een onherstelbaar verlies was voor de wereld.

En dat mocht ze niet zeggen. Misschien paste de structuur van een roman daarom wel zo goed bij haar; wat ze schreef was fictie.

Bij het avondeten was iedereen in het College op de hoogte. Jess was blijkbaar iets vroeger dan normaal naar het botenhuis gegaan. Volgens een van de andere roeisters had ze erover geklaagd dat haar zitbank wat stroef liep, dus men veronderstelde dat ze erheen was gegaan om daaraan te prutsen. Het was vochtig geweest en nevelig, de grond was glad en modderig. Jess had blijkbaar haar evenwicht verloren en was met haar hoofd op de rand van de steiger gevallen; ze was toen bewusteloos in het water gevallen en verdronken. Iedereen was het erover eens dat het een tragisch ongeluk betrof, en deze mening werd ook gedeeld door de lijkschouwer. Ik beloofde op mijn beurt dat ik, als mijn eerste taak als preses van de studentensociëteit, er bij het College op zou aandringen de aanlegplaats te bedekken met een antisliplaag. Het was het verhaal van het verdronken kalf en de put, maar het was het beste wat ik kon doen om haar nagedachtenis te eren.

Want nu stond er niets meer in de weg van mijn voorzitterschap. Er waren nog een paar andere kandidaten, maar eerlijk gezegd was het van het begin af aan een strijd tussen mij en Jess geweest. De verkiezing drie dagen later was een gelopen race. Er was hier en daar geopperd om het uit te stellen tot na de begrafenis van Jess, maar traditie was altijd een overtuigend argument geweest op een College in Oxford. En bovendien wilde de zittende preses per se aan het eind van het trimester haar ambt neerleggen, omdat ze zich wilde concentreren op haar eindscriptie. Toen zij onder de aandacht bracht dat Jess van St. Scholastika's hield en dat ze niet zou hebben gewild dat door haar overlijden allerlei dingen in de studentensociëteit overhoop zouden worden gehaald, wilde iedereen dat het oorspronkelijke rooster zou worden gehandhaafd.

En zo gebeurde het dat ik als verkozen preses van de studentensociëteit mijn bijdrage mocht leveren aan de begrafenisdienst van Jess. Ik sprak over het belang van het verschil en de noodzaak voor oppositie, zodat ideeën beproefd kunnen worden. Ik bracht in herinnering hoe Jess alles altijd vol overgave had gedaan en hoe we haar zouden missen. En het kwam recht uit mijn hart, ik was er zelf ook een beetje verbaasd over hoe overtuigend ik klonk. Mensen die die dag in de kerk van de Heilige Maagd Maria waren herinnerden zich mijn toespraak jaren later nog, of dat zeiden ze tenminste tegen me als ze me bij feesten van het College en in het echte leven tegen het lijf liepen.

Jay stond op en liep weg van de computer. Bij het volgende stukje moest ze precies de goede toon aanslaan, en ze wilde het even overdenken voordat ze het probeerde te formuleren. Vroeger zou ze naar een klimmuur zijn gegaan, zou ze haar onderbewuste het werk laten doen, terwijl zij zich volledig concentreerde op de juiste steunpunten voor handen en voeten die haar met de juiste hoeveelheid lef tot boven aan de muur zouden brengen. Maar de laatste tijd was ze daar niet meer toe in staat. De verwondingen die ze had opgelopen bij het ongeluk dat het leven had gekost van haar zakenpartner Kathy Lipson hadden toentertijd niet zo erg geleken. Gewoon een paar gescheurde gewrichtsbanden in een knie, stijfheid van de kou, een pijnlijke verdraaiing onder in de rug. Het stelde allemaal niet veel voor. Maar bij het verstrijken van de jaren was het duidelijk geworden dat de opgelopen schade een genetisch bepaalde neurologische aanleg had getriggerd. Haar vingers hadden de kracht niet meer om iets vast te grijpen, haar knieën weigerden dienst als ze over kale rotspartijen wilde kruipen, haar tenen verkrampten in rotsspleten. Ze was een blok aan het been op een berg, niet meer in staat tot de enige lichamelijke activiteit die ze ooit had zien zitten.

Nu wandelde ze. Er was niets uitdagends aan, maar er was

wel ritme, en ritme zette haar geest aan het werk. Ze vond het heerlijk om langs de Thames te wandelen, met aan de ene kant de rivier en aan de andere kant het verkeer. Daar zette ze haar zakenplannen in elkaar, daar loste ze problemen op en daar bouwde ze aan strategieën om met mensen om te gaan. Het was ook de plek waar ze uitprobeerde wat ze zou gaan schrijven, waar ze in haar hoofd uitwerkte hoe ze het verhaal dat ze in gedachten had zo moest vertellen dat het klopte. Ze schaafde zinnen bij en probeerde allerlei mogelijkheden uit, waarbij er uiteindelijk uit chaos iets moois kon ontstaan.

Het volgende stuk dat ze zou schrijven ging over Corinna. Daar kon ze niet onderuit. Ze kon met geen mogelijkheid dit deel van het verhaal in al zijn zwaarte en geladenheid opschrijven zonder te refereren aan wat er tussen haar en Magda's moeder was voorgevallen. Natuurlijk zou het op een bepaalde manier gemakkelijker zijn om het helemaal te negeren. Wat Jay ook zou schrijven, het zou het er niet gemakkelijker op maken tussen hen beiden. Ze moest stukjes van de waarheid op een zodanige manier opschrijven dat ze er allemaal mee konden leven. En dat was geen gemakkelijke opgave.

Jay zocht zich een weg door de doolhof van kleine smalle straatjes die haar uiteindelijk in Chelsea Physic Garden deden belanden. Soms, als ze met een speciaal probleem worstelde, liep ze helemaal van de Chelsea Embankment naar Blackfriars en nog verder. Maar sinds Magda zo'n groot stuk van haar leven beheerste, was de schrijftijd nog kostbaarder geworden. Ze wilde niet onnodig lang wegblijven.

Ze liep kwiek de paden langs en schonk niet echt aandacht aan haar omgeving. Onder het lopen kauwde ze op een appel, haar kaak maalde niet synchroon met haar voetstappen. Er moest toch een manier zijn waarop ze voldoende van de waarheid vertelde zodat niemand kon gaan muggenziften, terwijl ze tegelijkertijd de duistere aspecten verbergen kon.

Tijdens het lopen nam Jay de diverse mogelijkheden door en vond uiteindelijk een compromis waarbij ze niemand voor het hoofd zou stoten. Haar passen werden groter en haar ogen sprankelden toen ze in een nog hoger tempo aan de terugweg begon, want ze wilde terug naar de schrijftafel en meteen beginnen.

Maar niet alles verliep even soepel als mijn verkiezing tot preses. Het was onvermijdelijk dat de akelige roddels die Jess had aangezwengeld niet tegelijk met haar wegstierven. Er werd gekletst. Er waren momenten waarop ik me afvroeg of de feministische revolutie wel echt had plaatsgevonden. Sommigen van jullie die dit lezen zullen zich afvragen of ik aan achtervolgingswaan leed. Ik weet het, het is bijna niet te geloven dat ik het hier heb over 1993 en niet over 1973. In de buitenwereld waren er tennisspeelsters, actrices en schrijfsters die openlijk uitkwamen voor hun lesbische geaardheid. Toegegeven: het waren er niet veel, maar toch wel een paar. Maar de wereld waarin ik me bevond was nog fel homofoob, ook al deden ze net alsof het omgekeerde waar was. Studenten die afstudeerden in Oxford neigden meestal tot het type carrière waarin seksegelijkheid met een beleefd soort verbazing werd bekeken. En dat gold helemaal voor de emancipatie van homoseksuelen. Dus niemand wilde als lesbienne te boek staan en zelfs niet als iemand die er zo eentje kende.

En toch wilde een deel van mij geloven dat ik me kon permitteren anders te zijn. Toen ik eenmaal veilig en wel als preses van de studentensociëteit was geïnaugureerd, weigerde ik om me zorgen te maken. Integendeel, ik overwoog zelfs om uit de kast te komen en een principieel standpunt in te nemen, maar Louise had een paniekerig veto uitgesproken zodra ik het onderwerp aansneed. Als ik uit de kast zou komen, was het argument van Louise, dan zou ook zij voor haar geaardheid uit moeten komen. En anders dan ikzelf zat zij met al haar vezels vast aan haar familie en haar thuisfront, waar een onwankelbaar vasthouden aan de morele principes van de katholieke kerk nog steeds hoog in het vaandel stond. Als je in de familie van Louise lesbisch was zou je erkennen dat je in doodzonde leefde. En daar was ze nog niet klaar voor.

'Jij hebt makkelijk praten,' mompelde ze in mijn armen in de vroege morgenuren. 'Jij bent homoseksueel. Je weet dat je lesbisch bent. Ik niet. Ik weet dat ik van jou hou, maar dat betekent nog niet dat ik net zoals jij moet zijn.'

Dus hield ik me in. Ik redeneerde dat als ik het gerucht ontkende, het een langzame dood zou sterven zo gauw er zich weer iets interessanters voordeed. Ik was naïef; ik wist niet welke schade die giftige woorden nog konden gaan aanrichten.

Het was op het oog onschuldig begonnen. Op de dag van de verkiezing liet ik een boodschap in Corinna's postvakje achter waarin ik bevestigde dat ik die avond zoals gewoonlijk iets met haar zou gaan drinken. Ik wilde het ontzettend graag vieren, en ondanks mijn relatie met Louise was Corinna nog steeds iemand met wie ik mijn glorieuze overwinning wilde delen. Toen ik op weg was naar onze afspraak keek ik nog even in mijn postvakje en trof er een briefje aan van Corinna. 'Lieve Jay, ik kan vanavond niet. Henry's moeder kan elk moment bij ons langskomen, dus ik kan niet weg van huis. Excuses, Corinna.'

Ik was teleurgesteld, maar niet erg van slag. Het was niet de eerste keer dat een van ons beiden had moeten afzeggen. We hadden nog meer dan genoeg kansen om het in te halen. Althans, dat dacht ik.

Ik had ongelijk. De volgende dag kwam er weer een berichtje van Corinna. 'Lieve Jay, nu Henry's moeder hier bij ons woont, hoef jij niet meer te komen babysitten op vrijdagavond. Je hebt ongetwijfeld genoeg andere dingen te doen. Corinna.' Ik was wel een beetje boos, want ik was eraan gewend geraakt dat ik mijn studiebeurs regelmatig aanvulde met het geld dat ik met babysitten verdiende. Maar ik wist dat de relatie tussen Corinna en haar schoonmoeder niet zonder haken en ogen was en dat Dorothy beledigd zou zijn als ik was op komen dagen om voor de kinderen te zorgen terwijl zij er was.

Ik wachtte op een briefje van Corinna met een afspraak voor ons volgende avondje in de pub; ik liep dat trimester geen college bij haar, dus als we elkaar niet toevallig tegen het lijf liepen in de buurt van het College communiceerden we met briefjes. Ik wachtte tevergeefs. Twee weken waren al voorbijgegaan sinds die eerste afzegging, hoewel ik moet zeggen dat de dagen voorbij waren gevlogen. Ik had mijn dagelijkse portie studie. Er waren de nieuwe verantwoordelijkheden van mijn functie; ik moest mezelf nog volledig inwerken en daarna mijn strategieën ontwikkelen voor de veranderingen die ik wilde doorvoeren. En natuurlijk was er ook nog mijn relatie met Louise, nog steeds pril, nog steeds opwindend, maar ook veeleisend.

Toen, op een middag, had ik in St. John's een vergadering van de presessen van alle Colleges in Oxford. Bij wijze van uitzondering was de vergadering eerder afgelopen dan ik had verwacht, en daar het nog geen vijf minuten fietsen was naar het huis van Corinna, besloot ik er even een kopje thee te gaan drinken. Corinna's auto stond op de oprit en ik zag door de verlichte ramen van het souterrain dat de kinderen thuis waren. Ik liep naar de zijdeur en zette mijn fiets tegen de muur. Zoals gewoonlijk belde ik aan en draaide tegelijk aan de deurklink om naar binnen te gaan. Tot mijn verbazing zat de deur op slot. In al die tijd dat ik er over de vloer kwam, had ik nooit meegemaakt dat Corinna overdag de deur op slot deed.

Ik fronste mijn voorhoofd, deed een stap achteruit en voelde me op een merkwaardige manier afgewezen. Ik kon horen hoe er iemand vanuit het souterrain de trap op liep en even later ging de deur met een zwaai open. Daar stond Corinna, met een lichtelijk bezorgde uitdrukking op haar gezicht. Achter haar zag ik nog net hoe Patrick onder aan de trap om de trapspijl draaide. 'O. Jay,' zei Corinna kortaf. 'Je hebt een heel slecht moment uitgekozen. We wilden net weggaan.'

'Niet waar,' zei Patrick. 'Je hebt net een taart in de oven gezet.'

Corinna verschoot van kleur, draaide zich half om en wierp Patrick een bestraffende blik toe, zodat hij zich snel uit de voeten maakte. 'Die is voor Henry,' zei ze boos, duidelijk uit haar doen. Ze haalde diep adem en trok een gezicht dat ik nog nooit eerder van haar had gezien. Het was de glimlach van iemand die een cursus had gedaan in gelaatsuitdrukkingen, maar die voor het praktijkexamen was gezakt. Haar ogen keken nog steeds bezorgd, terwijl haar mond niet erg overtuigend naar boven krulde. 'Sorry,' zei ze. 'Een ander keertje dan maar, hè?'

En toen sloeg de deur in mijn gezicht dicht. Het was even pijnlijk en vernederend als wanneer Corinna me een klap had gegeven. Ik had slappe knieën en de tranen prikten in mijn ogen. Ik was volledig verbijsterd over deze afwijzing die aan duidelijkheid niets te wensen overliet. Meer dan een jaar waren Corinna en haar kinderen mijn familie geweest, mijn thuis. Corinna had haar kinderen aan mij toevertrouwd, en haar klachten en haar dromen, en ik had dat ook bij haar gedaan. En nu, volledig onverwacht, zonder enige vorm van uitleg, zonder dat ik bij mijn weten iets fout had gedaan, was ik verstoten.

Hoe ik het gedaan heb weet ik niet meer, maar ik wist mijn fiets om te draaien en liep struikelend de oprit af op benen die bijna niet meer trilden. Bij het hek wierp ik nog even een blik over mijn schouder. Patrick stond me op de vensterbank in de erker van het souterrain met een uitdrukkingsloos gezicht na te kijken. Toen ik zijn blik opving tilde hij ietwat halfslachtig een hand op. Hij wist dat er iets was veranderd; het was een vaarwel, geen groet.

Later kon ik me niets meer herinneren over de rit terug naar het College, behalve dat ik verblind was door tranen. Ik kon maar één reden bedenken waarom Corinna me in de steek liet. Ze had de geruchten gehoord en haar vooroordeel was sterker dan haar genegenheid voor mij. Of, wat waarschijnlijker was: ze had Henry over de geruchten verteld en hij had verboden mij nog ooit in de buurt te laten komen van zijn lieve kindertjes, uit angst dat ik iets met ze zou uitspoken.

Als ondernemer en schrijver Jay Macallan Stewart iets dergelijks was overkomen zou de woede door haar heen snijden als de thermische lans van een chirurg. Maar toen miste ik de zelfverzekerdheid voor woede. Hoe ik ook mijn best deed, het was me nog niet gelukt om trots te zijn op mijn homoseksualiteit. En soms dacht ik stiekem dat ik de wrede behandeling van Corinna verdiende, en door dat schuldgevoel raakte ik dan nog meer van streek. Ik voelde bijna mee met Corinna: ik walgde ook van mezelf, en dat maakte de pijn alleen maar groter.

De genadeklap kwam een paar dagen later. Weer via een postvakje. Ik reikte gretig naar mijn post, want ik zag het bekende grote slordige handschrift op de envelop van het College. Ik scheurde hem open en hoopte tegen beter weten in dat het een soort verzoening zou zijn. 'Lieve Jay,' durfde Corinna nog steeds te beginnen. 'Zoals je je zult herinneren, had je me verzocht of ik het komende trimester jouw mentor wilde zijn voor jouw keuzevak ethiek. Helaas realiseer ik me nu dat ik niet aan dit verzoek zal kunnen voldoen vanwege drukke werkzaamheden. Ik heb voor je geregeld dat je bij dr. Bliss in St. Hilda's terecht kunt. Ze neemt zo spoedig mogelijk contact met je op om een ontmoeting te regelen. Groeten, Corinna Newsam.'

Ik stond sprakeloos midden in de portiersloge, wanhopig vechtend tegen mijn tranen. Corinna's afwijzing was als een diepe wond die ongelooflijk veel pijn deed. Aan weerszijden van me duwden er vrouwen tegen me aan die in hun eigen postvakje wilden kijken. Ik zag ze geen van allen. Het enige wat ik zag was Patrick, bij het raam – met zijn trieste gezichtje als een bleke schaduw van mijn eigen verdriet.

4

Magda voelde zich bedrogen toen ze zag dat er, behalve haar moeder, nog iemand anders in de keuken was.

Ze had al de hele morgen geprobeerd haar moed bij elkaar te rapen. Ze had zich op een heftig gesprek voorbereid en had maar met een half oor geluisterd naar Catherines verhalen over haar studentenleven. En nu moest het grote moment wéér worden uitgesteld. Maar bijna tegelijk met deze wrokkige gedachte besefte ze dat de vrouw die opstond van de keukentafel er voor een vreemde wel erg bekend uitzag. Terwijl haar moeder haar omhelsde, bleef Magda de andere vrouw aankijken.

'Lieverd, ik ben zo blij je te zien,' riep Corinna. Ze trok haar zo dicht tegen zich aan dat Magda bijna stikte. 'Wat heb jíj een enerverende week gehad.'

Magda gaf haar een klopje op de rug en trok zich terug om haar zusje de kans te geven hun moeder te begroeten. 'Hallo,' zei ze tegen de bezoekster met het beleefde glimlachje van een vrouw die een goede opvoeding heeft genoten in het soort kringen waar niet vreemd wordt opgekeken van een gast meer of minder bij de lunch. Ze bekeek de vreemdelinge, die haar bekend voorkwam: zwart haar met zilvergrijze strepen, een prettig soort molligheid in een spijkerbroek en een ruimvallende blouse met een mooie pasvorm. Ze had een aardig gezicht en een ietwat ondeugende uitstraling. Maar het waren de ogen die haar geheugen aan het werk zetten – kalm, oplettend, opvallend lichtblauw met een donkerder rand. Net een husky, dacht Magda.

De vrouw leunde met een heup tegen de tafel en zag eruit alsof ze zich volledig thuis voelde. Ze knikte naar Magda en Catherine. 'Jullie herkennen me niet, hè?'

Catherine had zich losgemaakt uit de omhelzing van haar moeder en bekeek haar van top tot teen, met een frons op haar gezicht. Ze had altijd al een veel sterker visueel geheugen gehad dan haar zus. 'Jij bent een van de oppassen, hè? Ik weet niet meer welke, maar je bent er een van.'

'De oppassen?' vroeg de vrouw op geamuseerde toon.

'Zo noemden we onze babysitters,' zei Magda. 'Mama's studentes. Jullie waren altijd tijdelijk en daarom hadden jullie geen naam.' Ze haalde verontschuldigend haar schouders op. 'Niet kritisch bedoeld, hoor. Zo gaat dat nu eenmaal. Jullie bleven in Oxford tot jullie waren afgestudeerd. Geen van jullie maakte lang deel uit van ons leven.'

'Dus welke was jij?' drong Catherine aan, recht voor z'n raap als altijd.

Corinna kreunde. 'Wat kan ik zeggen? Ik heb mijn best gedaan. Op de een of andere manier is alles wat in de opvoeding met manieren te maken heeft aan Catherine voorbijgegaan.'

De vrouw lachte. 'Ik ben Charlie. Charlie Flint. Ik las je altijd voor uit *Winnie de Poeh*, Wheelie. Je vond Eeyore altijd het leukst.'

Catherine proestte het uit. 'Dat is nog steeds zo. De enige verstandige van het hele zootje.' Ze stak een hand uit. 'Leuk je weer eens te zien, Charlie Flint.'

Charlie schudde haar hand. 'Vind ik ook.' Ze hield haar hoofd wat schuin om de beide zusjes goed te kunnen bekijken. 'Jou had ik nooit herkend, Wheelie. Maar ik denk dat ik Magda er bij een Osloconfrontatie op het politiebureau wel uit zou hebben gehaald.'

Magda's enige reactie was een optrekken van de wenkbrauwen, waarna ze zich tot Corinna wendde. 'Waar is papa?'

Corinna liep naar het fornuis en maakte een deurtje open waarbij er een wolk stoom vrijkwam samen met de rijke geur van een kippastei. 'Hij heeft een open dag op school. Hij moet er zijn om ouders van toekomstige leerlingen rond te leiden.' Magda verstrakte, maar ze zei niets. 'Hij zei dat hij om een uur of drie thuis zou zijn.' Corinna keek hoe de pastei ervoor stond, deed hem weer terug in de oven en zette toen een pan met aardappelen op het fornuis.

'Geeft niet,' zei Catherine, Ze trok een stoel tevoorschijn en ging zitten. Ze grijnsde Charlie opgewekt toe. 'Mam, weet Charlie dat we iets te vieren hebben of moeten we alles nog weer eens tot in alle afschuwelijke details uitleggen?'

'Catherine, in godsnaam,' zei Corinna op scherpe toon.

'Als je de gerechtelijke uitspraak bedoelt, ja, daar weet ik van,' zei Charlie. 'En misschien moet ik jullie nu alleen laten, ik wil jullie niet storen.'

Magda zag nog net het boze trekje op het gezicht van haar moeder, dus verbaasde het haar toen Corinna zei: 'Natuurlijk niet, Charlie. Je stoort niet.'

'Nee hoor,' zei Magda. 'Ik heb de laatste tijd toch al het gevoel dat mijn hele leven op straat ligt.'

Charlie glimlachte. 'Het is nooit leuk om de ogen van de media op je gericht te weten.'

Catherine sperde verbaasd haar ogen open. 'Dáár ken ik je van, ja,' zei ze met enige voldaanheid. 'Niet alleen van dat je oppas was. Jij bent die vrouw die in het nieuws was.' Ze keek haar zus aan. 'Weet je nog? Die vent die werd vrijgesproken van moord en toen die andere vrouwen is gaan vermoorden.' En toen weer tegen Charlie. 'Jij bent degene die voor die vrijspraak verantwoordelijk was.'

Aan Charlies gezicht was niets anders te zien dan een vriendelijk soort interesse. 'Zo zou ik het zelf niet willen omschrijven, maar inderdaad in sommige media is het op die manier overgekomen.'

'Catherine,' – Corinna zette met een klap een fles rode wijn voor haar jongste dochter op tafel – 'Charlie is hier te gast in huis. Het is hier niet de gewoonte onze gasten te beledigen.'

'In ieder geval niet voordat we ze iets te drinken hebben aangeboden,' zei Magda. Ze trok haar jasje uit en zette vier glazen op tafel. 'Ik bied je mijn excuses aan voor mijn zus. Ik denk dat ik maar kaartjes moet laten drukken die ik dan kan uitdelen als ze ergens is geweest. "Magda Newsam biedt haar verontschuldigingen aan voor het tactloze gedrag van haar zus."'

'Of we zouden de Catherine Newsamprijs voor tactvol en diplomatiek optreden kunnen instellen,' zei Catherine. 'Het spijt me, Charlie. Als iets of iemand me interesseert, dan doe ik altijd mijn mond open zonder aan de gevolgen te denken.'

'Dan moet je maar aan je charme blijven werken,' zei Charlie. 'Die zorgt er waarschijnlijk voor dat je niet al te vaak op je vingers wordt getikt.'

Catherine keek een fractie van een seconde geschokt en barstte toen in lachen uit. 'Die zit,' zei ze goedkeurend. 'Dus als jij de gebeurtenissen niet op die manier zou willen omschrijven, hoe dan wel?'

'Misschien heeft Charlie geen zin om erover te praten,' zei Corinna bestraffend.

'Charlie, alsjeblieft,' zei Catherine. 'We hebben allemaal zo in spanning gezeten over die walgelijke rechtszaak dat het een welkome afleiding zou zijn.'

'De problemen van andere mensen zijn altijd nog de beste medicijn om niet meer aan die van jezelf te hoeven denken,' zei Charlie droogjes. 'Maar eigenlijk is het helemaal niet zo interessant.'

Magda had naar het gesprek zitten luisteren zonder haar blik van Charlie af te wenden. Ze vroeg zich af of haar pas ontdekte seksualiteit inhield dat ze van nu af aan overal lesbiennes om zich heen ontwaarde, of dat zoiets na verloop van tijd minder zou worden. Nu zei ze: 'Wheelie heeft gelijk. Het zou echt prettig zijn als ik niet meer de hele tijd met mijn eigen besognes bezig hoef te zijn.'

Charlie blies haar wangen op en ademde toen luidruchtig uit. 'Goed dan. Maar ik heb er wel een drankje bij nodig.' Terwijl Magda de wijn inschonk, probeerde Charlie haar gedachten te ordenen. 'Ik ben psychiater. Mijn interesse gaat speciaal uit naar het behandelen en bestuderen van psychopathische persoonlijkheden.'

'Wat betekent dat precies?' vroeg Catherine. 'Het is een van die dingen waarover je in de krant leest, maar je weet nooit precies wat het eigenlijk inhoudt.'

'Psychopaten zijn mensen die het vermogen tot empathie en wroeging missen. Het laat ze volledig koud wat voor effect hun daden hebben op andere mensen. Ze liegen, ze proberen de wereld volledig naar hun hand te zetten. De slimmerds onder hen zijn glad en manipulatief, en die leren hoe ze niet uit de toon vallen.'

Catherine kreunde. 'Dat klinkt als de meeste mannen uit mijn kennissenkring.'

'Dan heb je het slecht getroffen. We gaan ervan uit dat het hier om ongeveer één procent van de bevolking gaat. Meestal werk ik met mensen die veroordeeld zijn voor ernstige delicten, maar soms heb ik met mensen te maken die met andere klachten op het gebied van geestelijke gezondheid te maken hebben. Hun psychopathie is in onze gesprekken bijzaak, maar ik moet er wel altijd op verdacht zijn dat als ze losgelaten worden in de maatschappij, hun geestelijke toestand zal leiden tot het plegen van ernstige geweldsdelicten. Vanwege mijn ervaring als psychiater ben ik uiteindelijk profielschetser en getuige-deskundige geworden.' Charlie trok een grimas. 'Ik deed het goed. Zoals je mag verwachten van iemand die aan Schollie's heeft gestudeerd.'

'En dat is volkomen terecht,' zei Corinna. 'Je was een van mijn betere studenten.'

Charlie lachte. 'Dat kan ik moeilijk geloven, want ik spijbelde bij het leven.'

'Je bent hier niet alleen om te studeren.'

'Dat heb je destijds nooit gezegd,' zei Charlie. 'Hoe het ook zij... Ik werd door het openbaar ministerie gevraagd of ik wilde helpen bij een moordzaak in de buurt van Leicester. Ze hadden een verdachte die in afwachting was van een proces en ze wilden mij als getuige-deskundige ter ondersteuning van hun zaak. Voor mij was het eigenlijk een vrij normale zaak. Ik regelde een gesprek met de verdachte, een zekere Bill Hopton. Ik heb uiteindelijk vier keer met hem gepraat en toen die sessies waren afgelopen, zaten mij een paar dingen helemaal niet lekker. Ik heb toen een gesprek aangevraagd met de officier van justitie.' Ze zuchtte en nam een slok wijn.

'Ik heb hem verteld dat ik in mijn functie als psychiater dacht dat Bill Hopton een psychopathische persoonlijkheid had en dat hij in staat was tot sadistisch seksueel geweld. Dat het heel goed mogelijk was dat hij op den duur gewelddadige seksuele delicten of verkrachtingen zou plegen die waarschijnlijk zouden ontaarden in moord. Maar dat ik er ook van overtuigd was dat hij de moord waarvoor hij vastzat niet had gepleegd. Het paste gewoon niet bij het beeld dat ik van zijn type persoonlijkheid had opgebouwd.'

'Ik wed dat je er de populariteitsprijs mee hebt gewonnen,' zei Catherine.

'Niet echt, nee. De officier probeerde me op andere gedachten te brengen, maar ik was niet bereid van mening te veranderen omdat dat toevallig beter in hun straatje paste. Dus werd ik onmiddellijk van de zaak afgehaald. En daar zou het bij zijn gebleven als de verdediging er geen lucht van had gekregen. Ze kwamen bij me en vroegen me of ik op wilde treden als getuige-deskundige van de verdediging. Nee, zei ik, dat kan ik niet doen, dat zou belangenverstrengeling zijn. Ik ben in het bezit van bepaalde informatie enkel en alleen omdat ik ben ingehuurd door het OM, dus technisch gezien is die informatie van hen. Dus gingen ze weg en ik dacht dat ik nooit meer iets over Bill Hopton zou horen. Wat ik prima vond, want het was een bijzonder onaangenaam en achterbaks mannetje.'

'Er gingen maanden voorbij en ik was die hele moord in Leicester vergeten. Toen wandelde ik op een morgen de collegezaal in op de universiteit waar ik lesgeef, en een deurwaarder beteken-de me volkomen onverwacht een dagvaarding. Of ik het nu leuk vond of niet, ik moest de getuigenbank in voor Bill Hopton. Ik voelde me er erg ongelukkig bij, want ik wist dat het OM alleen maar beschikte over indirecte bewijzen. De mensen denken dat het tegenwoordig allemaal zo gaat als in CSI, maar zo rechttoe, rechtaan is het niet. Dit slachtoffer was naakt en in een vijver ge-gooid, dus het forensische bewijs was te verwaarlozen.

Men had Bill Hopton zien rondhangen bij de werkplek van het slachtoffer. Dat was een aantal keren te zien op de beveili-gingscamera's. De verdediging voerde aan dat hij graag op dat plein zat, omdat hij dan stiekem gratis Wi-Fi in een van de cafés kon krijgen.' Charlie begon af te tellen op haar vingers. 'Het moordwapen was een kruissleutel van een Vauxhall van hetzelf-de type als de auto waarin Hopton reed, en van zijn auto ont-brak een kruissleutel. De verdediging beweerde dat dat ding er al niet geweest was toen hij de auto kocht. Ze kwamen op de proppen met de vrouw die hem de auto had verkocht, en die zei dat er volgens haar geen moersleutel bij de auto had gezeten.' Een tweede vinger voegde zich bij de eerste. 'Hopton was met een alibi gekomen dat op een leugen bleek te berusten. Maar de verdediging zei dat hij had gelogen omdat hij niet wilde toege-ven dat hij bij een prostituee was. Ze kwamen aanzetten met het hoertje, dat niet zo'n erg goede getuige was maar dat wel bij haar getuigenis bleef.' Een derde vinger. 'En dan was ik er ook nog.' Charlie vinkte de vierde vinger af en balde haar hand toen tot een vuist. 'Ik kon niet liegen. En de jury kwam volkomen terecht tot de conclusie dat Bill Hopton niet schuldig was.'

'Ik wed dat die lui van het OM des duivels waren,' zei Corin-na.

'Ze waren woedend en dat hebben ze me laten weten ook,' zei Charlie. 'Ik ging ervan uit dat mijn dagen als getuige-deskun-dige voor het OM waren geteld. Dus ben ik teruggegaan naar het andere deel van mijn leven. Gesprekken met psychopaten, col-lege geven in Manchester en tijd doorbrengen met Maria, mijn volledig normale vrouw.'

Magda probeerde niet te laten merken hoe ze schrok. Het was niet zo dat homohaat er bij hen was ingestampt; het was altijd een kwestie geweest van: je hebt de pest aan de zonde, maar je houdt van de zondaar. Toch kon ze zich niet herinneren dat er ooit iemand in dit huis zo losjes over homoseksualiteit had gesproken. Bezoekers die het echtpaar Newsam kenden, wisten dat ze beter niet op hun principiële lange tenen konden trappen. Dus er werd niet gevloekt waar Corinna bij was, en niemand praatte over homo's of over abortus als zij of Henry in de buurt waren. Maar nu zat Charlie hier, die openlijk haar lesbische partner als haar 'vrouw' aanduidde zonder dat haar meteen de deur gewezen werd, zoals Jay al die jaren geleden was overkomen. Misschien waren haar ouders minder streng aan het worden. Misschien zou haar eigen mededeling wel minder ophef veroorzaken dan ze had gevreesd.

Ze merkte dat ze een stukje van het verhaal van Charlie had gemist en dwong zichzelf om weer te gaan opletten.

'... ten minste twee jaar later. Maar ditmaal bestond er geen enkele twijfel over. Het was precies de dolle, onbeheerste aanval die ik had voorspeld. Er was een overvloed aan forensisch bewijsmateriaal en aan digitale bewijzen op Bill Hoptons computer. Maar omdat hij constant van adres veranderde, kostte het een paar weken om hem op te sporen. En toen had hij in de tussentijd drie andere vrouwen vermoord.' Charlie was steeds zachter gaan praten. Ze zag er opeens ouder uit, met lijntjes om haar ogen als ze die dichtkneep. 'Ik voelde me afschuwelijk. Eerlijk waar. Ik wist dat ik het juiste had gedaan, maar ik had toch het gevoel dat ik het had moeten voorkomen.'

'Maar er was toch echt niets wat je had kunnen doen,' zei Corinna.

'Ik heb wel in een aanbeveling gezegd dat Hopton naar een gesloten inrichting zou moeten worden gestuurd, maar zijn raadsman had meteen de mond vol over schending van burgerrechten – zijn cliënt was niet schuldig bevonden door een jury, hij was een onschuldig man, de autoriteiten probeerden gewoon de verantwoordelijkheid af te schuiven. Ik heb me zelden zo opgewonden. Dat gun ik niemand,' zei Charlie. 'Dus hij kwam vrij en vermoordde vier vrouwen.'

'En de media zijn dol op zondebokken,' zei Magda. 'Zijn ze daarom zo idioot tegen jou tekeergegaan?'

'Deels wel. Maar het kwam allemaal pas goed op gang toen de familie van een van de slachtoffers iemand wilde hebben die moest boeten voor hun verlies. Letterlijk. Ze besloten om mij voor het gerecht te slepen omdat ik in mijn zorgplicht had verzaakt. Andere familieleden van de overleden vrouwen wilden daar wel een graantje van meepikken, en toen kreeg er een het briljante idee om een klacht tegen mij in te dienen bij het Medisch Tuchtcollege.'

'Maar je was gewoon een getuige à decharge,' zei Catherine.

'Nou, zo zien zij het niet.' Charlie dronk haar glas leeg en pakte de fles. 'Er is nooit iemand anders aangeklaagd voor de moord in Leicester, en de politie vertelt nog steeds heel graag onofficieel tegen journalisten dat ze zeker weten dat ze de juiste man in de beklaagdenbank hadden zitten. En dat hij alleen maar vrijuit is gegaan dankzij mijn getuigenis. En daarom stonden er al die dingen over mij in de kranten.'

'En wat gebeurt er nu?' vroeg Corinna.

'Ik moet wachten tot de zaak voorkomt. En totdat het Medisch Tuchtcollege een disciplinaire vergadering houdt. In de tussentijd mag ik mijn beroep niet uitoefenen. De universiteit heeft me geschorst met behoud van salaris. Ik geef hier en daar wat lessen en doe van alles en nog wat, dan hoef ik niet de hele dag thuis duimen te zitten draaien. Arme Maria, ze is de nuchterste persoon van de hele wereld en zij krijgt al die angsten en paranoia van mij over zich heen.'

'Ben je daarom in Oxford? Om les te geven?' Dat was Catherine weer. Haar nieuwsgierigheid won het van haar tact.

'Ik wou dat dat waar was. Nee, ik ben op bezoek bij een collega. En aangezien ik hier pal om de hoek logeer, dacht ik dat ik wel even bij Corinna langs kon gaan.' Charlie kantelde haar glas naar haar gastvrouw. Toen wendde ze zich tot Magda. 'Ik realiseerde me niet dat ik jullie overviel op een zo ongelegen tijdstip. Ik zal eerlijk zijn. Ik had de artikelen over het proces in de kranten gelezen, maar ik heb het niet in verband gebracht met jou.' Ze spreidde haar handen in een verontschuldigend gebaar. 'Ze hebben je meisjesnaam niet gebruikt en ik denk dat ik jou in gedachten nog steeds als Maggot zie.'

Magda voelde hoe een blos langs haar hals omhoogkroop.

'Het is grappig,' zei ze. 'Niemand heeft me in tijden Maggot genoemd. Maar jij bent de tweede persoon de laatste tijd die mijn oude bijnaam gebruikt.'

'Echt waar?' Charlie keek opgelucht omdat het haar gelukt was van onderwerp te veranderen. 'Een vroeger vriendinnetje of een andere oppas?'

Magda keek naar haar moeder, stak haar kin in de lucht en rechtte haar schouders. 'Iemand die vroeger ook wel eens heeft opgepast, totdat mijn moeder haar eruit heeft gegooid.'

Corinna sloeg haar ogen ten hemel. 'Zeg eens, wíé zit zich nu aan te stellen? Ik neem aan dat je het over Jay Stewart hebt? Even voor de duidelijkheid, Magda, ik heb Jay er niet uitgegooid.'

'Je hebt haar verteld dat ze niet meer welkom was. Omdat je geen lesbienne bij je kinderen in de buurt wilde hebben.' Plotseling was de sfeer in de kamer veranderd. Alle emotie die Magda al maanden onder controle had gehouden, kwam nu naar buiten.

'Dat heb ik nooit gezegd.' Alle warmte was uit de stem van Corinna weggevloeid.

'Waarom zou je haar anders hebben weggestuurd? Het enige wat er in haar leven was veranderd, was dat ze door geroddel in het College uit de kast had moeten komen. Nou? Was het toeval dat het dezelfde week was dat jij besloot dat je haar niet meer in huis wilde hebben?' Moeder en dochter keken elkaar woedend aan, maar Corinna zei niets.

Catherine wendde zich hoofdschuddend tot Charlie en zei: 'En dan zeggen ze dat ík altijd zo tactloos ben. Ik wed dat je blij bent dat je bent gekomen.'

Magda leek de onderbreking niet te horen. 'Ik wacht, mam. Als het niet was omdat ze lesbisch was, waarom heb je Jay dan uit onze levens weggerukt?'

'Wat je ook mag denken, Magda, ik ben geen hekel aan homo's. Ik heb altijd geweten dat Charlie lesbisch was en het heeft onze vriendschap nooit in de weg gestaan. Ik heb het altijd prima gevonden dat Charlie op jullie paste.'

'Waarom was het dan?' Magda's stem schoot helemaal omhoog. Ze had zich deze dag heel anders voorgesteld, maar nu ze eenmaal dit onderwerp hadden aangesneden, kon ze niet meer terug.

Corinna keek naar Charlie alsof zij misschien het antwoord had. Charlie haalde alleen maar haar schouders op. 'Ik had een goede reden,' zei Corinna ten slotte. 'En het had niets te maken met de persoon met wie Jay naar bed wilde. Het spijt me, Magda, maar ik ga je die reden niet vertellen.'

'Je zult een betere smoes moeten bedenken, mam.'

'Nee, Magda, dat hoef ik niet. Ik heb recht op mijn privacy. Ik hoef jou niet alles te vertellen.'

Magda zag eruit alsof ze niet wist of ze in tranen moest uitbarsten of met iets moest gaan gooien. 'Nou, wat jouw stomme reden ook mag zijn, je zult die fatwa moeten opheffen, want als Jay hier niet welkom is, kom ik ook niet meer. Ik heb zitten wachten op het juiste moment om het je te vertellen, maar het is duidelijk dat het juiste moment nooit komt. Jay en ik, we zijn bij elkaar. Ze is mijn geliefde.' Ze wachtte niet op Corinna's reactie, maar wendde zich tot Charlie. 'Ik ben blij dat je hier bent. Misschien kun jij aan mijn moeder uitleggen dat dit niet het einde van de wereld is.'

'O Magda, in vredesnaam. Natuurlijk denk ik niet dat dit het einde van de wereld is,' snauwde Corinna.

Magda's gezicht stond anders, alsof ze zich opeens iets realiseerde. Ze keerde zich woedend en met een knalrood gezicht tot Charlie. 'O, dáárom ben je hier. Je bent hier omdat mijn moeder in de gaten kreeg dat Jay en ik meer dan gewoon vriendinnen zijn. Jij bent de excuuspot, en ze kan zich met jou indekken tegen de beschuldiging dat ze een bekrompen trut is. Ze moest er wel erg diep voor graven, maar ten slotte heeft ze er toch eentje weten op te duikelen. Je zou je moeten schamen dat je je voor zoiets laat gebruiken.'

'Je bent jezelf belachelijk aan het maken, Magda.' Corinna had de meedogenloze kilte van een ijsberg op ramkoers. 'Charlie, ik vind dit heel vervelend.'

Charlie stond met een zucht op. 'Ik denk dat ik beter kan gaan. Magda, ik ben echt niet hier om je moeder aan een medaille voor politieke correctheid te helpen. Je hoeft me niet te geloven, maar je moeder heeft er nooit blijk van gegeven dat ze moeite had met mijn seksualiteit. Ik heb altijd gedacht dat ze helemaal achter dat stukje uit het Nieuwe Testament stond waarin wordt gezegd dat je de zonde kunt haten, maar niet de zondaar.' Ze pakte haar jas en rugzak en liep naar de deur toe. 'Ik laat mezelf wel uit.' Ze zwaaide vluchtig en trok een grimas. 'Per slot van rekening weet ik de weg.'

'Ik bel je nog wel,' riep Corinna haar na. Toen Charlie om de hoek van de trap uit het zicht verdween, draaide Corinna zich om naar haar dochters en zei: 'Wat zijn mijn dochters hoffelijk, zeg. Hoe durven jullie mijn vrienden mijn keuken uit te jagen.'

'Hoe durf jij mijn geliefde uit mijn leven te jagen?' repliceerde Magda.

'Hoe kun je zo zeker zijn over de dingen die je vandaag allemaal hebt gezegd, Magda? We hebben hier nog nooit eerder over gepraat. Dit is de eerste keer dat je openlijk hebt toegegeven dat Jay je geliefde is.' Corinna's stem klonk zo scherp als het lemmet van een mes.

'Zie je wel? Zelfs de woorden die je gebruikt zijn al beladen: "toegegeven". Alsof ik schuld beken. Dat is nu precies de reden waarom ik tot nu toe nog niets heb gezegd. Omdat ik wist dat het een nachtmerrie zou worden, en eerlijk gezegd had ik met die hele rechtszaak al genoeg ellende op mijn bord.' Magda pakte haar jas. 'Ik weet het niet. Ik had het krankzinnige idee dat we een stapje verder waren gekomen in de wereld. Dat als het om hun eigen vlees en bloed ging, zelfs mijn ouders afstand konden nemen van hun bekrompen houding en konden accepteren dat liefde belangrijker is dan dogma's.' Ze had moeite haar armen in de mouwen te krijgen en zat hard aan haar jas te rukken. De tranen waren dichtbij, maar ze wilde per se niet gaan huilen. 'Ik hoopte oprecht dat je iets zou zeggen als: "Vergeet het verleden, iedereen van wie je houdt is welkom bij ons." Nou ja, je ziet maar weer hoe verdomde stom ik ben.' Ze draaide zich met een ruk om en liep vlug naar de trap toe.

'Magda, wacht,' zei Corinna.

Vanaf de derde trede keek Magda om. 'Ik hoor niet meer bij deze familie.'

5

Charlie had met zichzelf een wedje gemaakt. Vijf minuten en dan zou Magda naar buiten komen. Oké, tien minuten voor de zekerheid, maar ze dacht niet dat ze de weddenschap zou verliezen. Dat hoopte ze in elk geval niet; strikt genomen was het misschien wel lente, maar het was nog steeds verdomde koud. Ze installeerde zich op het kniehoge bakstenen muurtje dat de tuin van de familie Newsam van het trottoir scheidde. Het was een typische straat in Noord-Oxford. Grote victoriaanse huizen van rode baksteen die waren gebouwd voor een tijd waarin iedereen personeel had. Ze stonden een stukje van de straat af en werden meestal beschermd door dicht struikgewas. Vier verdiepingen met op de zolders kleine kamertjes voor de dienstmeisjes en de kinderen, en keukens in het souterrain. In het begin, toen Charlie een vaste bezoekster was in huize Newsam, waren de meeste van de huizen nog steeds bewoond door gezinnen, en op zomeravonden hadden de tuinen weerklonken van de kreten van spelende kinderen. Nu waren er nog maar een paar over waar een familie woonde. De huizenprijzen in de buurt hadden ertoe geleid dat de meeste waren opgedeeld in appartementen en zit-slaapkamers, herkenbaar aan de reeksen deurbellen en intercoms. Ze vroeg zich af welke geluiden er nu verspreid werden door de zomerbriesjes.

Ze had iets langer dan drie minuten op het muurtje gezeten toen de deur met een klap dichtsloeg en Magda woedend met grote passen de oprit af kwam lopen. Haar ogen stonden vol tranen, maar ze had zichzelf nog steeds in bedwang. Zelfs in deze toestand, dacht Charlie, was ze zo mooi dat je adem stokte in je keel. Toen ze Charlie zag, bleef ze staan. 'Wat zit jij daar in godsnaam te zitten?'

'Ik wacht op jou.' Charlie bleef zitten waar ze zat. 'Ik ben op weg naar Schollie's om dr. Winter te bezoeken. Loop je een eindje met me mee? Of we kunnen ergens iets gaan drinken als je dat liever wilt?'

Magda keek verbaasd op. 'Laat je dr. Winter wachten alleen om mij iets te drinken aan te bieden? Je bent vast vergeten hoe ze is.'

Charlie grijnsde en stond op. 'Ik heb niets afgesproken. Ik dacht, ik gok er gewoon op dat ze thuis is.'

Magda snoof en lachte. 'Waar zou ze anders moeten zijn? Zeker bij al die vrienden die ze niet heeft.'

'Ik dacht altijd dat jouw moeder redelijk goed met haar kon opschieten.'

'Ze is lastiger geworden op haar oude dag. Mijn moeder, bedoel ik. En dr. Winter kan alleen maar opschieten met mensen die voor haar willen kruipen. Dus de relatie is niet meer zo probleemloos als vroeger.'

'Je klinkt alsof je mijn type werk zou moeten doen,' zei Charlie. 'En, wat wordt het? Wandelen naar het College of een drankje?'

'Wandelen dan maar,' zei Magda, een beetje op haar hoede.

Een goede keus voor iemand die zeker wilde weten dat ze ieder moment weg kon, dacht Charlie. Ze liep de straat op en Magda kwam naast haar lopen. 'Waarom heb je op me gewacht?' vroeg ze meteen.

'Ik dacht dat je het misschien wel prettig vond om je gal te spuwen tegen iemand die aan jouw kant staat.'

'En jij staat aan mijn kant?'

'Ik ben al uit de kast sinds mijn twintigste. De mensen praten over uit de kast komen, alsof het om één moment gaat. Het ene moment zit je er nog in, het volgende ben je eruit. Maar zo gaat het helemaal niet. Het is een hele reeks momenten. Je vertelt het tegen je vriendinnen. Tegen je familie. Tegen je collega's. Tegen de anonieme verkoper van autoverzekeringen aan de andere kant van de telefoonlijn. Tegen je makelaar. Tegen de nieuwe buren. Tegen het quizteam in de pub. Tegenwoordig gaat dat meestal wel goed, omdat zelfs de ergste homohaters niet zo gek zijn dat ze hun vooroordelen in het openbaar spuien.' Charlie zuchtte diep. 'Maar alle homoseksuelen die ik ken, zijn minstens één keer in hun leven het mikpunt geweest van gemene en kwetsende opmerkingen. Ik vermoed dat hetzelfde geldt voor zwarte mensen, alleen kunnen zij er al helemaal niet omheen. Dus ja, ik sta aan jouw kant. Ik weet hoe moeilijk het is, vooral sinds je zo publiekelijk als hetero bent afgeschilderd door dat verschrikkelijke wat er met Philip is gebeurd.'

'Ik wil alleen maar dat ze blij zijn dat ik gelukkig ben,' zei Magda op klagende toon. 'Ik heb zo'n rottijd gehad sinds het overlijden van Philip dat je zou denken dat ze dát toch wel zouden kunnen opbrengen.'

'Maar zo werkt het niet. Het maakt eigenlijk dat ze je nog meer willen beschermen. Corinna wil verschrikkelijk graag dat je niet nog meer wordt gekwetst dan je nu al bent. Zij is bang dat je alleen maar gekwetst gaat worden.'

'Waarom zou Jay mij willen kwetsen? Ze houdt van me.'

Waar moet ik beginnen, dacht Charlie. Net als veel artsen met wie ze te maken had gehad, was Magda een wat ongemakkelijke mengeling van volwassenheid en naïviteit. Volgens Charlie was dat te wijten aan een onnatuurlijk opgerekte studententijd in combinatie met de blootstelling aan emotioneel uiterst moeilijke momenten. 'Onze ouders willen altijd dat wij een ongelooflijk gelukkig en gemakkelijk leven krijgen. Als je er van de buitenkant tegenaan kijkt, lijkt het feit dat je lesbisch bent daar geen garantie voor te zijn. Voeg daar nog bij het feit dat om de een of andere reden Jay en Corinna lang geleden ruzie hebben gehad, en ze houdt haar hart vast voor jou. Daarom gedraagt ze zich zo.'

'Er is niets om bang voor te zijn. Ik ben gelukkiger dan ooit. Ik dacht dat ik van Philip hield, maar dit is net alsof je naar een kleurenfilm kijkt terwijl je altijd gewend bent geweest aan zwart-wit.' Ze liepen de hoek om, een andere straat in die er precies zo uitzag als de vorige, behalve dat de zon er anders op viel en de knoppen van de bomen wat verder open waren.

Charlie grijnsde. 'Geloof me, ik ken dat gevoel.'

'Hoe lang zijn jij en Maria al samen?'

Dat was altijd, zonder uitzondering, de vraag van degenen die net het licht hadden gezien. 'Zeven jaar. We zijn drie jaar geleden een geregistreerd partnerschap aangegaan.'

'Wat doet ze?'

'Ze is tandarts. Implantoloog. Eerlijk gezegd zou ik er in ongeveer drie uur al knettergek van worden, maar zij vindt het vreselijk interessant.'

'Hoe hebben jullie elkaar ontmoet?'

De andere standaardvraag. 'Op een bruiloft. Een van haar collega's trouwde met een collega van mij. We waren allebei uitgenodigd voor de receptie. Haar gaydar sloeg het eerst aan en ze zat me te versieren bij het dessertbuffet. Ik vond haar erg leuk. Om je de waarheid te zeggen dacht ik eigenlijk dat ze het bekende domme blondje was.' Charlie lachte wat meesmuilend om haar eigen onnozelheid. 'Ik had me niet meer kunnen vergissen. En jij en Jay? Hoe hebben jullie elkaar ontmoet?' Ze wierp een zijdelingse blik op Magda, die met haar kin op haar borst strak naar het trottoir keek.

'Nou, wij hadden elkaar uiteraard al ontmoet toen Jay nog steeds geschikt werd geacht om op ons te passen.'

'Natuurlijk. Maar jullie hebben toch niet al die jaren contact gehouden? Hoe zijn jullie elkaar weer tegengekomen?'

'Hierlangs is het korter,' zei Magda, en ze wees naar een steegje tussen twee huizen met aan weerszijden een hoge houten schutting. 'Je komt dan uit bij het hek in de wei.'

'Ik herinner me het nog.' Charlie liep achter haar aan; het steegje was te smal om naast elkaar te lopen. 'Waar hebben jullie elkaar weer ontmoet?'

Magda zuchtte. 'Ik weet dat je een vriendin van mijn moeder bent, maar als ik het je vertel beloof je dan niets tegen haar te zeggen?'

Charlie grinnikte wat geforceerd. Dit ging interessant worden, en ze wilde Magda nu niet kwijtraken. 'Je wilt toch niet zeggen dat het op de een of andere louche plek was?'

'Nee, absoluut niet. Maar ik wil gewoon niet dat ze het verkeerd interpreteert. Beloofd?'

'Oké, ik beloof het.' Charlie deed een pas opzij om een plas water te ontwijken en voelde het natte gras tegen haar broekspijp strijken.

'Minder romantisch kan het haast niet,' zei Magda. 'We kwamen elkaar toevallig tegen op het damestoilet in Magnusson Hall. Op mijn bruiloft. Ik kwam uit een van de wc-hokjes en zij was haar handen aan het wassen bij de wasbak. Onze blikken ontmoetten elkaar in de spiegel en we herkenden elkaar onmiddellijk. Het was ongelooflijk. Het was alsof ik een elektrische schok kreeg. Maar natuurlijk deden we toen niets. Ik bedoel, hoe kon dat? Ik was net getrouwd, ik snapte er niets van.'

Leugenaar, dacht Charlie. Magda's overdreven gepraat deed onoprecht aan. Ze reageerde op wat er niet was gevraagd, als een politicus die vijf verschillende manieren vindt om de waarheid te omzeilen. 'Maar er was iets tussen jullie.'

'Ja. Er was iets. En later, toen Philip dood was, nam ze contact met me op. Vroeg of ze iets voor me kon doen. Om je de waarheid te zeggen, de gedachte om wat tijd met iemand door te brengen die Philip niet had gekend was een opluchting. Kun je dat begrijpen?'

Het pad werd breder en Charlie ging weer naast Magda lopen. 'Ja, heel goed. De dood van een naaste kan een overweldigende aanwezigheid aannemen in onze levens. Je kunt je niet verstoppen voor de doden. Dus ja, ik kan me goed voorstellen waarom je dat prettig vond.'

Magda knikte. 'Oké.' Ze glimlachte en haar hele gezicht klaarde voor het eerst op. 'Dus zei ik ja, ze kon me op een pizza trakteren.'

Het was een heel ander verhaal dan de versie die Corinna geloofde. En het zou alleen maar voeding geven aan Corinna's bizarre overtuiging dat Jay een meervoudige moordenares was wier laatste slachtoffer haar schoonzoon was geweest. De moeilijkheid was dat Charlie er wat van in de war raakte. Al haar instincten stonden opeens op scherp. De ontmoeting maakte een roofzuchtige en berekenende indruk, en daardoor vroeg Charlie zich af of Corinna er wel zover naast zat. 'Mooi verhaal,' zei ze, en ze liet niets merken van haar onbehagen.

'Charlie?'

'Ja.'

'Weet jij waarom Jay en mijn moeder ruzie met elkaar hebben gekregen? Was het echt niet alleen maar schijnheiligheid en vooroordeel?'

Charlie overwoog haar opties en kwam tot de conclusie dat ze er eigenlijk geen had. 'Ik weet het niet. Ik kan alleen maar zeggen dat je moeder homoseksualiteit misschien niet goedkeurt, maar dat ze niet schijnheilig is. Voor zover ik weet is ze altijd in staat geweest om het algemene van het bijzondere te scheiden. Ik zat in mijn tweede jaar toen ik bij sommige mensen uit de kast begon te komen, en zij was een van de eersten aan wie ik het heb verteld. En het veranderde niets tussen ons, voor zover ik kon zien. Ze had zeker geen bezwaar tegen mij als babysitter. Dus wat de reden van Jays verbanning ook mag zijn geweest, ik denk niet dat het was omdat Corinna dacht dat ze een slechte invloed zou hebben.' Charlie stootte Magda even zacht aan. 'Hoewel, zoals de zaken er nu voor staan, had ík die slechte invloed wel kunnen zijn.'

Magda's glimlach was vaag. 'Dat is een rare gedachte. Maar het klopt allemaal niet. Jay zegt dat ze geen andere reden weet waarom Corinna zich zo opstelde.'

'Het is lang geleden. Misschien weten ze geen van beiden meer waarom het was. Dat gebeurt wel vaker.'

Ze waren aangekomen bij een T-kruising en Magda wees naar links. 'Het hek is daarginds pal om de hoek. Dan kom je uit in de wei van Schollie's. Ik ga terug naar huis.' Ze keek Charlie recht in de ogen. 'Ik wilde aan mijn beide ouders vertellen over Jay en mij. Ik kijk er niet naar uit het aan mijn vader te vertellen. Hij gaat vast volledig door het lint. Maar ik laat het ook niet aan mijn moeder over het hem te vertellen.'

'Het komt allemaal wel in orde,' zei Charlie. 'Je overleeft het wel. Jij hebt thuis een vrouw die op je wacht. Dat kunnen ze niet van je afnemen.'

Magda sloeg plotseling haar armen om Charlie heen. 'Dank je wel. Het heeft me echt geholpen dat ik met je kon praten.'

Een beetje verbaasd beantwoordde Charlie de omhelzing. 'Graag gedaan.' Ze deed een stap achteruit en viste een visitekaartje uit haar rugzak. 'Hier. Je mag me altijd bellen. Ik zou het fijn vinden als je iets van je liet horen.'

Charlie wist niet goed of de blos op Magda's wangen van de frisse lucht kwam of van de impulsieve omhelzing. In ieder geval benadrukte het haar jeugdigheid en herinnerde het Charlie aan het kind dat ze al die jaren geleden had gekend. Magda nam het kaartje aan en stopte het in haar zak. 'Gek, hè? Mijn oppassen zijn weer terug om voor me te zorgen.'

'Ik neem aan dat Corinna een goede smaak had op het gebied van babysitters.'

Magda bromde wat terwijl ze langzaam wegliep. 'Dat is helemaal niet grappig. Hoor eens, ik hoop dat je dr. Winter nog thuis treft.'

Charlie keek haar na toen ze zich met een ruk omdraaide en op een holletje terugliep door het steegje naar de straat. Het was een interessante ontmoeting geweest. Ze draaide zich om en ging op weg naar het hek in de wei. Ze hoopte dat ze Helena Winter kon overhalen om ook zo uit de school te klappen, maar ze had er een hard hoofd in.

Toen ze het gietijzeren hek openmaakte, ging haar telefoon. Omdat ze dacht dat het Maria was, haastte ze zich niet om op te nemen. Maar toen ze naar het schermpje keek, sprong haar hart op. Ze begon onhandig op de toetsen te drukken en in haar gretigheid drukte ze de beller bijna weg. 'Lisa,' zei ze, en ze probeerde ontspannen te klinken.

'Ha, Charlie. Hoe is je dag tot nu toe?'

Charlie kon een vreugdeloos lachje niet binnenhouden. 'Interessant,' zei ze. 'In de Chinese betekenis van het woord.'

'Goed zo. We hebben allemaal de prikkel van interessante dagen nodig. Je mag me er alles over vertellen.' Lisa's stem klonk intiem en even verleidelijk als altijd. 'Ik vind het zo vervelend dat ik je gisteren niet kon zien. Ik vond het vreselijk dat ik je moest teleurstellen.' Ze zuchtte alsof ze oprecht overstuur was geweest. 'Je weet hoe dat gaat. Het is moeilijk om nee te zeggen als je denkt dat je misschien iemand kunt helpen. Je hebt het gevoel dat je een egoïst bent als je jezelf vóór laat gaan. Ik was liever bij jou geweest, echt waar.'

Het maakte Charlie niets uit of Lisa haar iets op de mouw aan het spelden was. Het klonk haar overtuigend in de oren, en zolang er nog een mogelijkheid was dat haar dromen uit zouden komen, zou ze alles wat Lisa zei voor zoete koek aannemen. 'Ik begrijp het,' zei ze. 'Jouw tijd is niet van jezelf.'

'Precies,' zei Lisa. 'Maar ik heb vandaag nog een gaatje kunnen vinden, als je nog even hier kunt blijven. Ik heb een uur vrij en als je hierheen zou kunnen komen, hoef ik geen tijd te verliezen om jou ergens te ontmoeten en dan weer terug naar huis te moeten. Dan zouden we meer tijd voor elkaar hebben. Hoe lijkt je dat?'

Fantastisch? Een droom die werkelijkheid wordt? Charlie schraapte haar keel. 'Welk uur had je in gedachten?' Ze pakte de telefoon in de andere hand om op haar horloge te kunnen kijken. Het was een paar minuten over één. Waarom deed ze die moeite om te kijken? Het deed er niet toe hoe laat het was, ze wist dat Lisa maar hoefde te kikken en zij rende al.

'Kun je hier om halfvier zijn?'

Niet meteen happen, Charlie. Niet meteen happen. 'Dat zou wel kunnen, ja. Ik ben nu op weg naar iemand hier in St. Scholastika's, maar ik zal zorgen dat ik op tijd bij je ben.'

'Dat is fijn,' zei Lisa. 'Ik kijk uit naar je komst. Ik kijk er echt naar uit om alles te horen over je geheimzinnige avonturen.'

En dat was dat. Verbinding verbroken. Geen lieve woordjes, geen koetjes en kalfjes. Alleen Lisa die haar zaken regelde en dan doorging met het volgende agendapunt. Het liet Charlie koud. Ze stompte als een puber in de lucht, met een grijns op haar gezicht en een verrassend gracieuze kleine pirouette op de punten van haar laarzen. In het tijdsbestek van een paar minuten zag haar hele wereld er anders uit. Het zat haar nu eens een keertje mee. Het deed er niet toe dat ze haar hele studententijd in angst en ontzag had geleefd voor dr. Helena Winter. Vandaag waren de rollen omgedraaid.

Vandaag zou ze de draak verslaan.

6

Als je het huis van Helena Winter binnenkwam, was het net alsof je een andere tijd in stapte. Ogenschijnlijk was er niets veranderd in de negentien jaren sinds Charlie op de donkerrode sofa had plaatsgenomen voor haar eerste les over Aristoteles. Langs alle muren stonden van de vloer tot aan het plafond boeken – en na een snelle blik kreeg Charlie de indruk dat de meeste ervan dezelfde boeken waren op dezelfde plek – behalve boven de schoorsteenmantel, waar nu een groot victoriaans waterverfschilderij hing van Zeno die een geboeid publiek toesprak vanuit een geschilderde zuilengang. De inrichting was spartaans: een sofa, een leunstoel, en bij het raam een simpele grenen tafel en stoel. De gashaard siste en plofte nog net als al die jaren geleden, en ook op Helena Winter zelf leek het verstrijken der jaren geen invloed te hebben gehad.

Ze had op Charlies kloppen opengedaan. Ze was nog even slank en haar rug was nog even recht als vroeger. Dr. Helena Winter, de filosofieprofessor, onberispelijk gekleed in een eenvoudige rok en een kasjmier twinset, een enkel snoertje parels om haar hals, haar witte haren in dezelfde perfecte wrong. Het type Audrey Hepburn, dacht Charlie, maar dan als blauwkous. Heel even hadden haar donkerblauwe ogen wat onzeker gekeken, maar meteen daarna opgelucht toen ze zag wie er voor de deur stond. 'Miss Flint,' zei ze. 'Of kan ik nog doctor zeggen?'

Zoals altijd wond ze er geen doekjes om. 'Het is nog steeds doctor. Maar ik heb liever dat u Charlie zegt.'

Helena neigde haar hoofd. 'Kom binnen, Charlie. Dit is een verrassing.' Ze hield de deur wijd open voor Charlie. 'Ga zitten.'

Heel even speelde Charlie met de ondeugende gedachte om in de leunstoel plaats te nemen, maar ofwel haar moed liet haar in de steek ofwel haar goede manieren kregen de overhand, want ze liep naar de sofa toe.

'We zien je hier niet vaak op het College,' zei Helena. Ze installeerde zich in de leunstoel en pakte een van de zware filterloze sigaretten die ze altijd al had gerookt als ze lesgaf – maar alleen na zes uur 's avonds. Ze zag hoe Charlie haar wenkbrauwen optrok en zei: 'Ik mag niet meer in aanwezigheid van studenten roken. Dus nu neem ik mijn pleziertjes wanneer ik kan. Vertel eens, waaraan heb ik dit bezoek te danken, Charlie? Heb je besloten dat je uiteindelijk toch gaat kiezen voor een puur academische carrière?'

Ze speelt met me. Ze is op de hoogte van de zaak-Hopton en ze geniet hiervan. Charlie glimlachte. 'Daar is het te laat voor, denk ik.'

'Wat jammer toch. Had je maar in je talenten geloofd en was je maar bij filosofie gebleven, dan had je cum laude af kunnen studeren, en dan had dit allemaal van jou kunnen zijn.' Helena maakte een weids gebaar met beide handen, alsof ze wilde zeggen dat, als het haar had behaagd, de kamer, het College, Oxford zelf, allemaal van Charlie hadden kunnen zijn.

'Zo'n goede filosoof was ik nu ook weer niet.'

'Integendeel, beste Charlie. Je voelde de complexiteit van morele filosofie heel goed aan. Je had een blijvende bijdrage kunnen leveren. Ik heb het altijd betreurd dat je voor een werkterrein hebt gekozen waarin niets beklijft, waarin alles kortstondig is.'

Charlie had zich voorgenomen zich niets van Helena's commentaar aan te trekken, maar ze voelde hoe de steken onder water doel troffen. 'Mensen helpen met hun psychoses is niet bepaald kortstondig. En voor de Griekse filosofen had ik nooit het enthousiasme kunnen opbrengen waarmee u Zeno en Aristoteles behandelt.' Er school waarheid in wat ze zei; Helena was een toegewijde lerares, die haar enthousiasme op haar leerlingen wist over te brengen met haar heldere en energieke manier van lesgeven. Maar Charlie was voor meer dingen naar Oxford gekomen dan alleen voor een academische graad, en ze was nooit van plan geweest om zich te laten afleiden door een fanatieke blauwkous die haar voor de wetenschap wilde opeisen. Charlie begon te beseffen dat de reden voor Helena's houding voor een deel lag in het feit dat Charlie de onafhankelijkheid van geest had getoond om haar eigen weg te gaan. Ze had de weg die al voor haar was uitgestippeld de rug toegekeerd. 'U ziet er overigens buitengewoon goed uit. Ik hoorde dat u ziek was geweest.'

Helena's brede mond krulde zich in een dun glimlachje. De diepe rimpels in haar dunne huid verspreidden zich als concentrische cirkels in een vijver. 'Er is een tumor weggehaald uit mijn lies,' zei ze zonder omwegen. 'Ongetwijfeld zullen enkelen van mijn collega's zich nog herinneren wat voor commentaar Evelyn Waugh had toen Randolph Churchill een soortgelijke ervaring had.'

Charlie trok een vragende wenkbrauw op. Helena had altijd genoten van haar kleine triomfen; ook al kende Charlie het citaat, het kon geen kwaad om onwetendheid te veinzen.

'"Wat een buitengewoon kundige chirurg om het enige stukje van Randolph te vinden dat niet kwaadaardig is en om dat te verwijderen,"' zei Helena met een wrange glimlach.

'Ik ben blij dat het niets ernstigs was.'

Ze beloonde het antwoord met weer een minzaam knikje. 'En

jij? Ik hoor dat jij op een geheel andere manier op de proef wordt gesteld.'

Charlie wendde zich af van de messcherpe blik en keek naar buiten, naar de rivier. 'Het is niet gemakkelijk geweest. Maar ik red me wel.'

'Dat zul je zeker. Je bent sterk, en je bent getalenteerd. Dus waarom ben je hier, Charlie? Ik denk toch niet dat de oplossing van jouw probleem te vinden is in de leerstellingen van Antisthenes.'

Charlie glimlachte. 'Ik laat de leer der Cynici aan u over. De reden waarom ik hier ben is dat ik zou willen dat u iets bevestigt wat mij is verteld.'

'Dat klinkt intrigerend. Ik zou niet weten op welk punt datgene wat ik weet en datgene wat jij moet weten elkaar zouden moeten kruisen.'

Charlie wist dat ze voorzichtig te werk moest gaan. Helena Winter had op een ongefundeerde bewering altijd gereageerd met de edelmoedigheid waarvan een vos blijk geeft bij het zien van een zieke kip. 'Zeventien jaar geleden is Corinna Newsam bij u gekomen met een moreel dilemma. Ik zou graag willen dat u bevestigde wat zij u die morgen heeft verteld.'

Charlie had dit nog nooit meegemaakt: Helena Winter die met de mond vol tanden stond. Het was een heerlijk moment. 'Ik heb geen idee waar je het over hebt,' zei ze. Een aardige poging om weer even arrogant over te komen als altijd, maar het was toch niet voldoende.

'Laat me uw geheugen opfrissen. Ik weet hoe het gaat als we ouder worden en we de dingen niet meer zo gemakkelijk naar de oppervlakte halen als vroeger.' Charlie genoot toen ze zag hoe de spieren rondom Helena's mond verstrakten. 'Het was een gedenkwaardige dag. De dag dat Jess Edwards overleed.' Helena wendde haar blik niet af; ze bleef Charlie strak aankijken, een pluimpje rook bleef van haar hand opstijgen. 'Corinna zegt dat ze bij u langs is geweest.'

'Laten we een moment aannemen dat de omstandigheid die je beschrijft echt heeft plaatsgevonden. Waarom zou ik daar in vredesnaam met jou over praten? Je hebt hier geen status. We hebben elkaar in jaren niet gesproken. Ik weet niets over je motieven.' Ze stak haar hand op en ademde diep in. 'Maar dat is een academische kwestie; ik herinner me niets van een dergelijke ontmoeting.'

Charlie schudde haar hoofd. 'Bel Corinna en vraag haar of u mij kunt vertrouwen.' Ze tastte in haar zak en haalde haar mobieltje tevoorschijn. 'Hier. Dan hoeft u niet op te staan. Gebruik mijn telefoon maar.'

Helena negeerde het aanbod en pakte in plaats daarvan haar eigen vaste telefoon. Ze drukte haar sigaret uit, toetste toen uit haar hoofd een nummer in en wachtte. 'Corinna? Met Helena. Ik…' Kennelijk werd ze meteen door Corinna onderbroken, want ze perste haar lippen afkeurend op elkaar. 'Dat is ze, ja,' zei ze en zweeg toen weer. 'Heel goed. Ik verwacht je morgen om kwart voor negen.' Ze beëindigde het gesprek en keek Charlie lang en nadenkend aan. 'Welke informatie ik ook heb, het is irrelevant. Je kunt er niets mee. Als er geen bewijs voorhanden is, heeft het ook geen zin het te verspreiden. Begrijp je me?'

'Ik ben echt niet van plan meteen naar de sensatiebladen te rennen.' Charlie liet haar afkeuring doorklinken in haar stem. 'Als ik zo iemand was, denkt u dan ook maar één moment dat Corinna hier met mij over had gepraat?'

'Wat dat "hier" ook moge zijn,' zei Helena stekelig. 'Ik heb geen idee waarom Corinna de behoefte voelt om deze episode weer op te rakelen.'

'Dat is haar zaak. Wat heeft ze u verteld?'

Nu pas wendde Helena haar blik af, Ze keek nu peinzend naar de hand waarmee ze de sigaret had vastgehouden. 'Het was tegen het eind van de morgen. We waren allemaal overstuur van het nieuws van de dood van Jess. Het is altijd hetzelfde als een student sterft. Iedereen is diep geschokt, maar tegelijk kwaad omdat zoveel belofte nooit in vervulling zal gaan. Dat gevoel is nog sterker als het gaat om iemand als Jess, die duidelijk talenten had die haar intellectuele vermogens overstegen. De bijzonderheden gingen als een lopend vuurtje door het College, dus tegen het midden van de morgen wist iedereen dat Jess om de een of andere reden was gevallen, dat ze daarbij haar hoofd had gestoten en was verdronken. We wisten ook dat het die morgen heel vroeg moest zijn gebeurd, daar ze al dood was toen de rest van de roeiploeg voor de ochtendtraining arriveerde. Volgens de andere roeiers had Jess erover geklaagd dat haar zitbankje niet soepel bewoog en dat ze van plan was om voorafgaande aan de training naar het botenhuis te gaan om te kijken of ze het probleem kon verhelpen.'

'Was men daarvan op de hoogte vóór het ongeluk?' vroeg Charlie. Je kon een onwillige getuige vaak het beste aan de praat krijgen door het onderwerp wat uit te breiden.

'Dat zou ik niet kunnen zeggen. Ik herinner me geloof ik wel dat de meisjes zeiden dat Jess het er de avond tevoren bij het eten over had gehad. Dus het komt er vermoedelijk op neer dat iedereen het gehoord zou kunnen hebben.' Helena pakte nog een sigaret, maar stak die niet onmiddellijk op; ze liet hem nog even tussen haar vingers rollen. Aan haar handen, vol met levervlekken en duidelijk zichtbare aderen, was het verstrijken der jaren veel duidelijker te zien dan aan haar gezicht en haar houding. Charlie besefte opeens met een schok dat Helena een oude vrouw was geworden.

'Waarom wilde Corinna u spreken?' vroeg ze.

Helena nam er de tijd voor om de sigaret op te steken. 'Ze wilde advies hebben. Ze had die morgen in de wei iets gezien – of liever gezegd iemand. En ze wist niet goed wat en of ze daar iets mee zou moeten doen.'

'Vanwaar die onzekerheid? Ze had iemand gezien op de plaats waar iemand op een gewelddadige manier om het leven was gekomen. Het lag toch zeker voor de hand er met de politie over te praten?' Charlie wilde niet beschuldigend overkomen en stelde de vraag op een terloopse manier.

'Maar zo eenvoudig lag het niet. Het was ergens eind november. Toen Corinna via het zijhek de wei op was komen lopen, was het nog steeds donker. Ze wist zeker wie ze had gezien, omdat ze de persoon in kwestie heel goed kende, maar ze was zich er heel goed van bewust dat ze bij het gerechtelijk vooronderzoek of voor een rechtbank algauw onbetrouwbaar zou kunnen overkomen als haar gevraagd werd hoe ze zo zeker wist om wie het ging op een dergelijke afstand en met slecht zicht. Bovendien wees iemands aanwezigheid op zich nog niet op diens betrokkenheid bij de dood van Jess. Stel dat de persoon in kwestie Jess in het botenhuis had ontmoet, dan hoefde daar nog niet meteen iets kwaadaardigs achter te worden gezocht.'

'Ook niet als de persoon in kwestie profijt trok van de dood van Jess? Het is oké om haar naam te noemen, professor. We weten allebei dat we het over Jay Stewart hebben. Zíj is degene die Corinna heeft gezien en haar ambitie werd gedwarsboomd door de populariteit van Jess. En volgens Corinna was zij ook het slachtoffer van een lastercampagne die door Jess was opgestart.'

Helena schonk Charlie een gepijnigd glimlachje. 'Hoewel ik heel erg veel van dit College houd, kan ik toch moeilijk geloven dat iemand een moord zou plegen om preses van de studentensociëteit te worden.'

'Daarin zitten we op één lijn. Maar ik heb veel tijd doorgebracht met moordenaars en u zou ongelooflijk gedeprimeerd raken van de ogenschijnlijke onbenulligheid van hun motieven.'

'Misschien heb je gelijk. Maar ik heb Corinna er wel op gewezen dat wat zij dacht te hebben gezien op verschillende manieren kon worden geïnterpreteerd. En dat zodra zij haar verdenking met de politie zou delen, zowel het College als de persoon in kwestie op een uiterst onaangename manier door de media zouden worden overvallen. In een tijd dat het College wanhopig probeerde donaties binnen te krijgen, zou dat een ramp zijn geweest. En nog zinloos ook.'

Het was werkelijk ongelooflijk, dacht Charlie. Elke mogelijkheid tot verdenking van iets wat heel goed een moord kon zijn geweest de kop in drukken, enkel en alleen om de reputatie van het College en het sponsorprogramma niet in gevaar te brengen. Dat kon alleen maar in Oxford. Nou ja, in Cambridge misschien ook. 'Denkt u niet dat als de politie attent was gemaakt op de mogelijkheid van boze opzet, ze dan ook misschien wel bewijzen hadden gevonden?'

'Mijn beste Charlie, het was niet onze bedoeling om bewijzen achter te houden. Zoals ik destijds al tegen Corinna heb gezegd, als er ook maar de minste of geringste aanwijzing was geweest dat er een luchtje zat aan het overlijden van Jess, was het haar plicht geweest om te melden wat ze had gezien. Maar er is nooit gesuggereerd dat de dood van Jess iets anders was dan een ongeluk.'

'Voor zover u weet,' zei Charlie.

'Ik geloof dat de politie het College volledig op de hoogte heeft gehouden van alle theorieën.'

Charlie schudde vermoeid haar hoofd. Misschien bood die gedachte Helena wel een prettig houvast, maar zijzelf wist dat het zeer onwaarschijnlijk was dat de politie vage verdenkingen naar buiten zou brengen. Die bleven beperkt tot de eigen kring. 'Bij mijn weten vertelt de politie je alleen de dingen die geen kwaad kunnen,' zei ze. 'De informatie van Corinna had misschien het onderzoek een heel andere draai kunnen geven.'

Helena hield haar hoofd achterover en snoof met welbehagen de sigarettenrook op. 'Ik denk dat het veel waarschijnlijker is dat de naam van het College erdoor zou zijn bezoedeld, én die van de desbetreffende persoon.'

'U heeft nog steeds haar naam niet genoemd,' zei Charlie.

'En ik ben alleszins van plan om op dat punt mijn terughoudendheid vol te houden. Corinna vertrouwt jou misschien, maar die zekerheid heb ik niet. Wie weet neem je dit misschien wel allemaal op met een of ander slim apparaatje. Ik heb er geen enkele behoefte aan in een proces wegens laster verwikkeld te raken.'

'U bent werkelijk ongelooflijk, dr. Winter.'

'Ik zal dat als een compliment opvatten, dr. Flint.'

Charlie snoof even spottend. 'Dat zou ik niet doen. Heeft Corinna toen soms nog iets anders gezegd dat interessant zou kunnen zijn voor iemand die de dood van Jess Edwards opnieuw wil bekijken?'

Helena keek Charlie nadenkend aan alsof ze haar woog op een innerlijke weegschaal. 'Om eerlijk te zijn was ik verbaasd dat Corinna überhaupt iemand verteld heeft wat ze heeft gezien.'

'Omdat een geheim bewaard kan worden door twee mensen mits een van de twee dood is?'

Helena's glimlach was wrang. 'Zoiets, ja. Maar met name omdat de studente in kwestie destijds Corinna's beschermelinge was. Zoals jij dat een paar jaar daarvoor was geweest. Corinna sprak altijd in positieve bewoordingen over haar en ze kwam altijd voor haar op. Ik vond het uiterst merkwaardig dat ze bereid was om iets te zeggen dat kon worden uitgelegd als kritiek op haar favoriete. Dat het iets was waardoor het meisje in een kwetsbare positie kon worden gebracht, was onthutsend. Het gaf voor mij duidelijk aan hoe overstuur Corinna was door wat ze had gezien.'

'Heeft u dat bij haar aangekaart?'

Helena keek Charlie aan alsof ze mijlenver boven haar verheven was. 'Dat zou niet gepast zijn geweest.'

'Gepast. Natuurlijk.' Charlie ging hoofdschuddend rechtop zitten en maakte toen aanstalten om op te staan en te vertrekken. 'Nog één kleinigheidje. Waarom kwam Corinna 's ochtends zo vroeg naar het College?'

Helena's glimlach miste iedere vriendelijkheid. 'Ze was ambitieus. Ze wilde vreselijk graag staflid worden. Ze weigerde onder ogen te zien dat ze te veel een buitenstaander was, dat er te veel dingen tegen haar pleitten – ze was getrouwd, ze was moeder, ze was Canadese en ze was katholiek. Dus kwam ze altijd al 's ochtends om een uur of zes naar het College, werkte dan een paar uur en ging vervolgens vlug naar huis om de kinderen naar school te helpen. Ze dacht dat ze met hard werken haar nadelen zou kunnen overwinnen.'

'Dat was kennelijk ook zo,' zei Charlie. Ze stond op. 'Ik bedoel, ze is nu een staflid.'

'We hebben nu ook mannelijke stafleden,' zei Helena. Ze sprak het woord "mannen" uit alsof het net zoiets was als "katten" of "apen".'

'Bedankt dat u met me heeft willen praten,' zei Charlie en ze liep in de richting van de deur. 'Weet u, ik heb altijd gedacht dat u een briljante filosoof was. Ik had zoveel respect voor de kwaliteit van uw denken.' Ditmaal was Helena's glimlach oprecht, zij het wat verbaasd. 'We maken allemaal fouten, denk ik,' vervolgde Charlie. 'U en Corinna, met jullie wanhopige verlangen om het College te beschermen – misschien hebben jullie wel een moordenaar laten rondlopen die daarna gewoon verder is gegaan met moorden.' Met een hand op de deurknop besefte Charlie dat ze ergens in het afgelopen halfuur een grens gepasseerd was. Ze had besloten dat Jay Stewart verantwoording moest afleggen en ze zou haar best doen om dat te bewerkstelligen. 'U had haar toen moeten tegenhouden als u echt om het College gaf.'

7

Ze had haar vorige hoofdstuk zo briljant afgesloten, maar nu had Jay het gevoel dat ze was vastgelopen. Het schrijven over haar wederwaardigheden als preses van de studentensociëteit, het laatste trimester in Oxford, het hele proces van het uit de kast komen toen ze eenmaal een aantrekkelijke Londense journaliste als vriendin had, de vriendschappen en de contacten die de weg zouden banen voor haar toekomst – het leek allemaal even oninteressant en saai na de heftige adrenalinestoot van liefde en dood. Ze wist dat er kopij zat in het drama van haar gedwongen scheiding van Louise, gevolgd door de zelfmoordpoging van haar geliefde. En ze verheugde zich al op de kans om wraak te nemen op de bekrompen huichelaars in Louises familie. Maar dat bracht weer zijn eigen problemen met zich mee. En daar wilde ze nu niet aan denken.

Ze had wel eens schrijvers horen praten over het opschrijven van memoires: het was een kwestie van beginnen bij het begin en gestaag doorgaan tot het eind. Maar die formule werkte niet voor haar. Ze herinnerde zich hoe het was gegaan bij *Zonder berouw*. Ze had eerst de hoogtepunten opgeschreven – de levendige herinneringen, de dramatische toneelattributen die het verloop van haar jeugd hadden veranderd. Toen was ze weer teruggegaan naar het begin en had ze de gaten ingevuld. En als laatste had ze de achtergrond ingevuld, als een grafisch kunstenaar die zijn etsen inkleurt en die Superman zijn knalrode cape geeft. Toen ze het op die manier tegenover haar agent had beschreven, had hij zijn wenkbrauwen gefronst. 'Maar word je het niet beu als je eerst alle krenten uit de pap hebt gepikt? Is het niet saai om terug te gaan en de leemtes in te vullen?'

Jay had erover nagedacht en toen gezegd: 'Ik denk dat het wel wat lijkt op wat een juwelier doet. Je begint met de steen. Hij is gesneden en gepolijst om hem er zo goed mogelijk uit te laten zien. Dan moet de juwelier een zetting vinden die de steen zo mooi mogelijk uit laat komen. Dat is een echte uitdaging, om iets nog meer te laten schitteren dan het op zich al deed.

Jasper was verrukt in lachen uitgebarsten. 'Wat ontzettend lyrisch. Schat, je bent veel te goed voor memoires. Waarom probeer je niet eens een romantisch verhaal te schrijven?'

Ze hadden allebei geweten hoe absurd het idee was. Jay keek op het computerscherm hoe laat het was. Bijna vier uur. Hoeveel tijd had je nodig om te lunchen en ruzie te maken met je ouders? Ze wist dat Magda zou bellen voordat ze uit Oxford vertrok, dus ze had nog minstens een uur om door te schrijven.

Gezien het thema dat haar die dag kennelijk in zijn greep had, lag het volgende stukje voor de hand. Het was niet nodig om veel woorden vuil te maken aan Kathy – tegen de tijd dat de lezers hier waren aanbeland, wisten ze al het nodige over haar zakenpartner. Kathy, de nerd, de praktische geest achter *doitnow.com*. De doldwaze bergbeklimmer, degene die op het werk altijd het zekere voor het onzekere nam, maar die bij rotswanden en gevaarlijke bergtoppen alle voorzichtigheid overboord gooide. Ze hadden op dat moment in hun leven al drie jaar samengewerkt en bijna even lang samen geklommen. Ze hadden maandenlang plannen gemaakt voor de tocht naar Skye. Klimmen in de winter op de Black Cuillins, de meest uitdagende en opwindende ervaring die je op een berg in het Verenigd Koninkrijk kon hebben.

Je hebt tijd zat om je nog eens te bedenken voordat je aan de beklimming van de Inaccessible Pinnacle begint. Zoals bij de meeste beklimmingen op Skye moet je eerst een heel eind lopen om op de plek aan te komen waar het uitzicht een compensatie vormt voor alle inspanningen die je je moet getroosten. De bergkam van de Black Cuillins in het westen van Skye is de enige plaats in het land waar de ruwe grilligheid van de rotsen doet denken aan de Alpen of de Rocky Mountains. En de Inaccessible Pinnacle – de In Pinn voor de ingewijden die er hebben geklommen – is de meest veeleisende top van allemaal.

Zelfs de man die zijn naam gaf aan de lijst van Schotse bergen boven de duizend meter, Sir Hugh Munro, is het nooit gelukt de In Pinn op de Sgurr Dearg te beklimmen. Iedereen is het erover eens dat de Sgurr Dearg de moeilijkste Munro is om af te strepen, omdat het de enige is waarvoor je echt moet kunnen klimmen. Je kunt niet zomaar wat op de In Pinn rond klauteren. Je moet weten wat je doet. En dat wisten we. We waren geen groentjes of kippen zonder kop.

We hadden al weken op de juiste weersomstandigheden gewacht, en stonden startklaar om alles wat met werk te maken had te laten vallen zodra we hoorden dat de toestand van het ijs geschikt was voor ijsklimmen. Onze rugzakken stonden al tijden klaar op kantoor, gepakt, gecontroleerd en nog eens gecontroleerd. Toen we het telefoontje kregen van onze contactpersoon in Glen Brittle, gingen we onmiddellijk op weg naar het vliegveld. Als je een reisbureau runt dat *doitnow.com* heet, zit je uiteraard op de juiste plek om lastminutevluchten in de wacht te slepen! Een snelle vlucht naar Glasgow, daarna zeven zenuwslopende uren op spekgladde wegen naar Skye zelf.

We hadden besloten om de In Pinn te doen op onze tweede klimdag van de vakantie. De eerste dag was nog een opwarmertje; we moesten wennen aan het effect van de sneeuw en het ijs op het basalt en het stollingsgesteente, die er samen de oorzaak van zijn waarom de Cuillins zo'n fantastisch terrein is voor beklimmingen. We deden een aantal gladde rotspartijen en een paar nauwe rotsspleten, voldoende om onze spieren los te maken voor de hoofdattractie. Zoals gewoonlijk klommen we goed samen. Kathy en ik hoefden nooit veel tegen elkaar te zeggen als we aan het klimmen waren; we wisten instinctief wat de ander nodig had. Het verbaasde me altijd hoe goed we met elkaar konden opschieten tijdens een beklimming. In alle andere situaties hadden we elkaar niet veel te zeggen, tenzij het iets met het werk te maken had.

We gingen die eerste avond vroeg naar bed, zodat we voor de beklimming in topvorm zouden zijn. We konden ook niet veel met de ouwe-jongens-krentenbroodsfeer en het loltrappen van sommigen van de anderen die de volgende morgen van plan waren een aanval te doen op de richel en op Sgurr Alasdair. Het weerbericht was niet geweldig, dus we wilden vroeg op pad. We hadden besloten te vertrek-

ken als het nog donker was. Dat is het probleem bij ijsklimmen in het noorden – je dagen zijn zo kort en voor de
mooiste beklimmingen moet je vaak eerst hele einden lopen.

We parkeerden onze auto naast de reddingspost in Glen
Brittle. We waren opgewonden over de dag die voor ons
lag; het kwam geen seconde bij me op dat we uiteindelijk
de diensten van juist dat bergreddingsteam wel eens hard
nodig zouden kunnen hebben. We hadden hoofdlampen
op, en zelfs onder het dunne korstje sneeuw konden we onmogelijk het begin van het voetpad missen: een brede, hol-
le weg die langs de schaapskooien liep. We konden het water van de Allt Coire na Banachdich horen stromen, en
algauw waren we bij de houten brug over de rivier, die er
in het licht van de dageraad uitzag als een zwart-witte stort-
vloed.

Ik wou dat we later op pad hadden kunnen gaan, want het
was nog te donker om te kunnen genieten van de groots-
heid van de watervallen van Eas Mor die zich de spelonk
in stortten. Ik herinnerde me de reisgids die ik had gekocht
toen ik de eerste keer naar Skye ging. 'Op Skye,' stond erin, 'regent het 323 dagen van de 365. Maar dat is niet erg.
Bedenk maar hoe mooi de watervallen ervan worden.' Kathy was niet onder de indruk, niet in de laatste plaats omdat er af en toe een sneeuwvlaag in ons gezicht sloeg toen
we het ruwe pad op liepen langs indrukwekkende rots-
blokken en ravijnen die zich konden meten met alle plekken waar ik ooit had geklommen. Tegen de tijd dat het volledig licht was, waren we omringd door ongelooflijke
uitzichten – fantastische steile rotspartijen, sensationele
vormen en contouren, een horizon met overal rotspunten,
allemaal witgestreept van de sneeuw en glinsterend van het
ijs.

Toen we de In Pinn in zicht kregen, was die lichtelijk te-
leurstellend. Van die afstand ziet hij er onbetekenend uit,
een hondentand die een beetje uitsteekt boven de snijtan-
den en voorkiezen eromheen. Maar terwijl we al klauterend
schuins de helling op liepen, en over *bealachs* – het Gaelic-

woord voor 'bergpas' – klommen en over hellingen met losse steentjes, begon de omvang van onze onderneming heel langzaam tot ons door te dringen. En het was angstaanjagend.

De piek zelf is een obelisk van gabbro, een imposante rots in de vorm van een vin die zich vijftig meter verheft van een klein plateau iets onder de hoofdtop van Sgurr Dearg. Het klinkt niet erg indrukwekkend, maar als je eenmaal aan het klimmen bent, is er vlak naast je een afgrond van honderd meter aan de ene kant naar het dal toe. Als je naar het dal in de diepte kunt kijken zonder duizelig te worden, heb je een sterkere maag dan de meeste klimmers.

Voordat we aan de klim begonnen, aten we een reep chocola en namen we grote slokken uit onze waterflessen. Er is geen water meer als je eenmaal op de kam van de Cuillins bent aangekomen, dus moet je wat je nodig hebt met je meenemen. Als je een grote slok neemt voordat je begint, heb je minder gewicht mee te torsen. Kathy's gezicht straalde van het vooruitzicht en de opwinding. Ik stel me voor dat ik er ongeveer hetzelfde uitzag.

Ik weet niet hoe ik de pure vreugde van het klimmen moet uitleggen aan iemand die het nog nooit heeft gedaan. Niets anders in mijn leven heeft mij ooit hetzelfde gevoel gegeven. Ik zat een keer in een alpenhut met een Schotse dichter die zei dat het volgens hem sterk leek op het gevoel van opwinding als het met iemand klikt van wie je weet dat die persoon bijzonder is en je beseft dat het vanavond gaat gebeuren, dat je die nacht voor het eerst met elkaar naar bed gaat. Ik was het toen niet met hem eens, en nu nog niet. En ik zal uitleggen waarom niet. Je gaat geen relatie aan met een berg. Een beklimming is een test, het heeft te maken met winnen. Zo denk ik niet over liefde, en zelfs niet over seks.

Jay glimlachte in zichzelf. Nog een leugentje om bestwil om Magda zoet te houden. Natuurlijk was liefde wel een test. Zodra ze Magda als vrouw had gezien en niet meer als kind, was ze vastbesloten geweest een manier te vinden om haar te krijgen. Dus ja, het was net zoiets als een beklimming. Je schatte de obstakels in, je zocht naar de beste manier om die te overwinnen of te omzeilen. Je plande je route en dan ging je ertegenaan.

Maar het gevoel dat je had als je aan een beklimming begon was anders dan het veroveren van een vrouw. Misschien had het iets te maken met de volledige concentratie die bij het klimmen vereist was. De samenwerking van lichaam en geest, beide opererend op de toppen van hun kunnen om ervoor te zorgen dat je uiteindelijk terechtkomt waar je wilt zijn. Misschien had het ook iets te maken met het gevaar. Liefde had ook zijn gevaren, maar die waren zelden fataal. Terwijl bij een beklimming er altijd een ramp op de loer lag. Jay herinnerde zich de woorden van de legendarische Joe Simpson, de man die in Zuid-Amerika een berg kruipend was afgedaald met een gebroken been en bevriezingsverschijnselen, nadat hij voor dood was achtergelaten op de bodem van een rotsspleet: 'Alles gaat goed totdat het fout gaat.'

8

Op de terugweg naar haar ouderlijk huis voelde Magda zich een beetje verward. Het was niet haar gewoonte om zomaar tegen vreemden haar hart te luchten, maar Charlie Flint had iets wat vertrouwelijkheden uitlokte. Misschien was ze daarom zo goed in haar werk. Of misschien was het een talent dat ze had verworven dankzij haar werk. De kip of het ei? Toen drong het langzaam tot Magda door dat sinds ze verliefd was geworden op Jay, Charlie de eerste lesbische vrouw was met wie ze had gepraat die niet al een vriendin van haar geliefde was. En ze had die kans aangegrepen om over dingen te praten die écht waren, niet over de verzinsels die ze had verzonnen voor de meeste andere mensen. Hoewel ze het op dat moment niet als zodanig herkende, was Magda zojuist de mijlpaal gepasseerd die het einde van de eerste fase van verliefdheid aangaf – ze had gemerkt dat ze buiten haar geliefde om behoefte had aan mensen die ze in vertrouwen kon nemen.

Toen ze in de buurt van het ouderlijk huis kwam, zakte de moed haar in de schoenen. Haar vaders fiets stond nu op slot naast de andere fietsen in het schuurtje bij de achterdeur. Henry was thuis. De confrontatie met haar moeder was al uiterst onaangenaam geweest, maar nu zou het allemaal nog veel erger worden.

Toen Magda de keuken in liep, keek Henry met een glimlach op van zijn bord. 'Ik vroeg me al af waar je bleef. Je moeder zei dat je was gaan wandelen, maar dat leek mij...' Hij zocht naar het woord. Magda hoorde dat hij wat onduidelijk articuleerde. Hij had dus al een paar glazen gin op. 'Niets voor jou,' zei hij toen.

Zowel Corinna als Catherine leek op haar hoede. Magda liep de kamer door naar haar vader en gaf hem een zoen op zijn kale plekje. 'Ik heb de hele week in bedompte rechtszalen gezeten,' zei ze. 'Ik had gewoon behoefte aan wat frisse lucht.' Ze liet haar jas van haar schouders glijden en ging tegenover hem zitten. Henry dronk het glas rode wijn op dat voor hem stond en zwaaide met het lege glas naar zijn vrouw. Ze schoof de fles naar hem toe en hij schonk zijn glas nog eens boordevol. Magda besefte met een schok hoe oud hij was geworden. Het was net alsof ze hem voor het eerst na lange tijd weer zag. Haar moeder had iets tijdloos, maar voor Henry waren de jaren niet vriendelijk geweest. Zijn sluike rossige haren waren grijs geworden, de kleur van oud as in een open haard vroeg in de morgen. Het vlees op zijn gezicht leek te zijn weggesmolten, zijn wangen zagen er hol uit en zijn waterige blauwe ogen puilden wat meer uit. Hij had er altijd roze en pas gewassen uitgezien als een van de schooljongens bij hem in de klas, maar de laatste tijd waren zijn wangen paarsrood geworden. Hij was pas achtenvijftig, maar hij zag er oud en aftands uit. Ook zonder haar medische opleiding wist ze dat dit door de drank kwam. Vroeger had ze hem veracht om zijn gebrek aan zelfbeheersing; nu had ze medelijden met hem.

'In ieder geval is de jury tot de juiste conclusie gekomen,' zei Henry. 'Maar vermoedelijk staan ze in een mum van tijd weer buiten. Die verrekte moordenaars, de meeste krijgen minder lange straffen dan bankrovers. De straf zou bij de misdaad moeten passen.' Hij nam weer een flinke slok wijn en at een paar happen van zijn eten. Toen duwde hij zijn halfvolle bord van zich af. 'Je schept altijd te veel voor me op.' Corinna zei niets, pakte zijn bord en schraapte met veel lawaai de resten in de vuilnisbak.

'Hoe was je open dag?' vroeg Magda. Ze bereidde zich voor op een serie jammerklachten.

Ze werd niet teleurgesteld. Blijkbaar was het met het peil droevig gesteld. De kwaliteit van toekomstige leerlingen, de sociale klasse van hun ouders en de luiheid van zijn collega's kregen allemaal de volle laag. 'Godzijdank kan ik over een paar jaar met pensioen,' was Henry's conclusie. Hij had al zolang Magda zich kon herinneren de jaren tot zijn pensioen afgeteld. Eén keer, toen ze nog een tiener was, had ze hem gevraagd waarom hij nog bleef als hij er zo de pest aan had. Hij had haar wazig van de drank aangekeken en gezegd: 'Het pensioengeld, dommerdje. Het pensioengeld.' Ze had genoeg begrepen om te beseffen dat het een van de meest deprimerende dingen was die ze ooit had gehoord.

'Ga jij tegelijk met pap met pensioen?' vroeg Catherine aan Corinna. 'Ik wed dat jullie al plannen aan het maken zijn.'

Corinna keek verschrikt op. 'Ik heb nog een paar jaar te gaan, Wheelie. Ik heb er eerlijk gezegd nog nooit een gedachte aan gewijd. Natuurlijk hoef ik nog niet te stoppen op de leeftijd waarop je al met vervroegd pensioen kunt. En in tegenstelling tot je vader vind ik het lesgeven nog steeds leuk. Dus ik weet het niet.'

'Dat verrekte College. Het is altijd belangrijker dan je gezin,' mompelde Henry.

Goed zo, Wheelie. Het laatste waar Magda nu behoefte aan had was een reprise van de bekende ouderlijke ruzie die ze haar hele leven al had gehoord. 'Pap,' zei ze vlug. 'Ik moet je iets vertellen. Ik wilde tot na het proces wachten. Tijd voor een nieuw begin, weet je.'

Henry leunde achterover in zijn stoel en keek haar stralend aan. Zijn ergernis over Corinna was verdwenen bij het vooruitzicht van goed nieuws van zijn lievelingskind. 'Dat klinkt veelbelovend. Een nieuw begin. Wat is het? Heb je iemand ontmoet? Heeft een vent jou een beetje kunnen afleiden van al dat verdriet? Dat werd tijd, meisje. Je kunt niet altijd blijven rouwen.'

Magda sloot even haar ogen en deed een schietgebedje. Catherine stak haar hand uit onder de tafel en gaf een klopje op haar dijbeen. 'Ik heb iemand ontmoet, ja. Maar het is geen man.'

Henry keek haar wat loensend aan alsof hij niet helemaal begreep wat ze zei. 'Ik snap je niet. Geen man? Wat? Heeft iemand je een baan aangeboden of zoiets?'

'Nee pap, geen baan. Ik ben verliefd op iemand. Maar het is geen man, het is een vrouw. Ik heb een relatie met een vrouw.'

Henry keek verward en toen ontzet. 'Ben jij lésbisch?' Het was moeilijk voorstelbaar hoe hij zoveel walging in drie woorden kon stoppen.

'Ja,' zei Magda.

Hij duwde zijn stoel achteruit, stond op en deinsde achteruit met zijn hoofd in zijn handen. 'Hoe kan dat nou? Je was getrouwd met Philip. Je hebt altijd vriendjes gehad. Dit is krankzinnig.' Hij draaide zich met een ruk om en keek de drie vrouwen woedend aan. 'Iemand heeft je besmet. Heeft misbruik gemaakt van je verdriet. Heeft zich stiekem bij jou naar binnen gewurmd toen je het niet meer zag zitten.' Hij ging zachter praten met een stem die donker was van woede. 'Wie heeft je dit aangedaan? Wie heeft mijn dochter verleid? Kom op, Magda, wie?'

Magda sprong op, vastbesloten om zich niet te laten intimideren. 'Ik ben een volwassen vrouw, pap. Ik ben geen kind dat nog met lieve woordjes kan worden verleid iets te doen wat ze niet wil. Ik ben verliefd en ik schaam me er niet voor. En als je wilt weten wie mijn geliefde is, zal ik het je vertellen. Het is Jay Macallan Stewart. Je herinnert je haar waarschijnlijk nog wel als Jay Stewart.'

Henry bleef stokstijf staan, vormde met zijn lippen de naam zonder geluid te maken. Toen wendde hij zich tot Corinna. 'Jay Stewart. Is dat niet…Heeft zij niet… Was zij niet een van jouw volgelingen? Een van die stomme heldenvereersters die je had klaarstaan om op de kinderen te passen?'

Henry klauwde in de onderste helft van zijn gezicht. 'Je hebt mijn kinderen blootgesteld aan een perverse vrouw.' Nu waren zijn handen als klauwen. Hij zwaaide ermee alsof hij iets zocht wat hij in stukken kon scheuren. 'Moet je kijken wat er is gebeurd.' Hij wees naar Corinna. 'Dit is allemaal jóúw schuld.' Henry sprak elk woord zacht maar zorgvuldig uit; zijn minachting lag er duimendik bovenop.

'Pap, rustig aan, alsjeblieft.' Catherine liep naar haar vader toe en legde een kalmerende hand op zijn schouder. 'Jay is niet pervers, wat jij zegt klopt niet. Ze kon fantastisch met ons opschieten toen we kinderen waren. Ze heeft nooit iets gezegd of gedaan wat ook maar in de verste verte ongepast was.' Henry schudde haar hand af en deed een pas naar voren, waarbij hij haar opzij duwde. Hij stond nu vlak bij Corinna, met gebalde vuisten. Corinna gaf geen krimp en Magda begreep dat haar moeder niet bang hoefde te zijn voor een lichamelijke aanval. Henry was veel te laf om het risico te lopen een vrouw te slaan die zo flink was als zijn vrouw.

'Jay is lesbisch, ze is geen pedofiel,' zei Magda. Haar kaak was strak van woede. 'Net als ik dus. Vergis je niet, pap. Ze is geen katholieke priester, ze zit niet achter kindertjes aan. En zelfs als er iemand schuld heeft – wat niet zo is – dan was het nog niet mams schuld.'

'Dit is walgelijk,' zei Henry met gebroken stem. 'Ik walg van je. We hebben je opgevoed met normen en waarden, met principes. En nu dit... dit wanstaltige gedoe.'

Catherine probeerde opnieuw om een kalme toon aan te slaan. 'Pap, je begrijpt het allemaal verkeerd. Hoe kunnen twee mensen die van elkaar houden nu wanstaltig zijn?'

Ditmaal keerde Henry zich tegen haar. 'Hoe kun je nu zo naïef zijn, stom kind. Als liefde genoeg was, dan zouden incest of pedofilie acceptabel zijn in de ogen van de wereld en van de kerk. Er zijn dingen die gewoon fout zijn. Het zijn zonden. Ze zijn tegennatuurlijk.' Hij keerde zich weer om en keek Magda woedend aan. 'Dat je zus zo'n vraag kan stellen... Je hebt haar ook al besmet.' Hij schudde Catherines hand af en liet zich weer op zijn stoel vallen, met zijn hoofd in zijn handen. 'Ik kan het niet verdragen.' Hij keek wat wazig naar haar omhoog, met betraande, bloeddoorlopen ogen. 'Mijn mooie meisje. Bezoedeld.'

'Kunnen we nu eens ophouden met dit melodramatische gedoe?' vroeg Catherine klagend. 'Laten we gewoon om de tafel gaan zitten en er als volwassenen over praten.'

'Hou je mond, Catherine,' zei Henry fel; zijn stem klonk laag en hard. 'Magda, ik kan je aanblik niet verdragen. Ik wil dat je nu dit huis verlaat. En je hoeft niet meer terug te komen, totdat je berouw hebt over je zonde. Ga weg, Magda.'

'Dit is fout, pap,' zei Catherine. 'Dit is zó fout. We zijn familie. Je kunt Magda niet zo behandelen.'

'Ik kan het en ik doe het, omdat ik het recht aan mijn zijde heb,' zei Henry. Aan zijn strakke, harde blik was te zien dat hij het meende.

'Je maakt me ziek, Henry,' zei Corinna.

'Jij hebt die ziekte hier in huis gehaald,' antwoordde hij. 'Geloof me, ik weet wie hier schuld aan heeft. Je hebt nog geluk dat ik je niet samen met je zieke dochter het huis uit gooi.'

'Ik heb hier genoeg over gehoord,' zei Magda. 'Als er hier iemand ziek is, ben jij het wel. Je bent een zuiplap en een huichelaar en je zou ook nog graag een bullebak zijn, maar daar ben je te laf voor. Nou, je kunt vloeken wat je wilt, ik laat me door jou niet mijn geluk ontnemen.' Ze greep haar jas en rende naar de trap.

Catherine ging voor haar vader staan. 'En ik ga ook. Wat Magda doet is levensbevestigend. Het gaat over liefde. Ik denk niet dat je nog weet wat dat betekent. Je hebt hulp nodig, pap.' Zonder te wachten op de scheldkanonnade die ongetwijfeld zou volgen, liep ze achter haar zus aan.

Ze haalde Magda in toen die bij de auto was. Ze sloeg haar armen om haar zus heen en hield haar stevig vast. Magda lachte wat beverig, met tranen in de ogen. 'En, hoe vind je dat het ging, Wheelie?'

Catherine wreef over haar rug. 'Het had erger gekund, Maggot. Ik zie niet precies hoe, maar ik weet zeker dat het erger had gekund.'

9

Het was verbazingwekkend hoe levendig haar herinneringen aan die morgen op Sgurr Dearg nog waren. Jay hoefde niet eens haar ogen te sluiten om het zwart-witte landschap te zien van wolken en rotsen en sneeuw en ijs. Kathy's rode jack en fleece muts vormden een felgekleurde vlek in het landschap. Wat een adembenemend panorama had moeten zijn over bergtoppen naar de lochs in het oosten en westen, was tot een minimum beperkt door de laaghangende wolken en de verspreide nattesneeuwbuien. Maar op deze tocht was het nooit om het uitzicht gegaan.

We zeiden niet veel toen we onze klimtuigjes aandeden en de touwen aanhaakten. Het touw is het symbool van de band tussen klimmaatjes. Het praktische doel ervan is om het risico zo klein mogelijk te houden, om gevaren te minimaliseren die de individuele klimmer wellicht niet aan zou kunnen. Hoe hoog je niveau van bekwaamheid, ervaring en lichamelijke fitheid ook is, het is altijd psychologisch gemakkelijker om aan iemand anders vast te zitten als je naar het volgende houvast op een steil glad stuk rots probeert te reiken.

De oostelijke route de In Pinn op werd door de victoriaanse klimmers die deze berg het eerst beklommen beschreven als een richel van nog geen dertig centimeter breed, 'met een overhangende en eindeloze muur aan de ene kant en nog steiler en dieper aan de andere'. Ze overdreven niet. Technisch gezien krijgt de klim het etiket 'gemiddeld', als je kijkt naar de vaardigheden die je tijdens de beklimming onder de knie moet hebben. Maar telkens als je op de klim een blik naar rechts of naar links werpt kunnen je ingewanden veranderen in water en kan je maag zich omdraaien. En als je kijkt naar de gevolgen van eventuele fouten is de klim volkomen meedogenloos. Niemand weet dat beter dan ik. Toen we op weg togen was het zwaarbewolkt en vroor het, maar de ijsregen was opgehouden en we waren vol vertrouwen dat we de beklimming aankonden. En aanvankelijk leek het daar ook op. We klommen eerst een kort, steil maar gemakkelijk stukje, precies goed om ons het vertrouwen te geven voor de dingen die komen gingen. En zo begonnen we aan het volgende stuk, een deel van de rotswand waar je langzaam maar gestadig tegenop kon klimmen. We hadden een ritme opgebouwd met handen en voeten, we bewogen ons zelfverzekerd, we vertrouwden op de rots en op elkaar. Toen we halverwege waren, hielden we een kleine pauze op een uitspringende rand. Maar we hadden er geen beschutting tegen de bijtende wind, en dus besloten we bijna meteen weer verder te klimmen. De eerste paar stappen waren riskant en ik moest er mijn ijsbijlen bij halen, maar daarna zagen we de route duidelijk voor ons, als een trap.

Maar wat voor een trap! Je moet je voorstellen dat je kruipend een twintig meter hoge verzameling ongelijke treden op klimt met aan beide kanten een steile afgrond. En stel je nu voor dat je dat op ijs doet. En stel je nu voor dat je het op ijs doet en dat er iemand handenvol stekende sneeuw in je gezicht gooit. Want inmiddels was onze ergste angst bewaarheid geworden. Het sneeuwde. Niet hier en daar een vlokje, nee, het sneeuwde gestaag. Grote vlokken die mijn ogen bedekten en mijn mond en neus vulden en die door de gure wind naar me toe werden gesmeten. Kathy had ergens middenin het voortouw genomen, en de sneeuw die vanuit het niets was gekomen, hing als een gordijn tussen ons in. Ze was maar een klein stukje boven mij, maar ik kon haar bijna niet zien.

Op dit soort momenten is er geen klimmer ter wereld die geen angst kent. Je probeert die angst weg te duwen door je te concentreren op elke stap, er ondertussen voor zorgend dat je houvast goed is voordat je je gewicht eraan toevertrouwt. Maar de angst laat zich niet ontkennen. Hij zoemt door je aderen, samen met de adrenaline die je voortdrijft. Die dag, toen ik doorploeterde naar de top, kon ik er alleen maar aan denken dat ik niet kon zien, dat ik niet kon horen – en terwijl de natheid en de kou in me vraten was ik steeds minder in staat om mijn handen en voeten te voelen. In een mum van tijd voelde ik me als een robot die zich met moeite aan zijn programma kan houden.

Toen veranderde alles, volkomen onaangekondigd. Er werd zo plotseling en zo hard aan het touw gerukt dat het me bijna helemaal van de berg af trok. Als ik geen stijgijzers onder mijn bergschoenen had gedragen, was ik rechtstreeks van het ijzige oppervlak gerukt en in het dal beneden gevallen. Maar nu werd ik naar opzij getrokken, zodat de bovenste helft van mijn lichaam over de kam lag. De pijn was acuut en ging door merg en been. Instinctief wilde ik me aan het touw vastgrijpen, in een poging om het gewicht te verdelen dat me naar de rand van de richel trok, zo hard dat ik nauwelijks kon ademhalen. Het duurde afschuwelijk lang, maar ten slotte wist ik mezelf zodanig recht te trekken dat ik weer wat op adem kwam en kon proberen erachter te komen wat er was gebeurd.

Het enige wat duidelijk was zodra ik weer kon denken in plaats van alleen te reageren, was dat Kathy van de berg was gevallen. Waar ik absoluut achter moest zien te komen was in wat voor toestand ze zich bevond. Als ze bij kennis was en betrekkelijk onbeschadigd, mocht het geen probleem zijn. We hadden allebei de uitrusting bij ons om een zogenaamde *prusik loop* te maken, een knoop die kan worden gebruikt om een klimmer te helpen weer aan te haken. Als ik kon volhouden, zou zij beetje bij beetje weer omhoog kunnen klimmen.

Als ze niet meer in staat was te klimmen, kwam het ingewikkelder te liggen. Door gebruik te maken van hetzelfde stuk uitrusting, de prusik loop, kan de klimmer die nog op de berg is het touw aan een stevige rots vastmaken zodat die het gewicht kan opvangen. Als ik zo uit het touw zou kunnen komen, kon ik proberen Kathy weer terug te hijsen op de kam. In het ergste geval zou ik het touw ergens aan kunnen vastmaken en hulp gaan halen.

Ik hoopte vurig dat ik geen hoogtevrees zou krijgen en bewoog mijn hoofd, zodat ik langs de zijkant van de richel naar beneden kon kijken. Ik had me geen zorgen hoeven te maken. De sneeuw was toen al zo dicht dat ik het rood van

Kathy's jack nauwelijks meer kon onderscheiden. Voor zover ik kon zien zwaaide ze in de wind, met bengelende armen en benen. 'Kathy,' riep ik zo hard als ik kon. 'Kathy!' Ik wist zeker dat ik een reactie hoorde, een zacht gekreun dat van mijn maatje kwam. Mijn stemming vloog omhoog als de plotselinge spitse punt op de monitor aan het ziekbed in een ziekenhuis. Ze was bij kennis. We konden hier weer uit komen. Het zou allemaal goed komen. Ik begon weer te roepen. En nog eens.

Niets.

Wanhopig riep ik nog een keer hard, maar er kwam geen reactie; het enige wat ik hoorde was het lawaai van de wind. Ik begon te beseffen dat wat ik had gehoord de wind was, en niet Kathy. Het besef was als een klap. Het leek erop dat plan A geen enkele zin had. Het enige wat ik kon bedenken was dat ze haar hoofd moest hebben bezeerd tijdens de val. Tegenwoordig zou ik het niet in mijn hoofd halen om zonder helm te gaan klimmen, maar destijds was ik ervan overtuigd dat ik onsterfelijk was, zoals de meeste jonge klimmers die ik kende. We hadden die dag geen van beiden een helm op. Gewoon een van de vele dingen die ik nu anders zou doen.

Plan B was afhankelijk van de aanwezigheid van een ankerpunt waaraan ik de prusik loop zou kunnen vastmaken. Als ik mezelf wilde bevrijden van de verschrikkelijke druk van het touw moest er iets anders zijn dat stevig genoeg was om het gewicht te kunnen dragen. Ik wist dat het basalt en de gabbro sterk genoeg waren. Het enige wat ik nodig had was een stevige rotspunt of een bergpunt waar ik een lus omheen kon slaan. Ik tilde mijn hoofd op en bestudeerde het gebied om mij heen.

Niets.

Ik keek nog eens. Maar er was niets wat ook maar in de verste verte leek op het soort uitsteeksel dat ik nodig had. We waren tijdens de beklimming langs meer dan genoeg geschikte rotspartijen gekomen, maar we hadden de pech dat dit deel van de beklimming bestond uit vlakken en hoeken die nergens houvast boden.

Er was nog een laatste mogelijkheid. De technologie van het bergbeklimmen had ons voorzien van een fantastisch arsenaal aan apparaatjes en spullen. Al met de kleinste spleet of kloof kunnen we een anker maken, gebruikmakend van een van de moeren of bouten of zekeringen die we allemaal constant bij ons hebben. Maar het enige waar ik gemakkelijk bij kon komen, waren mijn ijsbijlen. Ik wist niet of die het gewicht van Kathy zouden kunnen dragen. Op de een of andere manier moest ik bij mijn rugzak zien te komen. Dat was minder gemakkelijk dan het klinkt. Mijn eerste poging eindigde bijna rampzalig. Zelfs een dergelijke kleine verplaatsing van het gewicht was al genoeg om mij volledig uit balans te brengen. Ik voelde hoe mijn gewicht anders kwam te liggen, en één vreselijk moment lang dacht ik dat ik van de berg zou storten en dat ik dan Kathy mee zou sleuren. Ik realiseerde me dat ik dit oneindig langzaam zou moeten doen.

Dat was geen probleem geweest als we op een warme zomerdag aan het klimmen waren, met nog uren daglicht voor de boeg. Maar we zaten in een sneeuwstorm op een februaridag in de Cuillins, en nu ik niet meer in beweging was, begon mijn lichaam het op te geven. Mijn vingers waren ijskoud en door de kou werkten mijn hersens langzamer, waar mijn reacties weer onder leden. Maar ik moest doorgaan. Tijd en licht glipten weg nu het al middag was en we op weg waren naar de duisternis.

Terwijl ik hemeltergend langzaam mijn rugzak van mijn schouders liet glijden, herinnerde ik me dat er misschien nog één hoop op redding was. Er zat een mobiele telefoon in mijn rugzak. Niet zomaar een mobieltje, dat natuurlijk in die tijd geen bereik zou hebben gehad in dit afgelegen deel van Skye. Dankzij Kathy's voorliefde voor de nieuwste snufjes hadden we allebei een satelliettelefoon. Ik had gemopperd vanwege het extra gewicht in mijn rugzak, maar zij had erop gestaan. Als de goden me nu goedgezind waren en ik een signaal had, kon ik simpelweg het bergreddingsteam bellen om ons van dit akelige stuk rots af te komen halen.

Mijn poging om mijn rugzak af te krijgen betekende dat ik tegen de rots zat aan geperst en dat ik het volle gewicht van Kathy met de kracht van mijn bovenlichaam moest dragen. Ik begon uitgeput te raken, en ik begon ook te bevriezen. En nog steeds viel er sneeuw, die mijn wimpers bedekte en richeltjes vormde op mijn wenkbrauwen, en er zat ook sneeuw in elk beetje lucht dat ik probeerde in te ademen. Ten slotte wist ik één arm uit de rugzak te wurmen en ik tilde mijn schouder op, zodat hij naar mijn andere arm zou glijden en daarna in mijn wachtende hand.

Ik had geen rekening gehouden met de verlammende kou. Ik hield mijn hand klaar om de riem te pakken als mijn bepakking van mijn arm afgleed. Maar om de een of andere reden konden mijn vingers de riem niet goed te pakken krijgen en bleef de rugzak glijden, steeds sneller vanwege het gewicht. Ik hoorde mijn eigen stem in mijn hoofd, die schreeuwde: 'Nee,' terwijl mijn bepakking rollend door de sneeuw in de diepte stortte en uit het zicht verdween.

Toen pas begon ik te huilen. De hoop die ik nog had gehad, verdween gelijk met het licht. Ja, we hadden een klimplan achtergelaten bij de hotelreceptie, maar zij zouden pas alarm slaan als we niet op kwamen dagen voor het avondeten. Tegen die tijd zou ik zes uur in een sneeuwstorm op de ruggengraat van In Pinn hebben gelegen, terwijl ik het gewicht van mijn klimmaatje droeg. Ik schatte mijn kansen niet erg positief in. Maar ik had niet het gevoel dat ik veel keus had. De wind, die al krachtig was, begon nog wat aan te trekken. Daar op de ijzige rotsen voelde het aan als een storm. En toen werd een beroerde situatie nog beroerder. De windrichting veranderde van pal noord naar noordoost. Kathy's lichaam, dat eerst nog werd beschermd door de massa van Sgurr Dearg, lag nu precies in de baan van de wind. Ze begon heen en weer te schommelen, maar niet regelmatig, als een pendule. Die beweging had ik kunnen voorspellen, daar had ik me op kunnen instellen. Deze beweging was onvoorspelbaar en schokkerig. Ik zette me schrap en probeerde mijn klimijzers nog dieper in het ijs te duwen. Het had geen zin. Nadat ik een paar keer opzij was gerukt, drong het pas echt tot me door dat we allebei zouden sterven. Ik kon niet op de rots blijven zitten, niet als de wind zo onregelmatig aan het touw bleef rukken. Als ik mijn houvast verloor, was er niets meer tussen ons en de bodem van het dal. Onze lichamen zouden te pletter slaan op de rotsen beneden.

De wind floot weer om ons heen en ditmaal verdraaide ik mijn been onder me, omdat ik bijna niet meer op de plek kon blijven waar ik zat. Ik voelde iets scheuren en daarna een brandende pijn in mijn linkerknie. Mijn voet schoot los van het ijs. Ik duwde hem met geweld weer terug en viel bijna flauw van de pijn. Ik was voldoende op de hoogte van anatomie om te weten dat ik mijn kniebanden had gescheurd. Toen wist ik ook dat ik het daar niet lang meer zou uithouden. Ik was verslagen.

Ineens herinnerde ik me dat ik een piepklein multifunctioneel stukje gereedschap in de binnenzak van mijn jack had zitten. Een minitangetje annex nagelvijl, schroevendraaier en zakmesje met een lemmet van drie centimeter. Ik dacht het ondenkbare, en onmiddellijk werd ik van een groot afgrijzen vervuld. Als ik het touw doorsneed, betekende dat de dood van Kathy. Maar als ik het niet doorsneed, betekende dat de dood van ons allebei. Er zouden hier geen andere klimmers meer langskomen, niet zo laat op de dag. Er was geen oplossing. Geen redding. Niets dat op tijd zou komen.

Ik trok mijn handschoen met mijn tanden uit en duwde mijn bevroren hand in mijn jack. Mijn vingers tintelden en brandden toen de restwarmte van mijn lichaam ze wat opwarmde. Ik sloot mijn hand rondom het mes en trok het tevoorschijn. Door het tussen mijn gehandschoende hand en de rots te houden, lukte het me het open te maken. Maar ik aarzelde nog steeds. Ik kon mezelf er niet toe brengen het te doen.

Toen werd ik door een nieuwe windvlaag hard tegen de rots geduwd, waarbij ik met mijn gezicht en mijn borst tegen de ijzige gabbro smakte. Ik had geen keus. Als er nog meer wind kwam, zou ook ik over de rand verdwijnen.

Ik sneed het touw door.

Precies op dat moment in het verhaal ging de telefoon. Jay pakte hem automatisch op. Hij was halverwege haar oor toen ze besefte dat ze huilde.

10

Charlie voelde haar hart kloppen, een snel regelmatig bonzen onder haar ribben. Opwinding trilde door haar heen als zwakstroom. Ze herinnerde zich niets van de rit van Noord-Oxford dwars door de stad naar het dorpje Iffley. Ze was hier als studente graag gekomen. Dan liep ze altijd langs het jaagpad van Folley Bridge naar de sluis. Er was altijd wel iets te zien op de rivier. Er waren altijd boten; studenten-achten die vreselijk hun best deden, onversaagde roeiers die bereid waren om de grote rivier te trotseren; motorjachten en boten die een dagtochtje maakten en op en neer pruttelden. In tegenstelling daarmee was het vaak rustig op het pad dat leidde naar Iffley zelf; een ongerijmdheid, want het was een dorp in een stad. Een welvarend, rustig en onafhankelijk dorp dat kennelijk weerstand had kunnen bieden aan de besmetting van het universiteitsleven. Hoewel de huizen anders van stijl waren, deed het Charlie denken aan het dorpje in Lincolnshire waar haar grootouders hadden gewoond. Dus telkens als ze een rustpunt nodig had gehad gedurende die soms stormachtige jaren in Oxford was ze hiernaartoe gewandeld.

Lisa's huis stond in een rustig weggetje met redelijk grote huizen, een paar straten van de rivier af. Charlie vermoedde dat het er koud en vochtig zou zijn op een van de vele mistige winterdagen in Oxford, maar op deze namiddag waren er nog een paar late zonnestralen ontsnapt aan de wolken en zag het er charmant uit. Ze reed langzaam om de nummers te kunnen bekijken, totdat ze bij het juiste huis was. Ze herkende Lisa's elegante zilverkleurige Audi Quattro, maar niet de Toyota stationcar die er op de smalle oprit vlak naast stond. Charlie vond pas een meter of vijftig verderop een plek waar ze haar eigen auto kon neerzetten zonder dat ze de uitrit van iemand anders blokkeerde. Ze keek hoe laat het was. Vijf voor halfvier. Ze bleef nog drie minuten achter het stuur zitten en liep toen terug naar het huisje, benieuwd wat ze er zou aantreffen.

Toen ze dichterbij kwam moest ze toegeven dat ze het huis mooi vond. Ze was er vast wel een keer of tien langsgekomen toen ze nog een avontuurlijke studente was, maar ze kon het zich niet meer herinneren. Het was een huis zonder tierelantijnen – verweerde rode baksteen, een pannendak, wit geschilderd houtwerk – maar de symmetrie en de onderlinge verhoudingen waren een lust voor het oog. Boven de keurige portiek met pilaren was een rond raam. Zelfs in het zonlicht waren de rijke kleuren van het gebrandschilderde glas duidelijk te zien. De auto's stonden geparkeerd op een oprit waarin de steentjes in een visgraatmotief waren gelegd. En het kleine stukje grond voor het huis bevatte een minisiertuintje van gesnoeide buxusstruikjes. Alles zag er beeldschoon uit. Charlie had het gevoel dat ze de nette aanblik verstoorde, alleen al door naar de voordeur te lopen.

Ze haalde diep adem om wat te kalmer te worden. Ze was zo opgewonden als een tiener nu ze Lisa in haar eigen omgeving ging opzoeken. Charlie belde aan en deed een stap achteruit. Bijna onmiddellijk hoorde ze voetstappen naderbij komen en toen ging de deur met een brede zwaai open. Lisa grijnsde, Charlies hart sprong op en toen werd ze in een paar open armen getrokken. 'Wat heerlijk om je te zien,' zei ze.

Lisa's lippen beroerden haar wangen en haar warme adem kietelde haar oor toen ze zei: 'Je bent precies op tijd. Er zijn nog een paar mensen hier, maar die staan op het punt te vertrekken.' Toen liet ze Charlie los en deed een stap terug om haar binnen te laten.

Zelfs in deze emotionele toestand bleef Charlie de vakvrouw die ze was. Ze nam automatisch haar omgeving in zich op en daarop zou ze haar uiteindelijke oordeel baseren. De hal was eenvoudig ingericht. Witte muren en plafond, parketvloer met de glans van ouderdom, vier kleine zeegezichten in zware olieverf. Licht dat door het gebrandschilderde raampje viel liet overal een warme kleur op vallen. En in het centrum van alles: Lisa zelf. Smalle heupen, brede schouders, een mouwloos topje gekozen om haar warme goudkleurige huid te laten uitkomen en de mooie rondingen van duidelijk herkenbare spieren, en een licht uitdagende loop die Charlie deed denken aan een mannequin. Lisa liep op een manier die je aandacht trok en ze praatte zo dat ze die aandacht ook vasthield.

Charlie liep achter haar aan naar een zitkamer met een drietal sofa's bekleed met roomkleurig chintz, met overal tafeltjes en een grote art-nouveauschouw. Er stond een vuurscherm voor dat ontworpen was door William Morris. Openslaande deuren kwamen uit op een lange grasvlakte die eindigde bij een muur van struiken. Een man en een vrouw zaten op twee van de sofa's met papieren om hen heen gespreid. Ze zaten al afwachtend naar de deur te kijken.

'Charlie, die zijn twee collega's van me. Tom en Linda. Dit is mijn vriendin Charlie,' zei Lisa zonder omwegen. Er werden glimlachjes en knikjes uitgewisseld. 'Zo, dat was het voor vandaag. Als jullie de gelegenheid hebben gehad om het nieuwe materiaal te laten bezinken, mail me dan jullie commentaar. En anders zie ik jullie weer in Swindon op dinsdag.'

Tom en Linda raapten snel hun papieren bij elkaar en stonden op om te vertrekken. Het was duidelijk dat Lisa de touwtjes stevig in handen had. Ze gaf met een handgebaar te kennen dat Charlie op de lege sofa moest gaan zitten, terwijl Tom en Linda hun spullen wegborgen. 'Koffie of thee? Een sapje? Water?' vroeg ze.

Als Lisa echt maar een uur voor haar had, was Charlie niet van plan om tijd te verkwisten met het aan de kook brengen van water. 'Ik hoef niets, bedankt.'

'Ik ben zo terug.' Lisa leidde Tom en Linda vriendelijk maar gedecideerd de kamer uit, ook al was Tom nog steeds bezig de tas van zijn laptop dicht te ritsen.

Lisa was bijna meteen weer terug. Ze ging schuin naast Charlie zitten, trok haar benen onder zich en leunde op de arm van de sofa, zodat het leek alsof ze helemaal in beslag werd genomen door haar gast. Voor Charlie, die gewend was aan het duiden van andermans lichaamstaal, was het een welkom moment. 'Zo,' zei Lisa. Uit haar mond klonk het net als een woord van drie afzonderlijke lettergrepen. 'Een interessante dag.' Er was een spoor van plagerij in haar stem, de onderstroom van iets dat verderging dan de normale beleefdheden.

Charlie glimlachte. Ze wilde eigenlijk zeggen dat de dag steeds beter werd, maar ze wilde niet goedkoop overkomen. Of opdringerig. 'Interessant gezelschap ook.'

'Vertel maar eens.' Lisa liet haar kin op haar arm rusten en richtte haar doordringende blik op Charlie. 'Ik vind het heerlijk om naar je te luisteren.'

Charlie vertelde Lisa over haar ontmoeting met de familie Newsam. Ze hield haar verhaal beknopt en ter zake, zonder onnodige uitweidingen. Ze eindigde met een kort verslag van haar ontmoeting met dr. Winter en liet zich toen achteroverzakken. 'Het bleek allemaal veel dramatischer te zijn dan ik had gedacht,' zei ze.

'Nou zeg, wat een merkwaardig verhaal,' zei Lisa op een zachte, wat lijzige toon. 'Dus jouw vroegere mentor denkt dat Jay Macallan Stewart een meervoudige moordenares is? Sinds Edwina Currie bekende dat ze een relatie met John Major had gehad, heb ik geloof ik niet meer zo'n bizar verhaal gehoord.'

'Dat dacht ik eerst ook. Maar dan blijkt dat Jay op Schollie's was op de dag van de moord. En Helena Winter bevestigde wat Corinna haar had verteld op de morgen dat Jess Edwards stierf. En het begon… Ik weet het niet; het begon bijna plausibel te klinken.'

Lisa lachte. 'Dat is een heel groot "bijna". Wat vindt Maria ervan?'

Het noemen van Maria's naam was een schok. Het was Charlie gelukt om haar partner naar de achtergrond te duwen sinds ze de afspraak met Lisa had gemaakt. Ze vond het helemaal niet prettig om haar naam uit Lisa's mond te horen. 'Ik heb het er nog niet met haar over kunnen hebben.'

Lisa keek tevreden. 'Ik voel me gevleid dat je mij er het eerst over hebt verteld,' zei ze. 'Wat ga je nu doen? Je tactisch terugtrekken? Ik weet dat je een deskundige bent op het gebied van de zielenroerselen van mensen, maar ik krijg de indruk dat Corinna eigenlijk meer heeft aan een echte detective.'

'Ik weet het. Maar misschien zou ik er toch naar kunnen kijken,' zei Charlie een beetje aarzelend. 'Het is eigenlijk wel interessant. En als er iets van waarheid in zit en ik kan erachter komen...'

'Ik begrijp dat het verleidelijk is, Charlie. Maar zelfs als je een gerechtelijke dwaling aan het licht brengt, pleit jou dat nog niet vrij in de ogen van het Medisch Tuchtcollege,' zei Lisa voorzichtig en met een bezorgde blik op haar gezicht. 'Of van de lezers van de *Daily Mail*.' Het was een schrander commentaar waarmee ze liet zien hoe goed ze Charlies motivatie begreep.

'Misschien niet. Maar misschien dat het iets voor mijn zelfbeeld doet.'

'Weet je zeker dat het niet gewoon een smoes is om in je autobiografie te duiken? Om in de tijd terug te reizen naar een plaats en een tijd toen je gelukkig was? Toen de toekomst er nog uitzag als een onbeschreven blad en alles nog mogelijk was?'

Charlie dacht daar even over na. 'Ik denk het niet,' zei ze. 'Ik ben niet zo bezig met het verleden. Bovendien heb ik het gevoel dat geluk nog steeds tot de mogelijkheden behoort. Hier met jou te zitten, bijvoorbeeld. Er is niets mis met deze plaats en dit tijdstip.'

Lisa liet het puntje van haar tong langs de binnenkant van haar bovenlip glijden. 'Dat geldt voor mij ook. We kennen elkaar nog niet zo lang, maar toch voel ik dat er iets tussen ons is.'

Charlies hart maakte een sprongetje. Er was geen andere manier om dat schokje in haar borst te beschrijven. Hoe konden een paar woorden zo'n hevige lichamelijke reactie veroorzaken? 'Er zijn dingen die je niet kunt negeren,' zei ze, en ze schraapte haar keel toen ze hoorde hoe hees haar stem klonk. 'Ik wil er heel graag achter komen wat er tussen ons aan de hand is.'

'Maar er is geen haast bij, Charlie. We zullen nog heel lang vriendinnen blijven. Daar ben ik van overtuigd. Ik denk dat onze kwetsbare en onze sterke punten heel goed bij elkaar passen.'

Charlie had een droge mond. Ze wou dat ze toch iets te drinken had gevraagd. 'Je hebt gelijk. Soms weet je dat gewoon. Vanaf het allereerste begin.' Ze ging wat verzitten zodat ze op de leuning van haar sofa leunde, met haar gezicht wat dichter bij Lisa.

'Maar als je druk bezig bent achter spookbeelden aan te jagen voor Corinna Newsam, heb je niet veel tijd meer voor iets anders over,' zei Lisa. In haar lijzige stem klonk nu ook wat spijt door.

Charlie was niet voor één gat te vangen. 'Dan maak ik tijd.'

Lisa keek haar lang en doordringend aan. 'Ik denk dat het zonde van je tijd is.'

Na het geflirt voelde dit aan als een klap in haar gezicht. Charlies hoofd schoot overeind. 'Wát?'

'Proberen te bewijzen dat Jay Stewart een moordenares is, bedoel ik.' Lisa lachte. 'Wat dacht je dat ik bedoelde, Charlie?'

Charlie wist niet wat ze moest zeggen. Het ene moment was ze dolgelukkig, het volgende zat ze diep in de put. 'Waarom zeg je dat het zonde van mijn tijd is?'

Lisa haalde haar schouders op. 'Het lijkt gewoon erg onwaarschijnlijk.'

'Ken je haar?' Charlies professionele behoedzaamheid, tot dusver overstemd door haar hormonen, vocht zich opeens een weg naar buiten. Was het mogelijk dat Lisa hier op een andere manier in stond?

'Niet echt,' zei Lisa. 'We studeerden wel tegelijkertijd. Maar ik zat op een ander College, dus onze wegen kruisten elkaar niet zo vaak. Ik kende haar vaag. Het was gewoon iemand die je wel eens op feestjes tegen het lijf liep. Ze was een beetje berucht – die lesbo die preses van de studentensociëteit was geworden – dus zij trok meer de aandacht.'

'Was het bekend dat ze lesbisch was? Ik dacht dat ze toen nog in de kast zat.'

Lisa grinnikte. 'Misschien dacht ze wel dat niemand het wist. Maar je weet hoe dat gaat, Charlie. De geruchtenmolen in Oxford maalt heel fijn. Iedereen weet alles over iedereen. Ik vrijde toen alleen nog maar met mannen, maar ik wist dat Jay Stewart lesbisch was.'

Charlies hart ging als een bezetene tekeer. Wat Lisa had gezegd over Jay Stewart deed er niet toe. 'Ik vrijde toen alleen nog maar met mannen,' had ze gezegd. Dit was maar voor één uitleg vatbaar en Charlies fantasie leefde weer op als na een regenbui in de woestijn na een periode van droogte. Het bloed klopte in haar slapen en haar mond was weer droog. 'Jouw speciale antenne voor homo's is kennelijk goed ontwikkeld voor iemand die alleen maar met mannen omging.'

Lisa leunde achterover op de sofa en strekte haar armen uit boven haar hoofd, met haar vingers gevouwen. Charlie was zich heel erg bewust van de schoonheid van haar armen en haar borsten. Lisa glimlachte ondeugend. 'Ik denk dat ik het toen nog niet besefte, maar zelfs toen al had ik een goed oog voor kwetsbaarheid.'

II

Na haar ochtenddouche was Charlie nog steeds wat suf, omdat ze niet erg goed had geslapen. Misschien dat de koffie bij het ontbijt zou helpen. Ze had al twee nachten wat rusteloos onder het dekbed heen en weer liggen schuiven, bang om Maria wakker te maken. Haar hoofd en haar hart waren totaal in de war, en het moeilijkste van alles was ironisch genoeg dat ze er met Maria niet over kon praten. Charlie was eraan gewend dat Maria haar al zeven jaren bij alle beslissingen en dilemma's hielp en daarom was het vreemd om iets voor haar te verzwijgen,

Maar ze had in ieder geval wel met haar kunnen praten over het merkwaardige verzoek van Corinna. Ze was zaterdagavond laat thuisgekomen, nog steeds wat van slag na haar ontmoeting met Lisa. Haar opmerking over kwetsbaarheid was meteen het einde geweest van hun gesprek. Hun uur was om en Lisa's volgende klant drukte al op de bel. Charlie had haar teleurstelling weggeslikt nu deze ontmoeting hun relatie geen stap verder had gebracht.

Ze was veel te veel op de zaken vooruitgelopen. Terwijl ze achter haar gastvrouw de hal in liep, had Lisa zich omgedraaid en was ze achteruit naar de deur gelopen. Toen was ze stil blijven staan, had Charlies hand gepakt en haar naar zich toe getrokken. Charlie had het gevoel gehad alsof er licht en hitte in haar lichaam explodeerden. Dit was geen vriendschappelijke afscheidskus. Dit was een rasechte omhelzing die de belofte in zich droeg van iets heets en zweterigs. Ze was er niet op verdacht geweest en op het moment dat ze er zich aan overgaf, besefte Charlie dat het tot niets zou leiden. Hun lippen en tongen en handen gingen op ontdekkingstocht, maar ondertussen tikte de klok door.

Toen de bel voor de tweede keer ging, sprongen ze verschrikt uit elkaar. Charlie was rood aangelopen en hijgde. Lisa had twee blosjes op haar wangen en keek haar met een spijtig, flirterig glimlachje aan. 'Wordt vervolgd,' zei ze.

En toen deed ze de deur open.

Charlies vertrek was een waas geweest. Ze zag de man die voor de deur stond nauwelijks. Het drong nog wel tot haar door dat Lisa nonchalant afscheid nam, en ze verbaasde zich over die plotselinge verandering van toon. Daarna was ze wat onvast op de benen naar haar auto gelopen, niet goed wetend of ze in staat was te rijden. Ze was een poosje blijven zitten om op een rijtje te krijgen wat er zojuist was gebeurd. Voor een objectieve analyse van het gedrag van Lisa moest ze haar emoties even buiten beschouwing laten. Maar dat haalde niets uit; haar gedachten draaiden in een kringetje rond.

Ze wist later niet meer precies wat er was gebeurd tussen haar vertrek bij Lisa en haar thuiskomst in Manchester, kort voor middernacht. Zeven uur voor een rit van drieënhalf uur. Ze had een vage herinnering aan een koffiebar in een wegrestaurant, maar de rest was onduidelijk. Toen ze ten slotte in bed was gevallen was het een welkome afleiding geweest dat ze Maria kon vertellen over de Newsams.

Maria was meer geïnteresseerd geweest in het verhaal van Corinna dan Charlie had verwacht. 'Het is intrigerend,' had ze gezegd terwijl ze dicht tegen Charlies rug aan kwam liggen. 'De manier waarop dat beeld van "de leeuwin die haar welpen beschermt" hier helemaal klopt. Corinna was duidelijk niet zo bezorgd over de moordzuchtige neigingen van Jay Stewart toen het om de kinderen van anderen ging. Maar als haar dochter in gevaar komt, roept ze meteen de zware artillerie erbij. Wat ga je doen?'

'Ik weet het nog niet,' had Charlie wat vaag geantwoord. 'Het ene moment denk ik dat Corinna lijdt aan achtervolgingswaan en het volgende moment denk ik weer precies het tegenovergestelde: dat het verleden van Jay Stewart te veel spoken bevat om louter toeval te zijn. En tegelijkertijd kan ik nog steeds maar moeilijk bevatten dat die charismatische, succesvolle zakenvrouw een seriemoordenaar zou kunnen zijn.'

'Maar je gaat het toch wel doen, hè?' Er klonk iets van berusting door in Maria's stem.

'Vind je dat ik het moet doen?'

'Ik zat erover na te denken toen je weg was. Een deel van mij wil dat je je niet mengt in de gevechten van andere mensen, maar ik moet ook eerlijk tegenover mezelf zijn. Ik ken jou, Charlie. Jij hebt iets nodig om je in vast te bijten, anders word je gek.' Maria legde haar arm op Charlies bovenbeen. Het was een troostend gebaar, het had niets erotisch. 'We hebben het er morgen wel over.'

En ze hadden er inderdaad over gepraat. Telkens opnieuw waren ze erop teruggekomen, en alles wat Charlie wist hadden ze tot het laatste druppeltje uitgeperst om te kijken of er misschien nog andere mogelijkheden waren. Omdat Maria geen van de hoofdrolspelers kende, vertrouwde Charlie op haar oordeel. Maria werd niet beïnvloed door haar verleden met Corinna, haar sympathie voor Magda en haar geneigdheid om Lisa's inschatting van Jay Stewart te geloven.

Ten slotte had Maria de knoop doorgehakt. 'Het probleem is dat je niet floreert als je niet ergens lekker je tanden in kunt zetten, als een hond met een bot,' had ze na het avondeten gezegd. Geen van beiden had veel aandacht gehad voor het kostuumdrama dat de BBC op zondag uitzond; het had een niveau van onbenulligheid bereikt waar ze allebei niet goed tegen konden. Het drama dat zich in de marge van hun eigen leven afspeelde, was veel interessanter.

'Ik kan altijd nog lesgeven.'

'Dat bedoel ik niet. In jouw werk gaat het erom dat je tot de kern doordringt van ingewikkelde zaken. Uitdagingen, daar vaar je wel bij. Als die er niet zijn, weet je je geen raad. Het is geen pretje voor iemand die van je houdt om te zien hoe moeilijk het voor jou is dat je geen probleem hebt om mee te worstelen.'

Charlie snoof. 'Ik heb, dankzij Bill Hopton, meer dan genoeg problemen gehad.'

'Dat soort problemen bedoel ik niet. Ik weet dat je bezig bent geweest met je verdediging voor het Medisch Tuchtcollege, maar dat is niet het soort uitdaging dat alles van je vergt. Het is meer dat je een probleem nodig hebt. Een raadsel. Iets wat het uiterste vergt van je verbeeldingskracht. Dat heb je altijd nodig gehad. Daarom heb je het zo goed gedaan toen je voor de politie die profielschetsen maakte. Daarbij was de inzet hoog. Je hebt niet meer iets dergelijks gehad sinds je bent geschorst. En dat is niet goed voor je, Charlie.'

'En jij denkt dat mijn hersens weer goed gaan werken als ik allerlei zaken oprakel uit het verleden van Jay Stewart?'

'Dat weet je zelf het beste. Maar volgens mij is het eerder een kwestie van: waarom zou je het níét doen?'

'Om te beginnen ben ik geen rechercheur. Ik ben psychiater. Ik weet niet hoe ik bewijsmateriaal moet verzamelen en een zaak moet opbouwen.'

'Doe niet zo stom. Je doet niet anders. Jij bent je hele leven al bezig om bewijsmateriaal te verzamelen over de geestestoestand van mensen om daarna tot conclusies te komen die zijn gebaseerd op wat jij hebt ontdekt.'

'Dat is niet hetzelfde,' protesteerde Charlie. 'Ik ben niet bij de politie. Ik heb tot allerlei gegevens geen toegang.'

Maria gaf haar een por in haar ribben. 'Je hebt die politiemensen al jaren kunnen bestuderen. Je bent bij genoeg verhoren aanwezig geweest. En niemand kan zo goed een grote mond opzetten als jij om ergens binnen te komen waar je niet mag zijn. Wie lukt het altijd om ons toegang te verschaffen tot de vipruimte op het vliegveld?'

Charlie giechelde. 'Niet altijd. Weet je nog? Die stomme koe op Charles de Gaulle? Ik dacht dat ze ons zou laten arresteren.'

'Nu moet je niet van onderwerp veranderen, Charlie. Als Corinna ook maar een beetje gelijk heeft, is de inzet in ieder geval hoog genoeg. Je hebt de kans om een gerechtelijke dwaling recht te zetten. En om iemand af te stoppen die misschien wel vindt dat moord de efficiëntste manier is om haar zin te krijgen. En als ze gelijk heeft en jij bewijst dat, dan heb jij weer recht van spreken als het op moraliteit aankomt. Dan wordt het lastig voor het Medisch Tuchtcollege om zich tegen je te keren als je de held van de dag bent.'

Het was interessant, dacht Charlie, dat Maria's mening over de mogelijkheid dat ze met een succesvol optreden haar wangedrag goed kon maken, bijna precies het tegenovergestelde was van Lisa's mening. Het was moeilijk te bepalen wie het bij het juiste eind had. Charlie liet haar hoofd rusten op Maria's schouder. 'Dit wordt geen verlaat-de-gevangenis-zonder-te-betalen-kaart voor Bill Hopton, schat. Dat gaat niet weg, hoe die kwestie met Jay ook uitpakt. Ik kan niet loskomen van de gedachte dat er nog vier vrouwen in leven zouden zijn als ik er meer op had aangedrongen dat hij zou worden opgesloten.'

Maria liet een afkeurend geluidje horen. 'Je weet dat dat niet waar is. Je hebt zelf gezegd dat er volgens de wet geen gegronde reden was om hem op te sluiten. Je had moeten liegen om hem op te laten nemen. En je had een andere dokter zover moeten krijgen om ook te liegen. En zelfs dan nog was hij op de lange duur toch weer vrijgelaten. Dat weet je. En dan waren het gewoon vier andere vrouwen geweest. Dus hou op jezelf zo te straffen en concentreer je op iets waar je nog wat goeds kunt doen. Ofwel je vindt bewijzen tegen Jay, of je zuivert haar van alle blaam.'

Charlie ging languit op de sofa liggen met haar hoofd in Maria's schoot. 'Je komt met goede argumenten. Maar er is nog iets anders dat me doet aarzelen.'

'Wat dan?' Maria begon wat aan Charlies haren te frunniken, haalde haar vingers erdoorheen, rolde lokken om haar vingers tot pijpenkrullen en keek toe hoe ze weer sluik naar beneden vielen. Ze deed dat wel vaker en Charlie voelde zich er altijd ontspannen door.

Ze ging wat gemakkelijker liggen. 'Lesbische solidariteit. Ben ik nu een soort van oom Tom? Laat ik mezelf nu gebruiken in wat in wezen een homofobe heksenjacht is? Zou Corinna een beroep op mij hebben gedaan als Jay een kerel was geweest?'

'Misschien. Nou ja, waarschijnlijk niet, als ik eerlijk ben. Maar als Jay een kerel was geweest, had Corinna niets geweten over zijn verleden. Dus dat probleem was nooit aan de orde gekomen.'

Charlie glimlachte. Net iets voor Maria – nuchtere, prakti-sche Maria – om minstens één van de problemen waarmee Char-lie had geworsteld op te lossen met een stukje logica waar ze zelf eigenlijk op had moeten komen.

'Bovendien,' voegde Maria eraan toe, 'ben je niet verplicht om je conclusies met Corinna te delen. Je bent geen privédetective. Ze heeft je niet ingehuurd. Je kunt doen wat jou het beste lijkt met de dingen die je boven tafel haalt. Je kunt het aan Corinna vertellen of niet. Je kunt het aan Magda vertellen of niet. Je kunt het zelfs aan Jay vertellen, of niet.'

Dus had Charlie de knoop doorgehakt en besloten om op het verzoek van Corinna in te gaan. Ondanks het feit dat Lisa er-van overtuigd was dat Jay geen moordenares was, zou Charlie achter alle bewijzen aan gaan die nog te vinden waren, en ze zou die tegen elkaar afwegen.

Toen ze naar bed ging leek het een simpele keus, maar tegen de morgen zag ze weer allerlei haken en ogen. Charlie staarde met gefronst voorhoofd in haar koffie. Het was allemaal goed en wel, dat ze de pretentie had om Jay aan een onderzoek te on-derwerpen. Maar waar zou ze kunnen beginnen? Waar zocht ze überhaupt naar?

Maria wapperde met haar hand voor haar ogen. 'Hallo? Is daar iemand?'

Charlie glimlachte zwak. 'Ik weet niet waar ik moet begin-nen,' zei ze.

Maria haalde haar schouders op. 'Ik heb altijd geloofd in bij het begin beginnen.'

'En in dit geval is het begin…?'

'Het eerste incident waar we iets over weten. De dood van die roeister?'

'En waar ga ik zoeken?'

Maria begon met een nadenkend gezicht boter op haar toast te smeren. 'In Oxford, waar anders? Dit is gebeurd in een tijd dat er nog niets online te vinden was. Je zult een kijkje in de krantenarchieven moeten nemen. Er moet een lijkschouwing hebben plaatsgevonden. Er zal daar toch nog wel ergens een ver-slag van zijn? En er moet een politieonderzoek zijn geweest. Misschien is er wel de een of andere gepensioneerde politieman die graag uit de school wil klappen, zoals je die in de betere detectives tegenkomt.'

Charlie lachte. 'Ik denk dat jij hier beter geschikt voor bent dan ik.'

'Je zult moeten toegeven dat het een schitterend verhaal is. Ik verwacht een volledig verslag van elk beetje vooruitgang.'

Charlie voelde even haar schuldgevoel knagen. Er zouden bepaalde aspecten van haar activiteiten zijn waar ze geen verslag van zou doen aan Maria. Misschien zou haar jacht op het verleden van Jay een tegengif blijken te zijn voor haar gevoelens voor Lisa. Ze had geprobeerd zichzelf ervan te overtuigen dat haar verboden gevoelens gewoon groter waren geworden om de ruimte die beschikbaar was gekomen te vullen, maar dat werkte niet. 'Ik zal je op de hoogte houden,' zei ze. 'Ik heb tot woensdag geen lessen, dus ik kan vandaag nog terug naar Oxford.'

'Dat klinkt verstandig,' zei Maria. 'Heeft Corinna een kamer voor je?'

Charlie schudde haar hoofd. 'Dat is geen goed idee, denk ik. Als Magda gisteren inderdaad aan Henry heeft verteld dat ze een vriendin heeft, zoals ze van plan was, zal hij niet staan te springen om nog zo'n lesbo in huis te hebben. Ik zal vragen of Corinna me in een gastenkamer in het College onder kan brengen. Terug naar de spartaanse cel van de student.'

Maria grijnsde. 'Niets om je af te leiden van de taak die je onderhanden hebt.'

Charlie had nog wel het fatsoen om zich te schamen. 'Niet op Schollie's, nee,' zei ze.

Maria slikte de laatste hap van haar toast door en stond op. 'Wees voorzichtig,' zei ze, terwijl ze om de tafel heen liep om Charlie te omhelzen. 'Misschien loopt daarginds wel een moordenaar rond.'

Dat was niet het enige risico, dacht Charlie met een bleek glimlachje. Bij lange na niet.

12

De cijfers op de klok veranderden van 4:16 in 4:17. Jay ging voorzichtig iets verliggen uit angst dat ze Magda wakker maakte. Ze sliepen meestal met de benen in elkaar verstrengeld, met hun bovenlichamen van elkaar af. Het was al snel de positie geworden die ze beiden prettig vonden. Er ging iets geruststellends uit van het contact, maar het was niet gemakkelijk om je eruit los te maken als je in de kleine uurtjes wakker werd en wist dat je toch niet meer in slaap zou vallen. Zo zag haar leven eruit, al sinds Kathy's dood en de nachtmerries die daarop waren gevolgd. Nacht na nacht was Jay zwetend wakker geworden, met een lichaam dat stijf was van de spanning. De droom was altijd dezelfde: de voortjagende sneeuw, de ijzige kou, de zwart-witte berg. Dan de schreeuw die ze zich verbeeldde, een schreeuw die er nooit echt was geweest, een schreeuw die elke nacht het slapen voor Jay onmogelijk maakte.

De nachtmerrie had al maanden geduurd voordat ze ten slotte had aanvaard dat ze ermee zou blijven zitten als ze geen hulp zocht. Er was één iemand die voor de hand lag – een therapeut die ze al kende sinds hun studententijd. Jay had versteld gestaan van haar gevoeligheid voor hypnose. Ze had altijd gedacht dat mensen met een sterke wil zoals zij het moeilijk zouden vinden om zich te laten gaan. Maar ze had er geen enkele moeite mee gehad en ze had weinig herinnering aan wat er gebeurde als ze onder zeil was. Dat was niet belangrijk. Wat wel belangrijk was, was dat de dromen ophielden. Ze kon naar bed gaan met het veilige gevoel dat ze kon dromen wat ze wilde, maar dat het in ieder geval haar slaap niet meer verpestte.

Maar de periode van de nachten met nachtmerries had één ding voor altijd veranderd: Jay kwam erachter dat ze net als Margaret Thatcher prima kon functioneren met minder slaap dan de meeste mensen. Nu had ze aan een uur of vier, vijf genoeg om weer helemaal fris te zijn, klaar voor de volgende dag. Ze geloofde dat het een van de redenen was waarom ze zo'n succesvolle zakenvrouw was. Als andere mensen nog op één oor lagen, zat zij al achter haar computer, surfte over het net, beantwoordde e-mails, legde verbanden en speelde met nieuwe ideeën. Of ze was aan het schrijven.

Ze had zich afgevraagd of door het teruggaan naar die verschrikkelijke dag op Sgurr Dearg de nare dromen weer in alle hevigheid terug zouden komen. Daar was ze benieuwd naar, niet op een bezorgde maar op een klinische hoe-zit-dat?-manier. Maar de dromen kwamen niet terug, ondanks haar emotionele reactie toen ze het moment beschreef van het doorsnijden van het touw.

Ze had zich, in ieder geval uiterlijk, weer onder controle toen Magda overstuur en kwaad uit Oxford was teruggekomen. Op voorstel van Jay was Catherine bij hen blijven eten. Ze hadden een dvd bekeken en een fles wijn soldaat gemaakt. Tegen de tijd dat haar zus wegging was Magda gekalmeerd en ze waren naar bed gegaan zonder dat er nog een vuiltje aan de lucht was. Ze hadden hartstochtelijk gevreeën, alsof ze hun relatie nog eens wilden bevestigen, en daarna had Jay geslapen alsof er in haar hersens een knop was omgedraaid.

Zondag was een perfecte dag geweest. Toen Magda nog sliep was Jay erop uitgegaan en had verse broodjes en kranten gekocht. Ze hadden in bed liggen luieren, hadden gelezen, gepraat, gegeten en koffie gedronken. Met de pianomuziek van Craig Armstrong op de achtergrond. Toen waren ze met tegenzin opgestaan, hadden een wandeling gemaakt langs de rivier en hadden de dag afgesloten met een vroeg etentje in een intiem Italiaans restaurant vlak bij St. James's Park. 'Door de week zit het hier stampvol met politici en journalisten,' vertelde Jay aan Magda. 'Maar op zondag is de sfeer volkomen anders.' Ze had het vermoeden dat haar grote kennis van Londen een van de dingen was die Magda zo aantrekkelijk vond aan hun tijd samen. Jay had het idee dat Philip met al zijn geld en zijn vrijgevigheid geen erg kosmopolitisch type was geweest.

Na het eten waren ze door de avondlijke straten naar Magda's appartement gewandeld. Ze brachten er niet vaak de nacht door, maar de volgende dag moest Magda weer werken en Jay had voorgesteld dat ze er dan veel beter vanuit haar eigen huis naartoe kon gaan. Uitgeput door de frisse lucht en de lichaamsbeweging was Jay gemakkelijker in slaap gevallen dan ze meestal deed in een vreemd bed.

Maar nu was ze klaarwakker, tweeënhalfuur voordat Magda's wekker afging. Voorzichtig trok ze centimeter voor centimeter het been weg dat tussen Magda's benen zat geklemd. Magda kreunde in haar slaap en ging op haar zij liggen, waardoor Jay weg kon glippen. Ze liep de kamer door, greep de peignoir van Magda van het haakje achter op de deur en liep in de richting van het kamertje dat Philip als zijn werkhoek had gebruikt. Ze wist dat er een computer stond die ze kon gebruiken en ze had een USB-stick bij zich, zodat ze alles wat ze opschreef thuis op haar eigen computer kon zetten.

Terwijl het ding aan het opstarten was, ging Jay in gedachten terug naar waar ze op zaterdag was gebleven voordat het telefoontje haar uit haar concentratie haalde.

Ik herinner me bijna niets meer van de tocht vanaf de In Pinn naar het dal. Ik weet alleen nog wel dat het heel lang duurde. De pijn in mijn knie deed me naar adem snakken, telkens als ik mijn linkerbeen moest belasten. Meer dan eens dacht ik dat ik elk moment Kathy gezelschap ging houden onder in het dal. Dat kwam niet alleen door het dode gewicht van mijn been. En het kwam ook niet door het weer; ironisch genoeg was dat wat opgeklaard en was het nu zo goed dat de meeste echte klimmers zouden weten dat ze veilig en wel beneden zouden komen. Nee, het kwam doordat ik emotioneel helemaal kapot zat. Ik had mijn zakenpartner en bondgenoot dood laten vallen. Het deed er niet toe dat ik het allemaal alleen maar had gedaan om een van ons beiden te laten overleven. Ik was totaal overstuur. Waarschijnlijk zat ik tegen onderkoeling aan. En ik was bijna zeker in shock.

Alles bij elkaar was er zoveel tijd voorbijgegaan dat het bergreddingsteam gealarmeerd was. Later kwam ik erachter dat ik me slechts honderd meter onder de top van Sgurr Dearg had bevonden toen ze me aantroffen terwijl ik mezelf de berg afsleepte. Ze hebben me in thermische dekens gewikkeld, en stotterend en wel heb ik ze verteld wat er was gebeurd. Een van de weinige dingen die ik me herinner is de blik die twee van hen wisselden toen ik hun vertelde dat ik het touw had moeten doorsnijden. Het medelijden en het verdriet op hun gezichten zal me altijd bijblijven. Ik wist dat ik in de buitenwereld zou worden veroordeeld en uitgescholden. Maar deze mensen wisten hoe wreed bergen konden zijn, en ze koesterden geen woede in hun hart voor me.

Ze vormden een cordon van steun om me heen en ze brachten me de berg af. Als je ooit wat geld overhebt dat je aan een goed doel wilt schenken en je weet niet aan wie, stuur het dan alsjeblieft naar het bergreddingsteam van Glen Brittle. Die jongens zijn ongelooflijk. Zonder aarzeling er in het donker in een sneeuwstorm op uit trekken om een vreemde te helpen, het getuigt van een moed die we niet vaak meer zien in deze wereld. Als zij er niet waren geweest, was ik die dag gestorven.

Maar op dat moment wist ik niet goed of ik nu wel of niet blij moest zijn dat ik nog leefde. De dood van Kathy was een enorme klap. Het verlies van haar vriendschap, haar scherpe zakelijk inzicht, haar gezelschap – dat was allemaal moeilijk te dragen. Maar ik kreeg de rust niet om te rouwen. Wat er met ons op de In Pinn was gebeurd, werd onmiddellijk breed uitgemeten in de media. Als de eigenaren van een van de meest vooraanstaande internetbedrijven van Groot-Brittannië waren Kathy en ik eraan gewend dat onze namen voorkwamen op de economiepagina's. Dat vonden we best leuk – we waren trots op wat we hadden bereikt.

Dit was heel anders. Elk klimongeluk waarbij iemand omkomt vanwege een doorgesneden touw zou in de meeste kranten op de voorpagina hebben gestaan. Maar vanwege onze naamsbekendheid, vanwege het tijdstip waarop het was gebeurd, was dit een verhaal dat lang in het nieuws zou blijven. Dus ik had te kampen met de voortdurende aandacht van opdringerige journalisten, die er nog niet helemaal uit waren of ik nu een tragische held was of een gemene schurk.

En alsof dat nog niet genoeg was, zat ik midden in een grote zakendeal. Eigenlijk hadden Kathy en ik het ons helemaal niet kunnen veroorloven naar de Cuillins te gaan, want we bevonden ons midden in de meest cruciale periode van onze carrière tot dan toe. Wat niemand, behalve de partijen die bij de deal betrokken waren, had geweten dat toen we naar Skye gingen, Kathy en ik bezig waren met de verkoop van *doitnow.com*. Ik had al weken geheime ontmoetingen gehad met Joshua Pitt, de CEO van AMTAGEN, en de transactie was bijna rond toen Kathy en ik onverwachts, dankzij de weersomstandigheden, de perfecte kans kregen voor de beklimming waar we altijd al van hadden gedroomd. Nu Kathy er niet meer was, moest ik omwille van al onze werknemers een manier vinden waarop de deal alsnog door kon gaan. Het probleem was dat *doitnow.com* voor de helft van Kathy was, en hoewel we allebei een testament hadden waarin we onze helft van het bedrijf aan de ander vermaakten, kost het tijd voordat een erfenis is afgewerkt. De bedrijfsadvocaten moesten de executeur-testamentair van Kathy ervan zien te overtuigen dat de verkoop van haar aandeel in *doitnow.com* in het belang was van de persoon aan wie ze haar aandelen had nagelaten. Ook al was dat dezelfde persoon die nu probeerde hen zover te krijgen de aandelen te verkopen... Er waren tijden dat ik me voelde als Alice in Wonderland. Ik had nog nooit in mijn leven onder zoveel druk gestaan.

Wat nog erger was dan die druk, was dat ik geen tijd had om te rouwen. Ik wilde mijn woede over de dood van Kathy uitschreeuwen, ik wilde huilen omdat het zo zonde was, ik wilde het ogenblik van onachtzaamheid vervloeken dat aan Kathy het leven had gekost. Maar ik moest mooi weer spelen tegenover de pers, de advocaten en de mensen die mijn bedrijf wilden overnemen.

Ik denk wel eens dat ik nooit de kans heb gehad om echt goed om Kathy te rouwen. In plaats daarvan concentreerde ik me op het behoud van de banen van alle mensen die voor ons werkten. Ik geloofde echt dat ik ze een kans zou geven tot nieuwe hoogten te stijgen als onderdeel van een veel grotere corporatie, een bedrijf dat echt kon investeren in de digitale toekomst.

We rondden de verkoop af op 9 maart 2000, drie weken na de dood van Kathy. En op 10 maart knapte de internet-zeepbel.

Een maand nadat ik *doitnow.com* had verkocht, had AM-TAGEN negentig procent van zijn waarde verloren.

Jay liet haar handen door haar warrige net-uit-bed-haren glijden. Ze bevond zich op glad ijs. Ze had een zakenpartner verloren, maar het was haar wél gelukt om haar vermogen veilig te stellen. Iedereen die voldoende geïnteresseerd was om een klein onderzoekje in te stellen, zou er algauw achter komen dat ze 237 miljoen pond had overgehouden aan de verkoop van *doitnow.com*. Het was nergens voor nodig om haar lezers van zich te vervreemden door ze met hun neus op die feiten te drukken. In plaats daarvan was het tijd voor een kleine verstandige bewerking van de waarheid.

Het toeval wilde dat Kathy en ik de verkoop van *doit-now.com* precies op het goede moment in gang hadden gezet. Deels dankzij haar inzicht in de wereld van het internet was ik een heel erg rijke vrouw.
Ik had er al dat geld voor overgehad als ik daarmee Kathy terug had.

'Maar niet heus,' zei Jay hardop. Ze sloeg het bestand op, zette het op haar USB-stick en wiste het van Magda's computer. Ze schoof haar stoel naar achteren en rekte zich uitgebreid uit. Als ze Magda nu wakker maakte zou er nog tijd zijn voor een vrij-partij voordat ze naar haar kankerpatiëntjes moest. Jay glim-lachte. Er ging niets boven wat hard werken in de vroege morgen om daar weer zin in te krijgen.

13

Charlie was te lui om uit te rekenen hoeveel uren ze in haar leven had doorgebracht in bibliotheken in Oxford. Maar in de stadsbibliotheek was ze nog nooit geweest. Het gebouw bevond zich midden in het winkelcentrum van Westgate en viel daar volledig uit de toon. Het bestond uit beton, glas en staal, een bouwstijl die typisch was voor de jaren zeventig, en het was nog moderner dan het merendeel van de gebouwen waarin zij had gestudeerd. Ze had niet het idee dat de lezers hier te lijden hadden onder toeristen die omhoogklauterden om door de ramen heen foto's te nemen, zoals studenten die in de Radcliffe Camera studeerden regelmatig overkwam. Ze dacht ook niet dat ze een eed moesten afleggen voordat ze de collectie mochten raadplegen. Charlie herinnerde zich nog hoe leuk ze het had gevonden toen ze moest beloven dat ze nooit 'vuur en vlam' de Bodleian Library in zou brengen voordat ze haar een pasje wilden geven.

Binnen een kwartier had Charlie de beschikking over een microfiche-leesapparaat en de relevante films van de plaatselijke krant. Ze was al op de hoogte van de datum van Jess' overlijden, en wat voorbereidend onderzoek online had haar aan de precieze datum van de lijkschouwing geholpen. Ze begon aan het saaie werkje van scrollen door de pagina's en probeerde geen acht te slaan op de man die naast haar zat te lezen en die afwisselend heel hard zijn neus ophaalde en aan diverse lichaamsdelen krabde. Aan zijn lusteloze gedraai aan de knop zag Charlie dat hij er alleen maar op uit was om op een warme plek zijn tijd door te brengen. Maar toen ze het eerste verhaal over de dood van Jess vond, liet ze zich algauw niet meer afleiden. Daar stond het, zwart op wit, onder de kop TRAGISCHE VERDRINKINGSDOOD STERSTUDENTE.

Een studente is vanmorgen vroeg dood aangetroffen in de rivier de Cherwell bij St. Scholastika's College.
Jess Edwards, een fanatiek roeister, is door haar teamgenoten ontdekt in het water bij het botenhuis van het Col-

lege, toen ze daar kwamen voor hun ochtendtraining. Het ambulancepersoneel was niet in staat haar ter plekke te reanimeren en bij aankomst in het John Radcliffe Ziekenhuis werd de dood geconstateerd.

Volgens een van de studentes die haar vonden, leek ze een verwonding aan haar hoofd te hebben opgelopen. De politie zei dat haar dood alle kenmerken van een tragisch ongeluk had.

Jess, 20, was een tweedejaarsstudente geografie aan St. Scholastika's. Ze was captain van de acht van het College en had met haar boot al een keer de belangrijkste roeiwedstrijd van Oxford gewonnen. Ze was lid van het bestuur van de studentensociëteit en was in de race voor de positie van preses.

Een vriendin zei: 'Het hele College is in de rouw. Iedereen hield van Jess. Het is een verschrikkelijke schok.'

Charlies mond krulde zich in een spottende sneer. Dat citaat was zo overduidelijk een verzinsel. Charlie geloofde geen moment dat die journalist echt met een studente van Schollie's had gesproken. Waar ze zich nog meer aan ergerde was dat de journalist er zich met een jantje-van-leiden van af had gemaakt. Er stond niets nieuws in het artikel.

Ze keek vluchtig naar de artikelen van de paar dagen daarna, maar er waren geen nieuwe verhalen. In St. Scholastika's had het vast gegonsd van het nieuws over de dood van Jess, maar de onfortuinlijke dood van een studente was niet iets waar de niet-academische inwoners van Oxford wakker van lagen. In dat opzicht, dacht Charlie, was de universiteit even solipsistisch als een klein kind – het middelpunt van haar eigen universum, verbaasd dat de rest van de wereld er niet hetzelfde over dacht.

Charlie verwijderde de ene rol films en begon toen aan de andere, die de periode van het gerechtelijk onderzoek na het overlijden van Jess besloeg. Toen ze het vond, zag ze tot haar verbazing de kop DOOD STUDENTE VERMIJDBAAR boven het artikel staan.

De verdrinking van een veelbelovende studente had kunnen worden voorkomen met een simpele veiligheidsmaatregel, vertelde de patholoog-anatoom uit Oxford gisteren tijdens de lijkschouwing.

Jess Edwards stierf in de rivier de Cherwell nadat ze afgelopen november met haar hoofd op de rand van de steiger bij het botenhuis van St. Scholastika's was gevallen. Maar als het College een antisliplaag had laten aanbrengen, had het tragische incident niet plaatsgevonden.

Nadat hij de diagnose 'dood door ongeval' had gesteld, zei patholoog-anatoom David Stanton: 'We kunnen niet met zekerheid zeggen wat er die morgen bij het botenhuis is gebeurd, maar als we ons baseren op het forensische bewijsmateriaal lijkt het duidelijk dat miss Edwards is uitgegleden en met haar hoofd is terechtgekomen op de rand van de steiger toen ze in het water viel. We hebben getuigen horen verklaren dat ze door deze klap bijna zeker bewusteloos is geraakt, wat er vervolgens toe heeft geleid dat ze is verdronken. Hoewel ik St. Scholastika's niets wil verwijten, lijkt het duidelijk dat dit ongeluk misschien nooit had plaatsgevonden als er een antisliplaagje was aangebracht. Ik dring er bij alle Colleges en roeiverenigingen op aan om aandacht te schenken aan de toestand van hun steigers, als een zaak van het allergrootste belang.'

Na de lijkschouwing las Terry Franks, advocaat van de familie Edwards, een verklaring namens hen voor. 'We accepteren de uitspraak van de lijkschouwer. We scharen ons achter de woorden van de patholoog-anatoom, maar we willen niemand de schuld geven van iets wat in onze ogen een ongeluk was.'

Gevraagd naar commentaar op de opmerkingen van de lijkschouwer zei Wanda Henderson, directrice van St. Scholastika's: 'De dood van Jess Edwards is een klap geweest voor ons College. We zijn er al mee begonnen de veiligheid van het terrein rondom het botenhuis aan een nader onderzoek te onderwerpen en we hebben al voor aanzienlijke verbeteringen gezorgd, waaronder ook het aanbrengen van antislipmateriaal op het hele gebied rondom het botenhuis. We willen onze gevoelens van diep medeleven met de familie van Jess overbrengen.'

En dat was dat. Charlie verbaasde zich over de reactie van de familie. De natuurlijke reactie na een dood door ongeval van een kind is dat je iemand de schuld wilt geven. Een heleboel families die in de schoenen van de familie Edwards stonden, zouden meteen van alles zijn gaan roepen over nalatigheid en rechtszaken, en niet rustig hebben geaccepteerd dat Schollie's niet aansprakelijk was voor de dood van hun dochter. Het duidde op een opmerkelijke wijsheid van de kant van de ouders. Of misschien had haar moeder zelf wel op Schollie's gestudeerd en was ze loyaal aan het College dat haar had opgeleid. Maar of het nu het een of het ander was, Charlie schoot er niets mee op. Met de verbitterde rancune van de familie achter zich zou ze wat pressie hebben kunnen uitoefenen, zelfs na zoveel tijd. Een kalm aanvaarden was de verstandige route, maar voor deze ene keer had Charlie liever te maken gehad met de onevenwichtige reactie.

Met een zucht schakelde ze het leesapparaat uit en bracht de films terug naar de bibliothecaresse. Charlie liep door de voetgangerszone terug in de richting van Carfax. De middeleeuwse toren vormde een verwijt aan de saaie winkelpuien eromheen. Ze was nu al vastgelopen. Ze moest het verslag van de lijkschouwing in handen zien te krijgen, maar een telefoontje naar het bureau van de lijkschouwer had duidelijk gemaakt dat ze daar toestemming van de familie van Jess Edwards voor moest hebben. Omdat ze geen officiële status had, werd Charlie nu geconfronteerd met een frustrerende situatie die totaal nieuw voor haar was.

Ze liep Cornmarket af en nam toen de Banbury Road op weg naar Schollie's. Ze had haar auto in een nabijgelegen zijstraatje geparkeerd, een van de eerste straten waar de parkeerbeperkingen van het stadscentrum niet meer golden. Tijdens het lopen overdacht Charlie haar beperkte mogelijkheden. Ze wilde niet toegeven dat ze niet verder kon, maar zag geen manier waarop ze meer te weten kon komen over Jess' dood. Misschien moest ze gewoon accepteren dat dit geen sterfgeval was waarbij ze Jay van iets kon betichten. Maar in dat geval had het ook geen zin meer om in Oxford te blijven rondhangen. Ze had gehoopt iets te vinden dat haar lang genoeg in Oxford zou houden om Lisa nog eens te zien. Maar als ze geen enkele aanwijzing had, had ze ook geen geldige reden om hier te blijven.

Desondanks kon het geen kwaad om even bij haar langs te rijden om te kijken of ze misschien alleen was. Per slot van rekening was het bijna lunchtijd. Zelfs Lisa moest af en toe even de tijd nemen om te eten.

Omdat ze het stadscentrum vermeed, kostte het haar niet veel tijd om in het dorpje Iffley te komen. Toen ze langzaam langs het huis van Lisa reed, moest Charlie tot haar teleurstelling constateren dat er een andere auto naast de Audi van Lisa in de oprit stond. Maar wie weet bleef het bezoek niet lang. Charlie vond een plekje voor haar auto vanwaaruit ze Lisa's voordeur en oprit kon zien en waar ze een tijdje kon blijven zitten.

Terwijl ze wachtte, overwoog ze wat haar nu te doen stond. Het lag voor de hand dat ze Kathy's overlijden op Skye nader moest onderzoeken. Er was online een heleboel over te vinden, maar zij moest het verhaal achter de krantenkoppen vinden en met iemand praten die begreep wat er echt was gebeurd. Dat betekende waarschijnlijk dat ze naar Skye moest. Dit begon een kostbare zaak te worden. Charlie vroeg zich af of Corinna zich de financiële consequenties van haar verzoek aan Charlie had gerealiseerd.

Aan de andere kant, als ze geld van Corinna aannam, ook al was het alleen voor onkosten, zou ze verplichtingen aangaan. Als Corinna voor het onderzoek betaalde, had ze recht op het resultaat. En Charlie wilde zelf kunnen bepalen wat ze deed met een eventuele ontdekking. Ze wilde niet in een situatie terechtkomen waarin ze bepaalde informatie niet met iemand anders mocht delen, omdat Corinna daartegen was. Vroeger had ze Corinna ongelooflijk bewonderd, maar dat betekende nog niet dat ze haar nu volledig vertrouwde. Alles tegen elkaar afwegende besloot Charlie om haar rehabilitatie uit eigen zak te bekostigen. Nu moest ze alleen nog bedenken hoe ze de informatie in handen kon krijgen waarmee ze zich kon rehabiliteren.

Hoe ze ook haar best deed een strategie te bedenken voor de volgende fase, Charlie kwam steeds weer terug bij Jess Edwards. Het idee dat Jay misschien wel de perfecte moord had gepleegd was Charlie een doorn in het oog. Dat ze er niets aan kon doen, vond ze nog veel erger.

Het geluid van het mobieltje deed haar opschrikken uit haar dagdromen. Maria, stond er op het schermpje. Het zat Charlie niet lekker om een telefoontje aan te moeten nemen van haar partner terwijl ze zat te posten bij het huis van de vrouw met wie ze een relatie wilde aanknopen, maar ze drukte toch op het knopje. 'Hoi,' zei ze. Ze klonk even mat als ze zich voelde.

'Ik heb net mijn laatste patiënt van vanmorgen uitgelaten en ik dacht: ik bel je even. Hoe gaat het?' Maria, vrolijk, opgewekt. Degene die haar altijd op de been hield.

'Een doodlopende straat,' zei Charlie. 'In de krantenartikelen staat niets wat ik al niet wist. Het verslag van de lijkschouwing is overgebracht naar het provinciearchief en ik kan er niet bij komen, tenzij ik een belanghebbende ben. Zoals de familie van Jess.'

'Arme jij,' zei Maria. 'En hoe zit het met de politie?'

'Ik heb niet eens de moeite genomen om met ze te gaan praten. Iedereen is natuurlijk allang vergeten wie er de leiding had bij het onderzoek naar een dood door ongeval zeventien jaar geleden. Ze hebben het officieel nooit als verdacht aangemerkt, dus bij de mensen van de recherche zal het nauwelijks enige indruk hebben achtergelaten.'

'Nee, nee, dat bedoelde ik niet.'

'Wat dan?'

'Zou de politie niet aan een verslag van de lijkschouwing kunnen komen?'

'Ik denk van wel. Maar daar heb ik niets aan. Ik ben niet van de politie.'

'God, Charlie.' Maria's toon was het verbale equivalent van ten hemel geslagen ogen. 'Je bent misschien niet van de politie, maar je kent politiemensen genoeg.'

Charlie moest hier even om lachen. 'Van wie de meesten op dit moment liever zouden vergeten dat ze ooit mijn naam hebben gehoord.'

'Ik denk niet speciaal aan de mensen met wie je hebt gewerkt. Hoe zit het met Nick? Hij vindt je helemaal het einde. Dat weet je. Hij heeft je een kaart gestuurd toen je werd geschorst, weet je nog?'

Charlie kreunde. 'Je hebt gelijk. Waarom heb ik niet aan Nick gedacht? O ja. Zou het kunnen komen omdat hij een eerzuchtige jonge smeris is die zijn carrière niet op het spel gaat zetten alleen omdat ik opeens denk dat ik Don Quichot ben?'

'Vragen staat vrij. Bel hem op. Hij woont hier vlakbij. Vraag hem mee uit eten en begin er dan over!'

'Vlakbij,' mompelde Charlie. 'Hij woont in Londen.'

'Dat bedoel ik, ja. Het is hier vlak in de buurt. Je zou ook de trein kunnen nemen. Altijd beter dan met de staart tussen de benen thuiskomen,' zei Maria. 'Wat heb je te verliezen? Als hij nee zegt, ben je nog precies even ver als nu.'

Ze had gelijk, en Charlie wist het. 'Nou, goed dan,' zuchtte ze. 'Ik bel hem wel. Hoe was jouw morgen?' voegde ze eraan toe omdat ze zich opeens herinnerde dat Maria ook nog een baan had.

Maria grinnikte. 'Niets wat ik met jou moet delen. Maar nu moet ik gaan en mijn handen wassen voor mijn eerste afspraak van vanmiddag. Ik moet twee titaniumschroeven in de kaak van een profvoetballer timmeren. Volgens mij heeft hij zijn hele puberteit op snoepjes zitten zuigen gezien de toestand van zijn gebit. Ik hou van je. We spreken elkaar later, oké?'

'Oké.' Charlie beëindigde het telefoontje en zag nog net dat Lisa's voordeur openging. Ze herkende de man die tevoorschijn kwam met een laptop in zijn hand. Tom, de collega die er was toen ze op zaterdag was aangekomen. Lisa liep met hem mee tot op de stoep. Ze droeg iets wat eruitzag als een westerse versie van de *shalwar kameez* – een ruim kraagloos overhemd en een flodderbroek die strak om haar enkels zat, beide in een levendig turkoois. Haar voeten waren bloot, maar ze leek de kou niet te voelen. Tom draaide zich om naar Lisa en legde zijn vrije arm om haar schouder. Lisa legde haar handen op zijn borst en boog zich naar hem toe.

De kus was veel meer dan wat Charlie verwachtte tussen een baas en haar ondergeschikte. Weliswaar was het niets vergeleken met wat zij en Lisa hadden gedeeld aan de andere kant van de deur, maar het zag er niet uit als iets waardoor ze een van beiden waren verrast. Dit zag eruit als gewoonte; het zag eruit als een deeltje van iets meer.

Charlie vocht tegen een plotselinge golf van misselijkheid.

Het laatste wat ze wilde was betrapt te worden, brakend in de berm in het volle zicht van Lisa's huis. Ze voelde zich al ellendig genoeg zonder dat daar nog een dosis vernedering bij kwam. Een stemmetje in haar achterhoofd dreinde: 'Daar ben je goed van afgekomen.' Het probleem was alleen dat Charlie het nog steeds niet geloofde,

Dit was nog niet voorbij.

14

Rechercheur Nick Nicolaides zette zijn National-gitaar weg, pakte de Martin D16 en controleerde of die gestemd was. Dit was de eerste vrije dag in twee weken die niet werd opgeslokt door zijn werk, en hij was vastbesloten om de begeleidende gitaarmuziek af te maken voor de nieuwe melodie die al dagen ergens in zijn achterhoofd rondspookte. Hij wist dat zijn collega's niet goed wisten wat ze aan hem hadden, omdat hij niet geïnteresseerd was in voetbal of vissen of boksen of gewichtheffen in de sportschool of in welke andere hobby dan ook die je tot een echte man maakte. Het was prima om van muziek te houden, op voorwaarde dat het erbij bleef dat je de juiste muziek op had staan in je auto of op je mp3-speler. Maar om in je vrije tijd het liefst in je eentje muziek te maken, of samen met een stelletje saaie burgers – dat was echt niet normaal.

Wat ze niet wisten was dat de muziek ervoor zorgde dat Nick niet hartstikke gek werd, dat hij weer wat dichter bij zichzelf kon komen. Muziek was het enige overblijfsel van het leven dat hij had geleid voor zijn huidige leven. Het was zijn manier om een afstand te overbruggen die voor de meesten van zijn collega's niet te bevatten was.

Het was een wonder dat hij zijn puberteit had overleefd zonder een behoorlijk groot strafblad. Iemand die minder slim, minder snelvoetig, minder goed in het uitwissen van sporen was geweest, zou aan het eind van zo'n puberteit in de gevangenis hebben gezeten en niet op de universiteit.

Maar dat deel van zijn verhaal was bij niemand bekend. En dat wilde hij graag ook zo houden. Nick had snel alle rangen doorlopen vanaf het moment dat hij bij de politie was gegaan. Om te beginnen had hij dat te danken gehad aan zijn uitstekend afgeronde studie psychologie, maar zijn aanleg had hij ook op de Politieacademie en in de praktijk bewezen. Hij was een jongeman die het ver zou schoppen. En hij verloor nooit uit het oog dat degene die dit allemaal mogelijk had gemaakt dr. Charlie Flint was.

Nick had met hangen en wurgen de cursus psychologie in Manchester gehaald. Zijn examenresultaten waren het slechtst van iedereen, en dat bij een cursus die juist zo gewild was. De enige reden waarom hij überhaupt naar de universiteit was gegaan, was om op grotere schaal te kunnen dealen en om het moment uit te stellen dat hij voor een carrière moest kiezen waardoor hij geen muziek meer kon maken, geen drugs meer kon gebruiken en geen meisjes meer kon neuken die te stom waren om hem erin te luizen. Binnen een paar weken had hij tegen wil en dank ontdekt dat hij eigenlijk best geïnteresseerd was in bepaalde aspecten van de cursus waar hij zich voor had aangemeld. De voornaamste reden daarvoor was dr. Charlie Flint.

Zij was het enige faculteitslid dat hij op zijn weg vond die geen psycholoog was, maar psychiater. Wat zij deed was gebaseerd op een medische opleiding; en bijna even interessant als wat ze te zeggen had, was het feit dat ze gerechtigd was om medicijnen voor te schrijven. En ze deed haar werk nog niet zo lang, dus hij dacht dat ze niet tegen hem op kon. Halverwege het eerste trimester was hij bij haar gekomen met een aanbod dat ze naar zijn mening niet kon weigeren. Ze zou recepten uitschrijven voor medicijnen die hij dan weer als drugs door kon verkopen. In ruil daarvoor kreeg ze geld. Maar veel belangrijker was dat hij haar het leven niet zuur zou maken. Toen ze hem vroeg wat hij bedoelde, had hij gezegd: 'Ik ben niet iemand die lijdt aan een gebrek aan fantasie. Geloof me maar, je wilt niet weten wat ik daarmee bedoel.'

'Kom maar op,' had ze gezegd, achteroverleunend op haar kantoorstoel, de handen gevouwen achter haar hoofd, het toonbeeld van zorgeloosheid.

'Om te beginnen: seksuele intimidatie,' had Nick gezegd. 'Bij een vrouw van jouw leeftijd is het niet zo leuk om ervan beschuldigd te worden dat je je aan een jonge student vergrijpt.'

Ze was in lachen uitgebarsten. En hij was beledigd. 'Denk maar niet dat ik dat niet durf.'

'Ga je gang,' zei Charlie. 'Maar laat me je één ding zeggen voordat je eraan begint. Door jouw keus van dreigement begin ik te vermoeden dat je deze cursus veel harder nodig hebt dan je denkt.'

'Wat bedoelt u?' Meestal gingen de mensen meteen overstag als Nick iets eiste. Hij combineerde een knap uiterlijk met een gevaarlijke uitstraling. Een wandelende mengeling van aanlokking en dreiging.

'Begrijp je het niet? Nou, dan moet je gewoon je gang maar gaan en jezelf volledig voor gek zetten.' Charlie ging rechtop zitten, met haar handen plat op het bureau. 'En ik verwacht dat je dat doet vanuit de binnenkant van een politiecel. Wat je niet over me weet, Nick, is dat ik met de politie samenwerk. Ik heb vrienden die mij met het allergrootste genoegen zullen gaan schaduwen en die jou graag voor het eerste het beste akkefietje willen oppakken. En ik ga je erbij lappen, vergis je niet. Ik dacht al wel dat je bezig was mijn studenten te ronselen voor jouw clubje losers, maar ik wist het niet zeker. Nu wel. En ik tolereer dat niet.'

'Is dat een dreigement?' Hij was geamuseerd, maar tegelijk ook verontwaardigd. Wie dacht dat mollige mens wel dat ze was? Of liever: hoe kwam het dat ze godverdomme niet zag wie en wat hij was?

Charlie haalde haar schouders op. 'Nee, het is geen dreigement. Het is een waarschuwing. Je bent een heel intelligente jongen. Het werkstuk dat je vorige week inleverde, had je duidelijk pas op het laatste moment neergekrabbeld. Waarschijnlijk was je onder invloed van cocaïne. En het merendeel van het leesmateriaal had je ook links laten liggen. Maar het was wel een van de beste werkstukken die ik ooit heb gezien van een student in zijn eerste trimester. Ik zie het zo: je hebt twee keuzes.' Ze hield haar handen uit elkaar alsof ze letterlijk zijn keuzemogelijkheden tegen elkaar afwoog. 'Je kunt doorgaan op de door jou ingeslagen weg. Een misdaadimperium opbouwen, 's nachts nooit slapen uit angst voor verraad en gevangenis, of erger. Of je kunt iets met je talenten gaan doen. Je kunt aan het werk gaan. Laten zien hoe goed je echt bent. En 's nachts slapen.'

In bepaalde opzichten was het een nogal clichématig keerpunt geweest. Wat Charlie onmogelijk had kunnen weten, was onder hoeveel druk Nick had gestaan. Van zijn familie; van de dealers wat hogerop in de keten; van de politie, die streng optrad als er gedeald werd bij jonge scholieren. Tot dan toe was hij buiten schot gebleven. Maar hij begreep wat ze zei. Dat geluk zou een keer ophouden. Uiteindelijk zou hij gepakt worden, en dan zouden er géén twee keuzes zijn. 'Dus ik moet zoals u worden?' was het enige antwoord dat hij toen wist te bedenken. Op hetzelfde moment wist hij dat het geen sterk antwoord was.

'Ik zal je helpen,' zei Charlie. En dat had ze gedaan. In drie jaar had hij zijn leven een andere wending gegeven. Tegen de tijd van zijn afstuderen was hij zelfs helemaal van de drugs af. Hij studeerde en maakte muziek. Voor iets anders had hij geen tijd.

Hij was er ook achter gekomen waarom Charlie het zo grappig had gevonden toen hij was komen aanzetten met zijn dreigement haar van ongewenste intimiteiten te beschuldigen. Nu schaamde hij zich een ongeluk als hij eraan dacht wat voor idioot hij toen was geweest.

Dus toen op het scherm van zijn mobieltje haar naam oplichtte terwijl hij midden in zijn eerste repetitie van zijn nieuwe stuk zat, hield hij op met aan de snaren te plukken en greep hij de telefoon. 'Charlie,' zei hij.

'Hoi, Nick. Komt het uit? Kun je praten?'

'Vrije dag,' zei hij. 'Ik wist bijna niet meer hoe dat voelde.'

'Het spijt me. Ik bel morgen wel als het beter uitkomt.'

'Nee, Charlie. Met jou wil ik altijd wel praten. Gaat het nog een beetje? Hoe is het?'

'Nou, het ligt wat ingewikkeld.'

'Niet iets met Maria, hoop ik? Er is toch niets met haar?'

'Nee hoor, met haar gaat het prima. Het is alleen dat... Nou, ik zit ergens middenin en ik zou wel wat hulp kunnen gebruiken. Maar ik wil er liever niet door de telefoon over praten. Kan ik je op een etentje trakteren?'

Nick keek hoe laat het was. Het was net twee uur. 'Dat lukt me niet,' zei hij. 'Een van mijn vrienden heeft een studio geboekt. Ik heb beloofd dat ik bij de begeleiding zou helpen. Ben je nu in Londen?'

'Nee, ik zit in Oxford.'

'Hoor eens, ik woon maar tien minuten lopen van Paddington. Heb je vanmiddag wat te doen? Kun je op de trein springen? Je zou om vier uur hier kunnen zijn. Ik hoef pas om zes uur weg. Heb je daar iets aan?'

Charlie vond dat je bij de nieuwe appartementen in Paddington Basin uit twee uitersten kon kiezen. Of je had een fantastisch uitzicht over de daken van Londen, of je had een weergaloos uitzicht op de Westway en de eindeloze verkeersstroom. Terwijl ze op de lift wachtte, sloot ze met zichzelf een weddenschap af. Een paar minuten later kon ze zichzelf feliciteren. Nick had geen chic adres gewild als dat ten koste ging van het uitzicht. Het uitzicht vanuit de muur van glas die één kant van zijn woonkamer in beslag nam was adembenemend. De kamer zelf was helemaal gewijd aan de muziek. Langs de ene muur hingen gitaren, op een lange tafel stond een keyboard naast een rij apparatuur die allemaal met computers te maken had, en een assortiment microfoons en muziekstandaarden vulde een hele hoek. Als je op de zachte leren sofa zat, de enige concessie aan normaal huiskamermeubilair, kon je mooi naar buiten kijken. Charlie keek rond en zei: 'Het past precies bij je.'

'Je hoeft er geen psycholoog voor te zijn om te zien dat muziek heel belangrijk voor me is,' zei Nick met een sardonisch lachje om zijn mond. 'Ik haal de wijn even.'

Charlie keek hem na toen hij een smal keukentje in verdween. Hij zag er goed uit, dacht ze. Toen ze hem voor het eerst had ontmoet, had hij wel iets weg gehad van de koning van de straatkatten – mager, wild, opwindend en knap op een piratenmanier. Hij was wat dikker geworden, had wat spieren opgebouwd rondom zijn onderliggende pezigheid. Hij zag er niet meer uit als een vogelverschrikker. Zijn spijkerbroek hing laag op zijn smalle heupen, zijn overhemd was ongestreken, zijn haren zaten slordiger dan de laatste keer dat ze hem had gezien. Hij zag er niet uit als een smeris in zijn vrije tijd. Dat was een van de dingen die hem tot zo'n goede politieman maakten. Hij kwam terug met een fles stevige rode wijn en een paar glazen en glimlachte haar toe met de vertrouwde twinkeling in zijn bruine door rimpeltjes omringde ogen. 'Je ziet er goed uit,' zei ze.

'Dat lijkt maar zo. Ik moet nodig vakantie hebben. Ik ben bekaf.' Hij ging op het puntje van een hoge houten kruk zitten, schonk de wijn in en gaf Charlie een glas. 'Proost.' Hij boog zich naar voren om met haar te klinken en ze ving een vleugje op van zijn lichaamsgeur – een ietwat dierlijke muskusachtige geur won het van het citrusachtige van zijn shampoo.

'Te veel werk of te veel hobby?'

Hij grinnikte. 'Te veel spelen.' Hij wees met zijn duim naar de gitaren. 'Hoe meer rottigheid ik op het werk zie, hoe meer ik mij wil verliezen in de muziek. Maar we hoeven het niet over mij te hebben.' Hij schudde zijn hoofd. 'Zijn ze nu helemaal gek geworden, of hoe zit dat? De beste profielschetser en analyticus die we hebben de laan uit sturen? Ik vind het ongelooflijk wat er met je gebeurt.'

'Het is toch echt waar. Je zit lang genoeg bij de politie.'

'Hoe kan ik je helpen? Want daarom ben je toch hier, nietwaar? Je hebt mijn hulp nodig.'

Ze voelde zijn gretigheid als een koestering, en dat gaf haar een gevoel dat ze sinds het tweede proces van Bill Hopton niet meer had gehad. 'Ik wou dat de moeilijkheden die met mijn beroep te maken hebben zo simpel lagen dat je erbij kon helpen,' zei ze. 'Maar ik ben hier om een heel andere reden.'

Nick was onmiddellijk op zijn hoede. 'Je hebt me nodig als politieman, niet als vriend.'

'Ik zou graag willen dat ze allebei aan mijn kant staan,' zei Charlie. 'Laat me je vertellen waar ik in verzeild ben geraakt.' Ze schetste in het kort wat Corinna haar had gevraagd. Ze sloeg niets over, behalve het gesprek met Lisa Kent. Ze voelde er niets voor om het onderwerp 'Lisa' te introduceren bij iemand die zo slim was als Nick. 'Maria wil dat ik dit ga doen,' rondde ze af. 'Ze denkt dat ik een uitdaging nodig heb, dat ik anders gek word. Maar ik mis de vaardigheden en ik kan ook niet bij alle informatie komen.'

Nick schonk haar een sceptische blik. 'Je hebt de vaardigheden wel,' zei hij. 'Dat staat buiten kijf. Je bent de beste ondervrager die ik ken. Maar je hebt gelijk, het is lastig dat niet alle informatie vrij toegankelijk is.'

'Precies. Als ik verder wil komen met Jess Edwards, heb ik het verslag van de lijkschouwing nodig. Ik heb geen gezag om dat onder ogen te krijgen. Maar jij wel.'

Nick schudde zijn hoofd en Charlie voelde zich opeens verlamd. Ze had gedacht dat ze op Nick kon rekenen, maar daar had ze zich kennelijk in vergist. Het was een harde klap. Maar toen hij begon te praten, was het niet wat ze had verwacht. 'Je hebt dat verslag helemaal niet nodig.'

'Maar hoe kom ik dan verder?'

'Als er in de rechtszaal iets belangrijks uit was gekomen, had het in de krant gestaan. Ik gok erop dat dit vanaf het allereerste begin behandeld is als een ongeluk, dat de recherche er nauwelijks aan te pas is gekomen. Er is dus geen politierapport geschreven en er is ook geen smeris bij wie deze zaak nog schuldgevoelens oproept. De enige die er misschien iets over kan vertellen – en ik benadruk het woordje 'misschien' – is de patholoog-anatoom. Soms zien zij dingen die niet in het eindverslag worden genoemd omdat ze niet belangrijk genoeg zijn. Of het gaat om details die niet van invloed zijn op de wettelijke afwikkeling van de zaak. Het enige waar je het verslag van de lijkschouwing voor nodig hebt is voor de naam van de patholoog die haar heeft uitgevoerd.'

'En hoe kom ik daaraan?'

Nick grijnsde zelfgenoegzaam. 'Jij niet. Ik wel. Ik bel het provinciearchief en verzin wel een of ander smoesje waarom ik het moet hebben.'

'Vind je dat niet vervelend?'

'Het is weer eens wat anders.' Hij keek weg. 'Ik ben op het moment bezig met kinderhandel in de seksindustrie. Daarbij vergeleken is al het andere een pretje. Ik doe het morgen meteen. Ik moet vanaf mijn werk bellen zodat ze me terug kunnen bellen om te controleren of ik ben wie ik zeg dat ik ben, anders zou ik het nu wel doen. Ben je dan nog in Oxford?'

De moed zonk Charlie in de schoenen. Oxford – zonder het

vooruitzicht om wat tijd met Lisa door te brengen. Uitgaande van wat ze eerder op de dag had gezien, was dat geen optie meer, al deed het nog zo'n pijn om die droom op te geven. Ze zuchtte. 'Ja, dan ben ik daar nog.'

'Oké. Ik bel je wel zo gauw ik heb wat je nodig hebt.' Hij boog zich naar voren en schonk haar glas nog eens vol. 'Wil je weten waar ik me mee bezig heb gehouden?'

Charlie moest wel glimlachen, of ze nu wilde of niet. Ze had bewondering voor zijn optimistische natuur. 'Waarom niet,' zei ze. Het was altijd beter dan te moeten luisteren naar het twistgesprek dat in haar hoofd plaatsvond.

15

Dinsdag
Er waren mensen die haar hadden laten vallen, maar dat gold niet voor Nick. Iets na tienen stuurde hij haar een sms met daarin alles wat ze nodig had.

Dr. Vikram (Vik) Patel. Werkt nog in John Radcliffe zkhuis.

Dr. Patel woonde in ieder geval in de buurt. Ze kon hem vandaag nog te spreken zien te krijgen en dan uit Oxford vertrekken voordat de depressie die op de loer lag echt toesloeg.

Ze had naar de ingewikkelde gitaarcomposities van Nick geluisterd, en dat was meteen het laatste geweest wat de dag voor haar had opgevrolijkt. In de trein was het veel te warm en veel te druk, het Chinese afhaalgerecht dat ze had opgepikt op de terugweg naar haar naargeestige logeerkamer op Schollie's was vet en smakeloos en Maria was met een collega naar de bioscoop, dus bij haar kon ze haar ei ook niet kwijt. Toen ze elkaar eindelijk wel aan de telefoon kregen, had Charlie er geen puf meer voor gehad. Het enige wat haar nog wat voldoening gaf, was dat ze niet bij Lisa in de buurt was geweest. Haar niet had gebeld, ge-sms't, gemaild; ze had zelfs haar pagina op Facebook niet bekeken.

Ondanks haar uitputting had ze bij stukjes en beetjes geslapen. Ze was zelfs op een bepaald moment bijna uit het smalle bed gevallen; ze was nog net voor het beslissende moment wakker geworden. 'Ik kan zelfs niet meer gewoon in bed liggen,' zei ze hardop. 'Ligt dit alleen aan mij of is alles gewoon shit?' Elke objectieve maatstaf zei haar dat het aan haar lag. Soms wou ze dat ze aan de drugs kon gaan. Dat zou in ieder geval de wereld op een afstand houden.

Het ontbijt was een beproeving geweest. Het ene gezicht uit haar studententijd na het andere kwam langs en bleef staan om gedag te zeggen. Van het keukenpersoneel tot professoren, allemaal hadden ze kennelijk het gevoel dat ze haar speciaal moesten begroeten. Of misschien was het gewoon omdat ze allemaal de *Daily Mail* lazen en was ze zo berucht dat iedereen zich haar herinnerde, en was het niet zozeer dat ze haar aardig vonden. Natuurlijk wilden ze allemaal verschrikkelijk graag weten waarom ze er was. Gelukkig waren medewerkers en bibliotheken in Oxford zodanig goed dat ze altijd wel iets kon antwoorden als: 'voor onderzoek'. Zelfs degenen die in ongenade waren gevallen konden die smoes gebruiken.

Net toen ze de eetzaal uit liep, kwam Corinna de docentenkamer aan de overkant uit wandelen. Na een slinkse blik om te zien of er mensen in de buurt stonden die mee konden luisteren, kwam Corinna vlug naar haar toe. 'Schiet je al wat op?' vroeg ze. Haar gezicht stond gespannen, haar ogen keken moe. Charlie stelde zich zo voor dat het niet bepaald plezierig toeven was geweest in huize Newsam sinds het nieuws van Magda op zaterdag.

'Het is niet simpel,' zei Charlie. 'Je had misschien beter een privédetective kunnen inhuren.'

Corinna keek haar doordringend aan. 'Die zouden het niet begrijpen zoals jij dat kan. En bij hen zou er niets op het spel staan. Ik heb vertrouwen in je, Charlie. Ik weet dat je zult doen wat je kunt om mijn dochter te beschermen. Maar je moet me wel op de hoogte houden, hoor. Even elke dag een belletje, dat kan toch wel?'

'Het spijt me, Corinna, maar dat zal niet gaan,' zei Charlie ferm. 'Ik kan niet goed werken als er iemand over mijn schouder meekijkt. Laat me er nu maar op mijn eigen manier mee aan de gang gaan, en dan spreken we elkaar wel als ik iets te melden heb.' De deur van de docentenkamer ging open en twee andere docenten kwamen naar buiten. Het betekende het einde van hun gesprek en bespaarde Charlie de moeite van allerlei heen-en-weergepraat.

'We spreken elkaar wel weer,' zei Corinna, die van louter frustratie een gezicht als een donderwolk had.

'Als ik er klaar voor ben.' Charlie liep weg. Voor de zoveelste keer vroeg ze zich af waarom ze zich in vredesnaam had laten ompraten.

Toen de sms van Nick binnenkwam, was ze het gebied rondom de resten van het botenhuis aan het afspeuren om de plaats van het zogenaamde delict met eigen ogen te kunnen zien. Sinds de dood van Jess was het er ingrijpend veranderd. Er stond een modernere faciliteit aan de rivier de Isis. Het hout van het voormalige botenhuis was grijs van verwaarlozing en ouderdom, het verval was al ver gevorderd. Charlie verbaasde zich erover dat het College het niet had weg laten halen. Maar nu was er nog genoeg over om zich een beeld te vormen van hoe het was geweest. De belangrijkste verandering, afgezien van de vervallen staat, was de roemruchte antisliplaag. Het bedekte al het hout dat nog zichtbaar was van de steiger; het heldere groen was vervaagd tot een duffe modderkleur, de randen waren aangetast door de tand des tijds. Dit was ogenschijnlijk een zinloze missie. Maar de wazige beelden van het geheugen werden er weer wat door opgefrist. Charlie had nu een veel duidelijker beeld van de plek des onheils.

En toen was de sms binnengekomen en had ze geen excuus meer om nog langer op Schollie's rond te blijven hangen. Charlie nam de Marston Ferry Road naar het John Radcliffe Ziekenhuis, en onder het rijden zat ze allerlei strategieën te bedenken. Geen ervan boezemde haar ook maar enig vertrouwen in. Alleen als Vik Patel het afgelopen jaar op Mars had doorgebracht, had ze een kans dat hij met haar wilde praten.

Zoals bij de meeste ziekenhuizen gaf het John Radcliffe niet duidelijk de plaats van het mortuarium aan op de plattegronden die patiënten en bezoekers ter beschikking stonden. Charlie liep met haar liefste glimlach naar de informatiebalie toe. 'Ik ben op zoek naar dr. Vikram Patel, de patholoog. Zou u me misschien de weg kunnen wijzen naar zijn kamer?' Dankzij een gelukkige onachtzaamheid van het lot had niemand haar gevraagd het identiteitsbewijs van Binnenlandse Zaken in te leveren waarmee ze toegang kreeg tot politiepanden. Ze schoof het naar de vrouw achter de informatiebalie, die er even vluchtig naar keek. Ze trok een plattegrond naar zich toe, krabbelde er wat op en gaf hem toen aan Charlie. 'U bent hier. En daar moet u zijn.' Ze wees. 'Daar is de ingang. De liften zijn in de hal.'

Charlie vond dat ze enorm bofte. Ze had een terechtwijzing verwacht, of op z'n allerminst een telefoontje naar dr. Patel om te kijken of ze werd verwacht. Misschien was het omdat ze de moeite had genomen eruit te zien als een arts, met haar beste mantelpak aan en de laptoptas over haar schouder. Ze zou bijna gaan denken dat het een keertje meezat.

Het gebouw waarin het mortuarium zich bevond was vrij nieuw of had net een opknapbeurt ondergaan. Het had niet dat lichtelijk gebutste, volledig verwaarloosde uiterlijk dat Charlie associeerde met de nationale gezondheidszorg. De muren waren schoon, de deuren pasten goed en op de bordjes op de deuren prijkte overal hetzelfde lettertype. Ze volgde de aanwijzingen en kwam uiteindelijk terecht in een kleine ontvangstruimte met twee stoelen tegenover een bureau dat zo klein was dat er nauwelijks plaats was voor het computerscherm en het toetsenbord dat de scheiding vormde tussen de bezoekers en de receptionist, een schriel mannetje, gekleed in lichtblauwe operatiekleding. Niet voor het eerst dacht Charlie dat ze nog nooit iemand was tegengekomen wiens uiterlijk opknapte van het dragen van operatiekleding. In dat opzicht verschilde het echte leven nogal van dat in *ER*.

De receptionist keek niet op toen Charlie binnenkwam. Zijn ogen waren gericht op het scherm, zijn sproeterige vingers vlogen over de toetsen. Ze had niet onmiddellijk in de gaten dat hij onder die bos springerig rossig haar oordopjes in had die vermoedelijk een dictaat rechtstreeks zijn hersens in pompten. Ze kwam wat dichterbij staan en bewoog haar hand voor zijn ogen.

Hij schrok op en zette zich af van het bureau alsof ze hem daadwerkelijk een klap had gegeven. 'Jezus,' zei hij en rukte de oordopjes eruit. 'Ik schrik me bijna een ongeluk.'

'Sorry,' zei Charlie. 'Ik ben op zoek naar dr. Patel. Vik Patel.'

De jongeman keek bedenkelijk. 'Weet hij dat u komt? Hij is namelijk bezig met een lijkschouwing.'

Charlie trok een berouwvol gezicht. 'Ik weet dat ik van tevoren had moeten bellen. Maar ik was opeens in de buurt en ik dacht: ik kan het er wel op wagen.' Ze glimlachte. 'Enig idee hoe lang hij nog bezig is?'

De jongeman keek verbaasd, alsof hij nog nooit een dergelijke vraag had gehoord. 'Mag ik vragen wie u bent?' Charlie kwam weer op de proppen met haar identiteitskaart. Ditmaal werd die zorgvuldig bestudeerd. Met een effen gezicht zei hij: 'Waar wilt u dr. Patel over spreken, dr. Flint?'

'Ik wil met dr. Patel over een oude zaak praten,' zei ze. 'Ik zal hem niet te lang ophouden.'

'Ik moet kijken wat er mogelijk is,' zei hij. Hij keek haar nog eens aan met hetzelfde nadenkende gezicht en schakelde de computer uit voordat hij vertrok door een deur achter in het kamertje. Charlie ging op een van de bezoekersstoelen zitten, sloeg haar benen over elkaar en wachtte.

Het duurde bijna tien minuten voordat de jongeman terugkwam. 'Als u nog een kwartier kunt wachten, zal dr. Patel met u komen praten.' Hij staarde haar aan alsof hij haar gezicht in zijn geheugen wilde prenten voor het geval hij ergens in de toekomst zou moeten deelnemen aan een identificatieronde.

Charlie glimlachte. Haar gezicht begon pijn te doen van al dat beleefde gedoe. 'Bedankt. Dat is prima.'

Uiteindelijk duurde het bijna vijfentwintig minuten voordat de deur achter in de kamer weer openging. Een kleine gedrongen Aziatische man in groene operatiekleding verscheen in de deuropening en staarde Charlie aan. Hij haalde zijn hand door zijn dikke zwarte haren, die achterover waren gekamd in een indrukwekkende vetkuif. Om zijn mond speelde een zenuwachtig trekje. 'Bent u dr. Flint?' vroeg hij.

Charlie stond op. 'Dat klopt. Dr. Patel?'

'Zeg maar Vik,' zei hij. 'Kom verder. We zullen ons moeten haasten. Ik heb voor de lunch nog een lijkschouwing.'

Charlie liep achter hem aan een andere gang in, die er ook vrij ordentelijk uitzag. Halverwege sloeg hij opeens links af en liep een kantoortje in. Een van de binnenmuren was een lang raam dat uitkeek over een sectiezaal. Een technicus in een witte overall en rubberlaarzen was zorgvuldig tafels aan het schoonmaken. Patel liet een geluidje horen en deed de jaloezieën naar beneden. 'Ga zitten,' zei hij, en hij gebaarde naar een vouwstoel die in een hoek naast het bureau geperst was. Keurige stapeltjes papier lagen naast een supermoderne laptop. Een roestvrijstalen thermosfles en een telefoon stonden naast de computer. Charlie kon zich een leven dat grotendeels bestond uit tot aan je ellebogen in menselijke resten wroeten niet voorstellen, maar ze benijdde Vik Patel wel om zijn duidelijke talent voor netheid.

Hij duwde een bril met een zwart montuur omhoog op zijn neus en keek Charlie vragend aan. Van dichterbij zag ze een paar strengen zilver in zijn haren en dunne rimpeltjes in zijn theekleurige huid. Hij was ouder dan ze eerst had gedacht. 'Ik weet niet goed wat ik hiervan moet denken,' zei hij. 'U bent toch psychiater?'

Dat detail stond niet op haar identiteitskaart. Ze hadden ofwel haar naam herkend, of ze hadden haar vliegensvlug gegoogeld. Maar ondanks dat had Patel besloten met haar te praten. Dat was waarschijnlijk een punt in haar voordeel. 'Dat is zo, ja,' zei Charlie, die toch wat op haar hoede was.

'U hebt per definitie te maken met de levenden. En ik, ik ben patholoog. Per definitie heb ik te maken met de doden. Ik zal eerlijk tegen u zijn, dr. Flint. Ik zie niet direct wat we gemeen hebben.'

Zijn accent kwam niet uit de buurt. Hij kwam net als zij uit het noorden. Leeds of Bradford, dacht ze, en ze vroeg zich af of ze dat kon gebruiken als een brug tussen hen. In plaats daarvan zei ze: 'Ik heet Charlie.' Ze glimlachte, ze ging door met haar charmeoffensief. 'Ik ben op zoek naar informatie, Vik. Over een oude zaak van je.'

'Hoe kan een oude zaak van mij van belang zijn voor jou?'

Hij maakte het haar niet gemakkelijk. Maar aan de andere

kant: waarom zou hij? 'In mijn werk hebben mensen de neiging om bekentenissen af te leggen of beschuldigingen te uiten die niet altijd waar zijn. Maar soms zijn ze waar en dwingen ze ons om nog eens te kijken naar zaken die misschien al jaren geleden zijn afgesloten. Nu zit ik in de situatie dat iemand een bewering doet over een sterfgeval dat te boek stond als een ongeluk. Als die persoon gelijk heeft, zou dat kunnen betekenen dat er een moordonderzoek moet komen.'

Patel knikte ongeduldig. 'Dat snap ik, Charlie. Ik nam al aan dat het iets dergelijks was. Wat ik niet snap is waarom jij hier zit, en niet iemand van de politie. Bij mijn weten zijn dat degenen die achter moordenaars aan gaan.' Weer streek de hand de haren glad. Het leek een mechanisme te zijn om zichzelf gerust te stellen, dacht ze. Hij had zijn haren en de situatie in de hand.

'Het heeft geen zin om kostbare politietijd te verkwisten totdat ik weet of er iets is wat het onderzoeken waard is, nietwaar?' Ze had dit antwoord tijdens het ontbijt bedacht en hoopte dat het onder druk stand zou houden.

'Aha, we willen geen kostbare politietijd verspillen. En jij hebt op dit moment tijd in overvloed, of niet, Charlie?' Hij wilde graag tevreden over zichzelf zijn, dus Charlie overdreef de blik van ontzetting op haar gezicht.

'Ik vroeg me af of je mijn naam zou herkennen,' zei ze. 'Het is waar dat ik het minder druk heb dan normaal. En dat heeft me de gelegenheid gegeven om dossiers die ik ooit terzijde heb moeten leggen nog eens wat beter te bekijken.' Ze spreidde haar handen met de handpalmen naar boven. Een gebaar van openheid en vertrouwen. 'Je weet hoe dat gaat. Er is een beperkte hoeveelheid tijd en bepaalde zaken zijn ingewikkelder dan andere.' Dit zou hij toch moeten herkennen.

Patel beantwoordde haar glimlach. 'Praat me er niet van.' Hij wierp een blik over zijn schouder naar de klok aan de muur. 'Ik heb nog tien minuten. Ik ben benieuwd wat zo de moeite waard is dat je je verdediging voor het Medisch Tuchtcollege ervoor in de steek laat.'

Charlie lachte sarcastisch. 'Het is niet zo bijzonder. Ik heb gewerkt met iemand die beweert dat ze getuige is geweest van een moord. Dit overkomt me wel vaker, maar toen ik naging wat ze me had verteld, kwam ik erachter dat er inderdaad een onverwacht sterfgeval had plaatsgevonden op de precieze tijd en plaats die zij had aangegeven. En dát komt minder vaak voor dan je zou denken.'

'En dit onverwachte sterfgeval was er een dat ik heb behandeld? Ben je daarom hier?'

'Daar komt het in het kort op neer, Vik. Bij de lijkschouwing werd geconcludeerd dat het om een dodelijk ongeval ging. De politie zei dat al het bewijsmateriaal overeenstemde met die conclusie. Maar ik wilde je vragen of er destijds iets was wat op meerdere manieren kon worden uitgelegd. Iets wat je aan het denken zette, maar dat niet genoeg was om de politie van mening te doen veranderen.' Charlie haalde haar schouders op. 'Om je de waarheid te zeggen, Vik, ik verwacht niet anders dan dat ik hier met lege handen vertrek.' Een tactische opmerking, waarmee ze beoogde dat hij nu haar ongelijk wilde gaan aantonen.

'De politie van Thames Valley neemt mij serieus,' zei hij, en de hand werd weer door zijn haren gehaald. 'Ze negeren het niet als mij iets dwarszit.'

'Daar twijfel ik niet aan. Maar zoals je zei, we moeten allemaal onze prioriteiten stellen.' Dat had hij niet gezegd, maar zij wel. Maar ze dacht niet dat hij haar tegen zou gaan spreken.

'Wanneer speelde die zaak?'

'In november 1993.'

Patel zette grote ogen op. 'En jij denkt nu dat ik me nog de details herinner van een zaak van zeventien jaar geleden?' Zijn stem sloeg over van verbazing. 'Heb je enig idee hoeveel lijkschouwingen ik per week doe?'

'Je doet er niet zoveel op vrouwen van twintig die in een perfecte lichamelijke conditie verkeren,' zei Charlie. 'Haar naam was Jess Edwards en ze is verdronken in de Cherwell bij het botenhuis van St. Scholastika's.'

Het was schitterend om te zien hoe er achter Patels donkere ogen een lichtje opging. 'Dat herinner ik me inderdaad,' zei hij langzaam. 'Begrijp me goed, ik weet geen details meer. Maar ik herinner me de zaak wel.' Hij maakte afkeurende geluidjes achter zijn tanden. 'November 1993. Toen hadden we al computers. Dit zou op de server moeten staan...' Hij pakte zijn telefoon en draaide Charlie de rug toe. 'Matthew? Ik had graag dat je een verslag voor mij tevoorschijn haalde van november 1993... Jess Edwards... Hoelang heb je daarvoor nodig?' Hij knikte. 'Bedankt.'

Hij haalde de laptop uit de slaapstand. Het scherm werd gevuld met zijn agenda voor die dag. Hij liep met zijn vinger de afspraken voor die dag langs en draaide zich toen om naar Charlie. 'Kun je vanmiddag terugkomen? Om halfvier? Komt dat uit?'

'Dat komt heel goed uit.' Charlie stond op. 'Bedankt voor de moeite.'

Patel knikte. 'Ze was even oud als mijn dochter,' zei hij. 'Soms moet je iets extra's voor de goede zaak overhebben.'

16

Geduldig wachten was nooit een van Charlies sterke kanten geweest. Ze had vrienden en collega's die onverwachte vrije tijd zagen als een geschenk uit de hemel, maar zij had altijd de drang gevoeld om zo'n plotseling gat in haar agenda productief te maken. Dus ze vertrok uit Vik Patels kantoor met grootse plannen om terug naar Schollie's te gaan en daar haar onderzoek online voort te zetten. Maar toen ze inlogde op haar laptop verscheen er als eerste een e-mail van Lisa op haar scherm.

Als ze nu probeerde te internetten zou de boodschap haar dwarszitten, totdat ze hem openmaakte. En ze wilde niet lezen wat Lisa te zeggen had. Charlie had genoeg zelfkennis om te weten dat Lisa nog macht over haar had. En ze wilde zich niet nog een keer door haar woorden laten verleiden. Dus deed ze de laptop dicht en ging ze languit op haar bed liggen om te overdenken welke opties ze had.

Toen ze wakker werd, was het twee uur. Charlie kon niet geloven dat ze bijna drie uur had geslapen. Ze was niet iemand voor dutjes en ze wist nu ook weer waarom dat was. Groggy en met een duf hoofd kleedde ze zich uit en ging ze onder de douche staan, want ze wilde absoluut helder kunnen denken. Vik

Patel was geen zacht eitje; ze kon zich bij hun ontmoeting geen hoofd vol watten veroorloven.

Met nog natte haren liep ze vlug naar de auto en keek ondertussen nog gauw op haar mobieltje of er iemand contact met haar had opgenomen. Een sms van Lisa. 'In godsnaam,' mompelde Charlie. Toen ze zat te snakken naar elk klein kruimeltje van Lisa's tafel was er bijna niets haar kant op gekomen. En nu ze met rust gelaten wilde worden, leek Lisa in de achtervolging te zijn gegaan. 'Ik ga je negeren,' zei ze toen ze in de auto stapte. 'Ik heb hier geen enkele behoefte aan.'

Ze was vijf minuten te vroeg bij het ziekenhuismortuarium, maar ditmaal werd ze door de receptionist onmiddellijk doorgesluisd naar het kantoor van zijn chef. Toen ze binnenkwam sprong Patel op met een bezorgde blik op zijn gezicht. Hij kwam onmiddellijk ter zake en zei: 'Dit is heel onrustbarend.'

'Heb je iets gevonden?' Charlie deed geen moeite om haar gretigheid te verbergen.

Patel zoog scherp zijn adem naar binnen. 'Nou en of,' zei hij. 'Zodra ik het bestand onder ogen kreeg, wist ik het weer. Een ongerijmdheid. Een heel duidelijke ongerijmdheid.' Hij gaf aan dat Charlie in de stoel in de hoek moest gaan zitten en wees naar zijn bureau. Tot haar verbijstering stond er nu op de plaats van zijn laptop een wat onbeholpen bouwsel van lego op een vel papier. Hij ging zitten en tikte op een vierkant ding op een groene ondergrond. 'Je moet je voorstellen dat dit het botenhuis en de steiger zijn van St. Scholastika's College,' zei hij. 'En dit vel papier is de rivier.'

Charlie knikte. Het was een vrije interpretatie van de plek waar ze die morgen was geweest, maar zij was bereid haar fantasie aan het werk te zetten. 'Oké.'

Hij pakte een legopoppetje dat verdacht veel gelijkenis vertoonde met prinses Leia. 'Dit is Jess. Ze komt uit het botenhuis...' Hij bewoog het kleine figuurtje van het gebouw naar de rand van de steiger. 'Ze glijdt uit...' De voeten verdwenen onder prinses Leia en haar hoofd raakte de scherpe rand. Ze viel op het papier met haar gezicht naar beneden. 'Ze is bewusteloos als ze het water raakt. Ze verdrinkt. En daar heb je het. Een perfect verslag van haar dood.'

'Wat is de ongerijmdheid?' vroeg Charlie, die van opwinding bijna niet kon blijven zitten. 'Wat is er mis met dit perfecte verslag?'

'Denk je nu in dat de schedel de rand van de steiger raakt in een neergaande baan. De wond heeft de vorm van een wig. Dus toen ik de schedel van Jess Edwards onderzocht, verwachtte ik een wigvormige wond te zien. En dat zag ik ook. Alleen zat de wig ondersteboven.' Hij pakte prinses Leia nog een keer. Hij liet haar achteruitlopen van het botenhuis naar de rand van de steiger en trok nog eens de benen onder haar weg. Ditmaal raakte de achterkant van haar hoofd de rand van de steiger, maar haar lichaam bleef op het plankier. 'Met een wond met de vorm die ik heb gezien had ze achterover op de rand moeten vallen. Dan was haar lichaam dus op de steiger achtergebleven. En dan was ze niet verdronken.'

Charlie dacht na over wat hij had gezegd, op zoek naar een logische verklaring. 'Stel dat ze nog bij bewustzijn was? Dat ze op en neer rolde van de pijn? Had ze dan niet over de rand kunnen vallen?' Het was niet zo dat Charlie aan Patel twijfelde. Ze wilde hem juist geloven. Ze wilde ervan overtuigd zijn dat Corinna haar niet op een zinloze missie had gestuurd. Maar ze was erin getraind om te wantrouwen, om bewijs te willen zien, om te beproeven.

'Dat is precies wat de politieman zei. En ik zal je vertellen wat ik tegen hem zei. Ik, als patholoog, ben van mening dat ze onmogelijk bij bewustzijn had kunnen zijn na die klap op haar hoofd. Maar nu komt het. Het is algemeen bekend dat het moeilijk is om eensluidende conclusies te trekken over de gevolgen van een hoofdwond. Er zijn verhalen opgetekend over mensen die in het hoofd waren geschoten en die naderhand volledig coherent rondliepen. Dus in theorie valt jouw suggestie misschien nog net binnen de grenzen van wat mogelijk is.'

Charlie had een poosje haar adem ingehouden en ademde nu uit. 'Wat zei die politieman?'

'Hij zei dat alles wees op een tragisch ongeluk. Alles. Er was geen indirect bewijs, geen forensisch bewijs, er waren geen getuigen. Als er een verklaring was, hoe vergezocht ook, zou hij die accepteren. Als een ongerijmdheid de enige manier was om dit te verklaren dan moest hij maar met die ongerijmdheid leven.'

'Je hebt hier tijdens de lijkschouwing niets over gezegd,' zei Charlie.

'Nee. Omdat ongerijmdheden nu eenmaal voorkomen. En afgezien daarvan was er niets wat ook maar de geringste twijfel bij iemand opriep. In die omstandigheden moet je ook rekening houden met de familie. Er is geen bewijs dat een moordonderzoek rechtvaardigt, en als ik hen dan aan het twijfelen breng...' Patel liet zijn hand weer door zijn haren glijden. 'Het enige wat ik dan had gedaan was hun een afronding ontzeggen. Voor altijd. Omdat er geen afronding mogelijk was.'

'En als ze is vermoord?'

'Als die patiënt van jou inderdaad getuige is geweest van een moord, bedoel je?'

'Ja.'

Patel keek ongerust. 'Dan krijgen een helcboel mensen met een heleboel pijn te maken.'

'Inclusief jijzelf?'

Hij glimlachte triest. 'Ik hoor niet bij jouw clubje, Charlie. Ik ben niet degene die de boel in het honderd stuurt.' Hij stond op. 'Veel succes. Ik hoop dat je medestanders krijgt en dat er nog iemand anders die maffe kennis van jou serieus wil nemen.'

Charlie was heel tevreden over zichzelf. Ze was bijna van de rondweg om Birmingham af, die er altijd uitzag als een langzaam bewegende parkeerplaats, en ze had de sms van Lisa nog niet opengemaakt, en de e-mail ook niet. Net toen ze zichzelf een schouderklopje gaf voor haar wilskracht, ging haar telefoon. 'Privénummer' stond er op het scherm. Dat kon iedereen zijn, van haar advocaat tot haar moeder, die graag vanaf haar werk belde als haar baas er even niet was. Charlie besloot het er maar op te wagen. 'Hallo?' zei ze voorzichtig. Ze probeerde met een accent te praten waardoor haar stem niet echt op haar eigen stem leek.

'Charlie?' Zo te horen was het haar gelukt om Nick op het verkeerde been te zetten. 'Ben jij het?'

'Ha Nick.'

'Ik dacht: ik zal je even bellen om te horen hoe het bij dr. Patel ging.'

Charlie begon hem bij te praten. Toen ze klaar was floot hij zachtjes. 'Een ongerijmdheid, hè? Wij houden wel van ongerijmdheden, hè Charlie?'

'Wie zijn die "wij", Nick?'

Het was even stil; toen zei hij: 'Je kunt dit in je eentje niet aan, Charlie. Je hebt iemand nodig die van wanten weet.'

'En dat ben jij?'

'Jazeker.'

Charlie was geroerd, maar ze was ook op haar hoede – ter wille van Nick. De hemel mocht verhoeden dat hij verwikkeld raakte in alle ellende die zij de laatste tijd had meegemaakt. 'Je hebt zelf al een baan. Wees alsjeblieft niet te enthousiast,' zei ze streng. Ze moest remmen toen het busje voor haar schokkerig tot stilstand kwam.

'Dit is voor mij zoiets als een stressbestrijder,' zei hij. 'Ik wil helpen, Charlie. Je hebt me nog nooit iets voor je laten doen, en dat is niet goed. Vriendschap is tweerichtingsverkeer, zeggen ze. Dus laat me je hierbij helpen.'

Charlie kreeg een brok in haar keel. Ze was er niet aan gewend dat mensen haar kwetsbaarheid zagen, laat staan dat ze er iets aan deden. 'Je doet maar,' zei ze wat korzelig. 'Ik kan je niet tegenhouden, hè?'

'Goed. Nou, volgens mij kunnen we niet veel meer doen in de zaak van Jess Edwards. De voornaamste bewijswaarde is dat het bevestigt hoe de moord is gepleegd – zó heeft ze Jess Edwards vermoord, en dat is bijna identiek aan de manier waarop Philip Carling werd vermoord. En de twee mensen die nu achter de tralies zitten voor de moord op hem hebben honderd procent zeker Jess Edwards niet vermoord. Dus wat ons nu te doen staat...'

'Nick?' viel Charlie hem in de rede. 'Hebben we het nu over een betekenis van het woord 'helpen' die ik niet ken? De betekenis waarbij jij gewoon het heft in handen neemt?' Er klonk een lach door in haar stem, maar ze hoopte dat hij ook de onderliggende ernst in de gaten had.

'Sorry, Charlie. Ik liet me gewoon even meeslepen op mijn

eigen vakgebied. Wat had jij in gedachten als volgende stap?'

'Ik wil zo veel mogelijk te weten komen over de dood van Kathy Lipson. Blijkbaar hebben ze in Schotland zoiets als een onderzoek naar dood door ongeval in plaats van een gerechtelijk onderzoek, en de verslagen zijn voor iedereen toegankelijk. Online zelfs. Modern, hè?'

'Heel indrukwekkend. Ben je van plan naar Skye te gaan om met die mensen van het bergreddingsteam te praten?'

'Grappig dat je dat zegt, want daar zat ik inderdaad over te denken.' Het verkeer kwam weer enigszins op gang en Charlie liet de koppeling opkomen.

'Vergeet niet naar de telefoon te informeren.'

'Wat is er met de telefoon?'

'Of die samen met de rugzak van Jay is teruggevonden.'

'Ik weet niet eens of de rugzak is teruggevonden,' zei Charlie.

'Dan heb je nog iets om naar te informeren.'

'Nick, het was een satelliettelefoon. Staat er dan ergens geregistreerd waarheen getelefoneerd is en wat er is binnengekomen?'

'In 2000? Dat zou eigenlijk wel moeten.'

'Denk je dat je eventueel aan die gegevens zou kunnen komen?'

'Waarschijnlijk niet zonder bevelschrift. Zelfs al zou ik weten welk bedrijf het was.

'In 2000 waren er vast nog niet zoveel bedrijven voor satelliettelefoons.'

'Nee, en de kans dat die bedrijven nog in dezelfde vorm bestaan is niet erg groot.' Nick klonk somber.

'Satelliettelefonie was destijds zo duur dat het echt interessant is te zien wie het volgens Jay waard waren om met zo'n ding op te bellen.'

'Daar kan ik niets tegenin brengen. Ik denk alleen dat onze kans om die informatie nog in handen te krijgen praktisch nihil is.'

Charlie zag voor zich wat ruimte ontstaan en wisselde van rijbaan. 'Je hebt waarschijnlijk gelijk. Gelukkig hebben we nog meer ijzers in het vuur. Ik wil ook weer contact opnemen met Magda, het liefst wanneer Jay er niet is. Ze was op zaterdag meteen heel open tegenover mij, daar moet ik eigenlijk munt uit slaan. Ik moet erachter zien te komen wat ze misschien weet wat ze niet weet dát ze weet, als je begrijpt wat ik bedoel.'

'Helemaal. Goed idee.'

'En? Wat zou ik nu volgens jou als eerste moeten doen?'

Nick grinnikte. 'Ik vind dat je met Paul Barker en Joanne Sanderson moet gaan praten. Als Corinna gelijk heeft en zij er in zijn geluisd, hebben ze misschien wel iets interessants te vertellen. Je weet hoe dat gaat – de advocaten beslissen hoe ze de verdediging gaan voeren, en alles wat daar niet precies in past wordt terzijde geschoven.'

Charlie zuchtte. 'Je hebt misschien wel gelijk. Maar ze zitten nu in de gevangenis en ik ben niet meer in een positie om ze te gaan opzoeken.'

'Je zou met de advocaat kunnen gaan praten. Aanbieden om te helpen als ze in beroep gaan. Ze zullen een gratis psychologische beoordeling van jou met beide handen aangrijpen.'

Charlie snoof ongelovig. 'Ik ben uit de gratie, Nick. Ik ben persona non grata. Niemand zit te wachten op een beoordeling van mij, gratis of niet.'

'Dat is gelul, Charlie. Voordat je het weet, zit je weer achter het stuur. We weten allebei dat het enige wat je hebt fout gedaan is dat je eerlijk bent geweest. Je bent binnen de kortste keren weer de baas van het hele stelletje.'

Ze wou dat ze hem kon geloven. Maar de zaak-Bill Hopton zou op korte termijn niet uit de geheugens en de krantenkoppen verdwijnen. En zolang de mensen er nog over praatten, zou ze niet meer kunnen optreden als getuige-deskundige. 'Ja, dat zal wel,' zei ze berustend.

'Ga met de advocaat praten, Charlie. Bel hem meteen op als je thuis bent. Als je geaccrediteerd bent door de advocaat, kun je ze al heel gauw bezoeken. Wat heb je te verliezen? Beloof me dat je zult bellen.'

'Goed, Nick. Ik bel wel. En aangezien je zo verschrikkelijk graag wilt helpen, mag jij contact opnemen met jouw collega's in Spanje en zo veel mogelijk te weten zien te komen over Ulf Ingemarsson.'

Nu was het Nicks beurt om te zuchten. 'Hij is toch die man

die aan *24/7* heeft gewerkt en zij heeft dat werk toch zogenaamd gestolen? Hoe spel je die naam?'

Charlie deed braaf wat hij vroeg en spelde de naam. 'Hij is in 2004 in Spanje overleden. Als je met de advocaat daar kunt praten zou dat fantastisch zijn. Waar ik eigenlijk op uit ben is iemand die me in contact kan brengen met de vriendin van Ingemarsson. Zij wist kennelijk alles over zijn werk. Ik zou graag willen horen wat zij te zeggen heeft over Jay.'

'Oké, chef. Ik richt me op Spanje en jij neemt contact op met een van de advocaten. We houden contact.'

En weg was hij. Dat gold ook voor de file, die zich als bij toverslag had opgelost. Charlie drukte haar voet op het gaspedaal; ze had zich in geen tijden zo ongecompliceerd blij gevoeld. Totdat Nick haar was gaan helpen, had ze haar ogen gesloten voor de realiteit dat ze helemaal alleen stond. En ook voor de negatieve impact die het op haar had gehad. Nu had ze iemand die ze als klankbord kon gebruiken voor haar ideeën. En, nog belangrijker, ze had iemand die dingen op zich kon nemen die zij niet kon doen.

Tegen de tijd dat ze thuis was, voelde Charlie zich vrolijker dan ze in tijden was geweest. Het was veel te laat om nog die advocaten te pakken te krijgen; daar zou ze morgen onmiddellijk werk van maken. Ze moest morgenvroeg twee uur lesgeven in een eindexamenklas, maar de rest van de dag had ze alle tijd om achter advocaten aan te gaan.

Ze reed de oprit op, blij dat de reis erop zat. De M6 was altijd afschuwelijk. Je kreeg er steevast een overdosis aan auto's, vrachtwagens en wegwerkzaamheden te verduren. Charlie, een verstokte automobiliste, gaf het niet graag toe, maar nu ze er gratis Wi-Fi en stopcontacten hadden, ging ze langzamerhand liever met de trein. Ze stapte uit, rekte zich uit, en zag toen pas dat Maria's auto niet bij de garage geparkeerd stond. Ze keek op haar horloge. Het was al na achten. Toen ze eerder op de dag had gebeld dat ze terug naar huis zou komen, had Maria er niets over gezegd dat ze uit zou gaan.

Het huis was donker en kil. De verwarming was kennelijk al uit sinds Maria die morgen was vertrokken. Charlie knipte overal de lichten aan tot ze in de keuken was, waar geen briefje op tafel lag. Vreemd, dacht ze, en ze haalde haar mobieltje tevoorschijn om Maria te bellen. Ze zag dat er eerder een sms was binnengekomen, vermoedelijk toen ze met Nick aan het praten was.

Ga met meiden van werk naar vroege film. Om 9 uur thuis.
Xxx

las Charlie. Het was onredelijk, dat wist ze, maar ze was echt pissig. Ze had er helemaal op gerekend dat Maria thuis was.

Ze wist meteen toen ze de toetsen indrukte dat wat ze nu ging doen nukkig en kinderachtig was. Maar dat interesseerde haar niet. De sms van Lisa vulde het scherm. Met een knoop in haar maag las Charlie hem.

Heb gemaild, heb je vast niet gezien. Hoop alles goed? Wil je zien voor je teruggaat. Na 3en? Alsjeblieft? Hoop dat het lukt. Xxx.

Voor Lisa was het een overdreven lange sms. Het was, dacht Charlie, de eerste keer dat Lisa iets vroeg. De tweede ongerijmdheid van de dag, en nog meer welkom dan de eerste.

En nu was het onmogelijk om haar mailtje ongelezen te laten. Charlie rende naar boven naar het kamertje boven de garage dat thuis haar kantoortje was geworden. Ze startte de computer en ging rechtstreeks naar haar mails toe. Daar, midden tussen de zevenentwintig e-mails die er sinds maandagmiddag waren binnengekomen, stond de boodschap van Lisa.

Hoi,
Hoop dat alles goed loopt en dat je niet te veel gebukt gaat onder de last die Corinna op je schouders heeft proberen te leggen. Ik wou dat we zaterdag wat meer tijd samen hadden gehad. Ik heb het gevoel dat we geen van beiden echt de kans hebben gehad de dingen te zeggen die we wilden. Maar toch vermoed ik dat het voor ons beiden leuker was dan alle andere verplichtingen. Ik heb me moeten bekommeren om die arme Tom, die het moeilijk heeft met de terminale kanker van zijn vrouw. Hij is erg emotioneel. Wat

begrijpelijk is. Hij ziet mij nu als een soort moeder. Wat niet zo verstandig is.

Ben je weer in Oxford? Ik dacht dat ik je in je auto zag zitten. Zo ja, kom dan langs. Aan de ene kant wil ik niet dat je je tijd verspilt aan dat idiote angstaanjagende spookbeeld dat door Corinna is opgeroepen. Aan de andere kant vind ik het idee leuk dat je nu een reden hebt om naar Oxford te komen. Het is voor ons allebei moeilijk als we bijna nooit eens goed kunnen praten.

Ik denk aan je.

Lisa

Charlie stortte zich meteen op het stukje waar iets over Tom en zijn verdriet werd gezegd. Onmiddellijk probeerde ze zich weer voor de geest te halen wat ze had gezien. Kon ze zich hebben vergist? Had haar geest een angstbeeld gecreëerd, iets wat in feite een emotionele maar in seksueel opzicht onschuldige omhelzing was geweest? Het was niet onmogelijk. Charlie was zelf in een tobberige stemming geweest; haar onbeheerste emoties had ze niet onder controle gehad. En hier werd ongevraagd op een presenteerblaadje de onschuldige verklaring aangeboden. Ze begon bijna hardop te lachen en vervloekte zichzelf dat ze zo dwaas was geweest om meteen het ergste te denken in plaats van er onbevooroordeeld tegenaan te kijken. Ze had jaren van vaktraining terzijde gegooid, alleen maar omdat ze leed aan de ellende van een puberaal verlangen naar iemand van wie ze dacht dat ze buiten bereik was. 'Je bent een idioot, Charlie,' zei ze, en ze drukte triomfantelijk op de knop 'beantwoorden'. 'Maar het is nooit te laat om er iets aan te doen.'

17

Magda rende door de regen en trok een sprint naar de kleine Sainsbury's supermarkt om de hoek van haar appartement. Ze was thuisgekomen, wilde wat te eten voor zichzelf klaarmaken en had tot haar schrik ontdekt dat ze bijna niets meer in huis had. Ze was zo vaak bij Jay thuis geweest, en ze had niet gemerkt dat ze die enkele keren dat ze in haar appartement was langzamerhand de voorraad in het keukenkastje aan het opmaken was. Vanavond was Jay in Bologna; waarschijnlijk zat ze aan een sensationeel maal in een intieme, door een familie gerunde, *trattoria*, en zij had niet eens een zak pasta en een pot saus om eroverheen te kieperen.

Magda was maar half met haar hoofd bij het winkelen; ze vulde haar mandje en ging in de rij staan. Dit was nog zo'n verschil tussen haar leven vroeger en nu. Toen ze met Philip was, had ze het prettig gevonden als hij af en toe weg was voor zaken. Dan had ze de kans gehad om de dingen te doen waar ze nooit aan toe leek te komen als hij er was: lekker lang in bad liggen weken met kaarsjes en een gin-tonic; laat op de avond nog een boek gaan kopen op Charing Cross Road; een dvd huren die ze dan bekeek met een paar opgewekte verpleegsters van de afdeling oncologie; of gewoon met een boek in bed gaan liggen met een fles mineraalwater en een rol chocoladebiscuitjes.

Maar als Jay de stad uit ging vond ze dat nooit prettig. Het appartement leek leger dan ooit. Magda voelde zich rusteloos, niet in staat om ergens aan te beginnen, om lang ergens mee bezig te zijn. Misschien kwam het omdat ze zich ten opzichte van Jay nooit schuldig voelde als ze toegaf aan een plotselinge gril. Jay deed dan met haar mee, of ze ging zelf iets doen zonder dat ze iets verwijtends uitstraalde. Dus er was niets wat ze in Jays afwezigheid kon doen wat ze niet kon doen als ze er wél was.

Behalve haar missen natuurlijk.

Tegen de tijd dat ze haar paar boodschappen had afgerekend, was het minder gaan regenen. Desondanks was ze blij dat ze weer droog en wel in de hal van haar eigen appartementengebouw stond. Ze schudde haar haren als een natte hond en liep in de richting van de liften. Voordat ze een van haar draagtassen kon neerzetten om op de bel te drukken, dook er een man naast haar op die zijn vinger naar de knop uitstak.

Het was iemand die ze niet kende, wat niet bijzonder ongewoon was. Het appartementenblok was zo groot en haar werktijden waren zo onregelmatig dat Magda de meesten van haar buren niet kende. De man liep achter haar aan naar binnen en toen ze zich omdraaide naar de liftdeuren, wierp ze hem een steelse blik toe. Nee, hij was zeer zeker niet iemand die ze eerder had gezien. Maar een paar centimeter langer dan zij, stoppelig lichtbruin haar dat zijn kale plek omkranste, zachte gelaatstrekken en ogen die de kleur hadden van gekookte kruisbessen. Hij droeg een van die overjassen waarvan ze altijd vond dat alleen mannen die op chique kostscholen hadden gezeten ze mochten dragen – camelkleurig, licht getailleerd, met een bruine katoenfluwelen kraag – en hij had een paraplu en een aktetas bij zich. Hij zag er niet veel ouder uit dan zij, maar hij kleedde zich minstens een generatie ouder.

'Jij bent Magda, hè?' zei hij zodra de deuren dichtgingen en ze alleen in het kleine stalen hokje stonden. Zijn stem paste precies bij zijn overjas – geaffecteerd, chic en poeslief.

Verschrikt draaide Magda zich half om en deed tegelijk een pas achteruit. 'Sorry. Ken ik u?'

'Ik was net op weg om bij je langs te gaan, toen je aan kwam lopen.' Het was net alsof haar afstandelijke toon hem volledig was ontgaan. 'Ik heb iets voor je. Ik was een vriend van Phil, zie je.'

Niet als je hem Phil noemde, dacht Magda. Philip vond het vreselijk als iemand die afkorting van zijn doopnaam gebruikte.

Alsof hij haar gedachten kon raden, haalde de man even wat relativerend zijn schouders op. 'Nou ja, niet zozeer een vriend. Meer een zakenrelatie.' Hij duwde een hand in zijn overjas en rommelde wat in zijn binnenzak. Eén krankzinnig moment lang dacht ze dat hij een pistool tevoorschijn wilde halen. Te veel late nachten naar enge films gekeken, dacht ze, toen hij met een onschuldig visitekaartje op de proppen kwam. 'Dit ben ik.' Hij leek niet in de gaten te hebben dat Magda geen hand vrij had om het aan te pakken.

De deuren gingen open en Magda wist niet hoe gauw ze van de lift naar haar voordeur moest komen. Ze zette de tassen met boodschappen neer en draaide zich om naar de man. Hij stond vlak bij haar en reikte haar het kaartje aan. Ze pakte het en las *Nigel Fisher Boyd, Fisher Boyd Investeringen.* Een mobiel nummer en een internetadres maar geen echt adres. 'Ik heb nog nooit van u gehoord,' zei ze.

'Dat snap ik,' zei Fisher Boyd. 'Maar zoals ik al zei, ik heb iets voor u. En ik doe liever geen zaken hier in de vestibule.'

'Ik nodig geen onbekenden in mijn appartement uit.'

'Heel verstandig. Waarom zet u uw boodschappen niet even binnen neer. Dan zien we elkaar beneden. Ik zag een aardige wijnbar een eindje verderop in de straat. Misschien zouden we daar iets kunnen drinken?'

Magda bekeek zijn voorstel van alle kanten en kon er niets fouts aan ontdekken. 'Goed,' zei ze ten slotte. 'Ik zie u zo beneden.' Ze bleven elkaar even staan aanstaren. Toen drong het tot hem door.

Hij stak een vinger naar haar op. 'Heel verstandig.' Hij deed een pas achteruit, draaide zich toen met een ruk om en liep met kwieke passen terug naar de lift. Magda bleef staan kijken hoe hij achter de deuren van geruwd staal verdween en maakte toen haar deur open.

De vreemde ontmoeting had haar een moment van haar stuk gebracht. Natuurlijk was ze benieuwd wat Nigel Fisher Boyd voor haar had dat hij haar niet aan haar eigen voordeur kon overhandigen. Maar ze wist ook dat de recente publiciteit rond haar persoon haar interessant maakte voor het soort misdadigers dat slachtoffers van misdrijven zag als potentiële prooi. En hij had haar overleden echtgenoot 'Phil' genoemd. Ze wou dat Jay er was; niet omdat ze dit niet alleen aankon, maar omdat het altijd prettig was om wat ruggensteun te hebben.

Magda zette haar tassen op het aanrecht in de keuken naast het kaartje van Fisher Boyd. Als haar iets overkwam, had ze in ieder geval een aanwijzing achtergelaten.

Tien minuten later zat ze aan een hoektafeltje in een wijnbar waar ze nog nooit was geweest, hoewel ze er vlakbij woonde. Ze had nooit de behoefte gevoeld om er naar binnen te gaan; het etablissement maakte altijd een duistere, wat droeve indruk, en de clientèle leek een merkwaardig zootje ongeregeld. Ze maakten de indruk dat ze nergens thuishoorden en daar als wrakhout waren aangespoeld. Fisher Boyd kwam weer naar het tafeltje toe lopen met een fles sancerre en een onzekere blik op zijn gezicht.

'Ik weet niet zeker of hij goed gekoeld is,' zei hij, waarna hij twee glazen inschonk en een slokje nam. Hij liet het vocht in zijn mond op en neer walsen, blies zijn wangen op, tuitte zijn lippen en slikte het toen met veel misbaar door. 'Hij kan er denk ik wel mee door.'

Magda proefde de wijn. Volgens haar was er niets mis mee. 'Hoe kende je mijn man,' vroeg ze.

Fisher Boyd deed zijn overjas uit en legde die keurig opgevouwen over een stoel. Magda had de pest aan die snelle krijtstreeppakken met van die dubbele splitten en schuine zakken. Ze associeerde die met het type man dat door Philip altijd 'een noodzakelijk kwaad' werd genoemd in de wereld waarin hij zich bewoog. Vanwege de gespecialiseerde rol van zijn bedrijf als drukkerij van vertrouwelijke stukken had hij in zijn werk te maken met een breed assortiment aan mensen die allemaal iets te maken hadden met het verdienen en aannemen van geld. 'Van bijna-zwendelaars tot de grootheden van *private banking*,' had hij een keer gezegd, en hij had eraan toegevoegd: 'En soms liggen die uitersten dichter bij elkaar dan je zou denken.' Ze wist vrij zeker naar welk van de twee uitersten Nigel Fisher Boyd neigde.

'Sommigen van mijn klanten willen vertrouwelijke stukken kwalitatief hoogwaardig gedrukt hebben. Aandelencertificaten, obligaties, dat soort dingen. Zo hebben we elkaar ontmoet.'

Het klonk plausibel. Maar dit had hij allemaal nog bij elkaar kunnen sprokkelen met het doorlezen van de rechtbankverslagen. 'Als je iets voor me hebt, waarom moest het dan zo lang duren voordat je het me kwam brengen?'

Fisher Boyd keek haar medelijdend aan. 'Het leek verstandig om te wachten tot na het proces. Dan bestond de mogelijkheid niet meer dat je meineed zou plegen.'

'Meineed plegen? Ik?' Verontwaardiging vocht met verbijstering en won. 'Hoe durf je te suggereren dat ik in de getuigenbank zou gaan zitten liegen?'

Hij wierp haar een snel, scherp getand, glimlachje toe. 'Daar was ik dus bang voor. Jij bent veel te eerlijk om niet de waarheid en niets dan de waarheid te vertellen in de rechtszaal. En dat zou voor ons allemaal niet zo handig zijn geweest.'

'Dit klinkt me niet prettig in de oren. Waar gaat het over?'

Magda greep de steel van haar glas stevig vast. Ze tastte volledig in het duister.

Fisher Boyd klikte zijn aktetas open en haalde er een dunne leren map uit; het formaat was dat van een gebonden roman. Hij schoof het pakje naar haar toe. 'Toe maar, maak maar open,' zei hij toen ze er met bange voorgevoelens naar bleef staren.

Magda maakte de flap open en keek erin. Ze zag een paar vellen zwaar linnenpapier, maar ze kon niet zien wat erop was geschreven. Ze trok ze uit de map en staarde niet-begrijpend naar hetgeen er in minuscule lettertjes op stond. Het getal van tweehonderdduizend sprong onmiddellijk in het oog. Er waren er vier van, elk met hetzelfde bedrag in reliëf op het papier aangebracht. 'Ik begrijp het niet,' zei ze.

'Dat zijn obligaties aan toonder, zogenaamde *bearer bonds*,' zei hij. 'Degene die ze in handen heeft is de eigenaar. Ze staan niet op naam van een persoon. Het is net alsof je geld in handen hebt zonder dat je een koffer met briefjes van vijftig pond rond hoeft te zeulen.'

'Waarom laat je me die zien? Waar komen ze vandaan?'

'Heeft Phil je er niets over verteld?' Hij keek licht geamuseerd.

'Nee. Ik heb geen idee waar dit geld vandaan komt. Zijn nalatenschap is in orde. Alles is verantwoord. Er worden niet ergens nog achthonderdduizend euro's vermist.' Ze stopte de obligaties terug in de map en deed de klep dicht alsof daarmee alles als bij toverslag zou verdwijnen.

Fisher Boyd schudde zijn hoofd; zijn mond was een strakke verwrongen streep. 'Dan is het maar goed dat ik geen dief ben. Ik had alles in eigen zak kunnen steken en jij had er niets van geweten. Gelukkig voor jou ben ik geen voorstander van het bedriegen van mijn cliënten.'

'Hoor eens, je zult me dit moeten uitleggen,' zei Magda. 'Ik begrijp er helemaal niets van.'

'Het is heel eenvoudig. Het motief dat Paul Barker en Joanne Sanderson hadden voor het vermoorden van Phil was toch handel met voorkennis, of niet?'

'Ja. Hij zou ze aangeven bij de politie en de Federal Security Agency. Ze konden geen kant op. Ze zouden naar de gevangenis gaan.'

Fisher glimlachte weer op die angstaanjagende manier van hem. 'Goed zo. En hoe denk je dat Phil erachter is gekomen wat ze in hun schild voerden?'

'Hij ontdekte dat ze veel te veel geld uitgaven en hij kwam erachter dat ze aan handel met voorkennis deden.'

'En hoe wist hij waar hij naar moest zoeken?'

Magda fronste haar voorhoofd. 'Dat weet ik niet. Hij wist gewoon hoe het er in de financiële wereld aan toeging, vermoed ik.'

Fisher Boyds gezicht stond medelijdend. 'Hij wist het omdat hij het zelf ook deed. Dít' – hij gaf een klopje op de portefeuille – 'is de witgewassen opbrengst.' Hij hief zijn glas in een toost naar de portefeuille, dronk het leeg en schonk nog eens bij uit de beslagen fles.

Magda voelde hoe haar borst in elkaar kromp van de schok. Wat deze man zei stond zo haaks op haar beeld van Philip dat ze er niets van begreep. 'Zoiets zou Philip niet doen,' zei ze.

'Beste meid, hij zou het niet alleen doen, hij dééd het ook. Waarom zou ik jou anders een klein fortuin in bearer bonds overhandigen?'

'Maar waarom zou hij Paul en Joanne verraden als hij hetzelfde deed?'

Hij haalde zijn schouders op. 'Dat heb ik me ook afgevraagd. Mijn enige conclusie was dat ze het zo slecht deden dat hij bang was dat ze ontmaskerd zouden worden en dat ook zijn eigen kaartenhuisje dan in elkaar zou storten. Op deze manier hield hij tenminste de touwtjes zelf in handen. Hij was voorbereid op het onderzoek.' Hij klopte op de portefeuille. 'En het bewijs daarvoor zit hierin. De onderzoekers hebben geen spoor gevonden van wat hij allemaal had uitgehaald.'

'Ik kan dit allemaal niet bevatten,' zei Magda.

'Hij wilde gewoon goed voor je zorgen. Zoals het een goede echtgenoot betaamt.'

Het was net alsof ze allebei een andere taal spraken. Magda had nog nooit zo hevig naar Jay verlangd. Jay stond met beide benen op de grond. En Magda had iemand in haar leven nodig die met beide benen op de grond stond. Haar ouders hadden haar in de steek gelaten, en nu zag het ernaar uit dat haar echtgenoot hetzelfde had gedaan. 'Ik weet niet wat ik hiermee aan moet,' zei ze.

Fisher Boyd, die geen idee had hoe zij eraan toe was, zei opgewekt: 'Je zult contact moeten opnemen met een *private* bank. Dat is veel gemakkelijker dan dat je aan iemand van jouw eigen filiaal moet uitleggen wat dit is, laat staan dat je ze moet vragen wat je ermee moet doen. Ik zal je er wat documentatie bij geven dat het om een uitbetaling van een levensverzekering gaat, zodat je geen moeilijkheden met de belastingen krijgt. Dit is de perfecte manier om het op te strijken.'

'Dat lijkt me niet erg eerlijk. Ik dacht dat je zei dat je geen schurk was. En dit klinkt me aardig schurkachtig in de oren.'

Er was een zweem van ergernis op Fishers gezicht te zien. 'Ik zei dat ik geen dief was. Ik verleen een dienst. Ik vraag niet waarom mijn cliënten die dienst nodig hebben, en ik licht ze niet op. Eerlijk gezegd kan dat niet worden gezegd van een heleboel mensen in deze branche.'

'Ik snap er nog steeds helemaal niets van,' zei Magda.

'Je moet gewoon net doen alsof het om een leuk appeltje voor de dorst gaat,' zei Fisher Boyd. Hij dronk nog wat wijn, smakkend met zijn lippen omdat hij zo droog was. 'Je hebt gewoon heel erg geboft.' Hij pakte zijn jas en stond op. 'Ik stuur je die zogenaamde verzekeringspapieren wel per post. Je hoeft je geen zorgen te maken, ik heb dit wel eerder bij de hand gehad en er heeft nog nooit iemand met zijn ogen geknipperd.' Hij schoot zijn jas aan, waarbij even een stukje knalrode voering te zien was en pakte toen zijn paraplu en zijn aktetas. 'Mocht je ooit van mijn diensten gebruik willen maken, aarzel dan niet om me te bellen.' Hij deed net alsof hij een denkbeeldige hoed voor haar afnam. 'Leuk je te hebben ontmoet.'

Magda was zo versuft dat ze nauwelijks in de gaten had dat hij vertrok. Ze bleef heel lang zitten staren naar de leren portefeuille. Een deel van haar wilde de obligaties in heel kleine stukjes scheuren en ze door het toilet spoelen. Maar daarmee zou ze de herinnering aan het bestaan ervan niet uitwissen. En het zou het verraad niet minder maken. Het beeld dat ze altijd van Philip had gehad als een goede, eerlijke man kon ze daarmee niet herstellen.

En dan had je nog de regels die er bij haar als kind waren ingehamerd. 'Verteert vandaag niet wat u morgen kan ontbreken.' 'Denk aan de arme kindertjes in Afrika, die zouden er blij mee zijn.' Ze hoorde in gedachten haar moeders stem zeggen: 'Denk alleen eens aan al het goeds wat je ermee kunt doen, schat.'

Magda pakte de portefeuille op en duwde hem in haar tas. Ze zou hem, voorlopig althans, nog even houden. Ze schoof haar wijnglas weg en maakte aanstalten te vertrekken. Ze was al halverwege de deur toen het barmeisje haar terugriep. 'U moet nog afrekenen,' zei de vrouw. 'Een fles sancerre.' Ergens was Magda niet eens verbaasd.

Met een wrange glimlach betaalde ze voor de wijn. Het was goed om eraan te worden herinnerd dat je niets voor niets kreeg in deze wereld.

18

Woensdag

Anders dan de meeste politiemensen had Nick Nicolaides helemaal geen bezwaar tegen rechtbankdagen. De meesten van zijn collega's hielden van actie. Als ze urenlang moesten wachten totdat ze de getuigenbank in moesten, werden ze gek van verveling. Nick had nooit enige moeite gehad om zich op een zinnige manier bezig te houden. Muziek in zijn oren, een boek in zijn hand en hij was gelukkig. De iPhone had zijn leven op een buitengewone manier verrijkt. Hij kon muziek componeren, hij kon op het internet surfen, hij kon lezen, hij kon spelletjes doen. Als hij zin had kon hij zelfs bestanden van zijn bureau downloaden en de verslagen lezen die waren blijven liggen.

Of hij kon, zoals vandaag, verdergaan met zijn eigen onderzoeken zonder dat er iemand over zijn schouder meekeek en zich afvroeg waarom hij in vredesnaam in Zweedse kranten aan het googelen was, terwijl hij verondersteld werd een internationale bende kindersmokkelaars op te rollen. Omdat hij vandaag alleen maar hoefde te wachten tot hij werd opgeroepen om antwoord te geven op vragen waar hij de antwoorden al van kende.

Nadat hij met Charlie had gesproken, had Nick Jay Macallan Stewart even op een laag pitje gezet en zich geconcentreerd op de operatie waaraan zijn team op dat moment werkte. Maar toen hij in bed viel, uitgeput nadat hij een hele dag beelden van een bewakingscamera had vergeleken met de databank van bekende smokkelaars en pooiers, waren zijn gedachten weer naar hun gesprek van eerder op de dag afgedwaald. Hij was in slaap gevallen, denkend aan wat Charlie hem had verteld en aan de informatie die ze moesten verzamelen. En de volgende morgen, toen hij tijdens het scheren in de spiegel naar zijn gezicht keek, had hij beseft dat hij de zaak-Ulf Ingemarsson van de verkeerde kant benaderde.

'Alibi,' mompelde hij. Daar moest hij beginnen. Het enige probleem was hoe hij erachter moest komen wat Jay Macallan Stewart precies had gedaan tijdens één speciale week in 2004. Je kon van mensen niet verwachten dat ze zich nog herinnerden wat ze zes jaar geleden deden.

'Maar het personeel misschien wel.' Hij spoelde zijn gezicht af in de wasbak en gaf zichzelf een zelfverzekerd knipoogje. Nu hoefde hij alleen nog te bedenken hoe hij dit ging aanpakken.

In de tussentijd kon hij de wachttijd gebruiken om te zien wat hij over Ulf Ingemarsson te weten kon komen. De Google-vertaalfunctie werkte vaak meer op je lachspieren dan dat je er iets aan had, maar ze voldeed wel als het ging om krantenartikelen. In de eerste krantenkoppen – 'Zweedse man in Spanje vermoord' – klonk de gebruikelijke toon van verontwaardiging door. Bloeddorstige buitenlandse boeven, incompetente buitenlandse politie, het risico van Het Buitenland voor fatsoenlijke Zweden. Achter de krantenkoppen ging een verhaal schuil over een man op vakantie in een afgelegen villa die te maken krijgt met inbrekers. Een schermutseling, een mes en een lijk dat dagenlang op de vloer ligt, tot het volgende bezoek van het schoonmaakbedrijf.

Dan de tegenaanval. De vriendin van Ingemarsson, een lerares op een basisschool die Liv Aronsson heette, beweerde dat het niet om een gewone inbraak ging. Behalve de voor de hand liggende kostbaarheden hadden de dieven paperassen van Ingemarsson meegenomen, en zij beweerde bij hoog en bij laag dat niemand daar iets aan had, behalve een handjevol ontwikkelaars van websites. Ze had het over zijn plannen voor een op maat gesneden reisgidssysteem en openbaarde dat hij in overleg was geweest met een Britse softwareproducent, maar dat de gesprekken waren vastgelopen toen het ging over het delen van de winst. Een paar kranten wijdden er een kort stukje aan en één tijdschrift publiceerde een wat langer artikel. Daarna werd er een tijdlang niet over geschreven.

Toen Jay Macallan Stewart *24/7* lanceerde, dook het verhaal van Liv Aronsson weer even op een paar Zweedse internetsites op. Er werd niets gezegd wat Ingemarsson direct met *24/7* in verband bracht, maar voor de oplettende lezer was er genoeg tussen de regels te lezen. Opnieuw was er kritiek op de Spaanse politie, omdat die nooit in overweging had willen nemen dat het hier om meer ging dan om een simpele inbraak, en Aronsson gaf in bedekte termen te kennen dat haar partner misschien wel was vermoord vanwege zijn idee.

Zeer zeker de moeite waard om mee te praten, dacht Nick. Hij mailde naar de journalist die het artikel had geschreven met de vraag of hij een contactadres voor Aronsson had. Het is mogelijk dat er een verband is tussen de dood van Ulf Ingemarsson en een cold case waar ik aan werk, schreef hij. Liv Aronsson zou wel eens over nuttige informatie kunnen beschikken. Je kon nooit weten. Misschien lukte het, misschien ook niet. In het Verenigd Koninkrijk waren journalisten er over het algemeen niet happig op om informatie aan de politie door te spelen. Misschien deden ze daar in Zweden minder moeilijk over.

Nu hij de Zweedse berichtgeving had gelezen, had Nick nog minder zin om de politie in Spanje te bellen. Hij vermoedde niet dat er veel verschil was tussen hen en zijn eigen collega's als het ging om negatieve commentaren in de pers, vooral in de buitenlandse pers. Luie journalisten waren een prima schild om je achter te verstoppen als je wist dat je je niet bepaald eervol had gedragen. Het zou hem erg hebben verbaasd als de Spaanse agenten te stom waren om het belang van de gestolen papieren in te zien. En ze waren vast door hun eigen ministerie van Buitenlandse Zaken onder druk gezet om de moord op die Zweed op te lossen. Zoiets was slecht voor het bedrijfsleven, afgezien van al het andere. Als de politie niets had gevonden, was dat vermoedelijk niet gekomen door een gebrek aan ijver. En ze zouden bepaald niet staan te juichen als de een of andere Brit zich ermee bemoeide en opperde dat zij hun werk niet goed hadden gedaan.

Hij hoefde nog geen besluit te nemen, want de zaalwachter van de rechtbank kwam hem halen om te getuigen. Tot Nicks verbazing was hij al helemaal klaar met zijn getuigenverklaring tegen de tijd dat het hof pauzeerde voor de lunch. Zijn collega's verwachtten hem pas laat in de middag weer terug op het bureau. Als Jay niet op haar kantoor was, kon hij flink wat vooruitgang boeken zonder dat iemand het merkte. Hij voelde zich niet schuldig dat hij er stiekem tussenuit kneep; er ging immers geen week voorbij of hij werkte uren onbetaald over. Zijn baas had er geen last van als hij zich nu even met andere zaken bezighield.

Nick zocht op zijn mobiel contact met Twitter en typte: 'Jay Macallan Stewart' in het zoekvakje. En daar, twee uur eerder gepost, was een tweet van de dame zelf:

Ben prosciutto aan het proeven, Bologna. Zet straks beste plek op *24/7* site.

Als ze twee uur geleden nog in Bologna was, zou ze nooit op haar kantoor aan de Brompton Road kunnen zijn binnen de tijd die hij nodig had om er te komen. Toen die gedachte hem te binnen schoot, stuurde hij meteen een sms met die informatie naar Charlie. Ze had met Magda willen praten zonder Jay in de buurt, en dit zou een prima gelegenheid zijn.

De kantoren van *24/7* besloegen de bovenste verdiepingen van een bakstenen gebouw met dubbele gevel. De ingang was een onopvallende deur naast een winkel met designerhandtassen. Nick had ergens gelezen dat de gemiddelde vrouw tijdens haar hele leven vierduizend pond aan handtassen uitgeeft. Omdat hij toch moest wachten tot iemand de intercom beantwoordde, keek hij in de etalage en begreep toen wel hoe ze aan een dergelijk bedrag kwamen.

Voor de beveiligingscamera was het omhooghouden van zijn foto op de identiteitskaart genoeg om hem naar binnen te zoemen. Het trappenhuis was schoon en fris, het tapijt was pas nog gezogen en de muren waren opgefleurd met mooie foto's van Europese steden. De receptie was al net zo chic – mooie meubels, een echte koffiemachine en flink wat ruimte. Nick was onder de indruk. Hij had bij te veel bedrijven achter de schermen gekeken die zich niet leken te bekommeren om de werkomgeving van hun personeel. De politie in Londen kon nog iets leren van Jay Stewart, dacht hij.

De vrouw achter het bureau paste bij de ruimte. Ze zag er tot in de puntjes verzorgd uit, maar was absoluut niet opgedirkt. In Nicks ogen was ze een aantrekkelijke dertiger. Hij verbaasde zich over haar onberispelijke witte blouse. Zo volmaakt zou hij er nooit uit kunnen zien, zelfs niet als hij zijn overhemden naar een strijkservice stuurde. Hij schonk haar zijn liefste glimlach en hield zijn identiteitskaart naast zijn gezicht. 'Rechercheur Nick Nicolaides,' zei hij.

Ze glimlachte, maar Nick zag dat ze ongerust was. Op zich betekende dat niets. De meeste onschuldige mensen werden zenuwachtig door de aanwezigheid van een politieman die ze zelf niet om hulp hadden gevraagd. 'Hoi,' zei ze. 'Ik ben Lauren Archer. Is er een probleem? Wat kan ik voor je doen?'

Omdat hij merkte dat hij met zijn lengte over haar heen hing, ging Nick op de rand van de tafel zitten die tegen de muur stond. 'Wees maar niet bang. Ik verzeker je dat ik niet iemand kom arresteren. Eigenlijk is dit een enorme gok,' zei hij en hij trok een wat zielig gezicht, bedoeld om haar aan zijn kant te krijgen. 'We zijn bezig met een cold case-onderzoek.'

Lauren knikte; ze keek nog steeds wat onzeker. 'Ja?'

'We moeten teruggaan tot 2004, maar we hebben de bewijzen opnieuw laten analyseren en zijn zo op een nieuwe verdachte gestuit,' loog Nick zonder blikken of blozen. 'Het probleem is dat de kerel die we op het oog hebben beweert dat hij een alibi heeft.'

Lauren fronste haar wenkbrauwen. 'Hoe kan dat nu met ons te maken hebben? 24/7 bestond toen nog niet eens.'

'Nee, maar ik heb begrepen dat het bedrijf in de ontwikkelingsfase zat. Als ik het goed heb, werkte mevrouw Macallan Stewart niet alleen.'

Lauren glimlachte. 'Dat klopt. Anne, haar *personal assistant*, is al bij haar sinds *doitnow.com*.' Weer die frons. 'Maar wat heeft dat met die zaak van u te maken?'

Nick zuchtte. 'Het ligt allemaal wat ingewikkeld. We kunnen niet precies aangeven wanneer het delict heeft plaatsgevonden. Het kan op elk willekeurig tijdstip in de loop van een bepaalde week zijn geweest. En de man in kwestie beweert dat hij die week werkervaring heeft opgedaan bij het bedrijf van mevrouw Macallan Stewart. Dat hij het merendeel van de tijd met haar heeft mee mogen lopen.'

Laurens wenkbrauwen schoten omhoog. 'Dat klinkt helemaal niet logisch,' zei ze. 'Jay vindt het verschrikkelijk om op de vingers gekeken te worden.'

'Zie je wel. Daar schiet ik al een heleboel mee op. Ik vraag me af – denk je dat Anne nog ergens heeft staan wat Jay die week in kwestie allemaal heeft gedaan? Een oude agenda of zoiets?'

'Wacht even. Ik kijk wel of ze even kan komen.' Lauren pakte de telefoon. 'Anne? Er is hier iemand van de politie. Hij heeft een vraag over het werkrooster van Jay... Nee, niet van deze week. Een tijdje terug. Kun je even komen?' Ze legde de telefoon weer neer. Ditmaal kon ze vrijuit glimlachen – de blik van een vrouw die het stokje heeft doorgegeven aan haar collega.

Een deur achter Nick ging open en een diepe stem zei: 'Ik ben Anne Perkins. En wie bent u?'

Nick ging staan, stelde zich opnieuw voor en overhandigde haar zijn identiteitskaart. Anne Perkins zou elke leeftijd tussen de veertig en de zestig kunnen hebben. Haar dikke peper-en-zoutkleurige haren waren in een moderne quasi slordige coupe geknipt, haar bril was uiterst chic en ze droeg een strak T-shirt met kapmouwtjes en een halflange cargobroek die gebruinde ledematen en getrainde spieren liet zien. Ze zag eruit als iemand die op de fiets naar haar werk ging, dacht Nick. Zonder buiten adem te raken. 'Dank u wel, rechercheur,' zei ze, en ze gaf hem zijn kaart terug. 'Wat kan ik voor u doen?'

Nick vertelde zijn verhaal nog eens. Anne Perkins luisterde

aandachtig met haar hoofd schuin; een geconcentreerde rimpel stond tussen haar wenkbrauwen. 'Die man van u is een leugenaar,' zei ze. 'We hebben hier stagiairs gehad en er hebben hier ook jongelui werkervaring opgedaan, maar nooit zo dat ze de hele dag meeliepen met onze hoogste baas. Een dergelijk risico zouden we in termen van bedrijfsveiligheid nooit lopen.' Ze draaide zich half om, alsof ze haar zegje had gezegd en daarmee de kous af was.

'Dank u,' zei Nick. 'Vat u dit alstublieft niet verkeerd op, maar bij een zaak als deze kan ik niet zomaar op het woord van één persoon afgaan.' Hij haalde verontschuldigend zijn schouders op. 'Wettig bewijs en zo. Ik weet zeker dat u mijn probleem wel begrijpt.'

Ze keek geschokt. Nick vermoedde dat ze er niet aan was gewend op een dergelijke manier te worden tegengesproken. Hij hoopte dat hij zijn hand niet overspeeld had. 'Ik dacht dat ons hele rechtssysteem draaide om het woord van de ene persoon tegen dat van de andere,' zei ze koeltjes.

'We hebben liever dat we niet op de intelligentie van een jury hoeven te vertrouwen,' zei hij, inspelend op haar gevoel van superioriteit. 'Misschien zou ik het door Jay zelf kunnen laten bevestigen.'

Anne schudde haar hoofd. 'Ze is er vandaag niet.'

'Zou ik haar kunnen bellen?'

'Dat wordt lastig. Ze heeft een erg vol programma.'

Het viel Nick op dat ze wel erg beschermend was ten opzichte van haar baas. Hij knikte meelevend. 'Ja, ze is natuurlijk een heel drukbezette dame. Maar hebt u misschien een agenda van 2004 die ik kan inzien? Dan is het probleem opgelost. En dan ben ik weg en ziet u me niet meer terug.'

Anne Perkins trok een wenkbrauw op. '2004? Dat duurt eventjes. Lauren, laat deze aardige politieman eens zien hoe het koffieapparaat werkt.'

Lauren schonk hem een zuinig glimlachje, toen ze weer alleen waren. 'Wilt u koffie?'

'Dan leg ik me te veel vast. Ik ben niet van plan om hier nog veel langer te blijven.' Hij ging weer op de rand van het bureau zitten. 'Werk je hier allang?'

'Al vijf jaar,' zei Lauren. 'Sinds 24/7 van start is gegaan.'

'Zo lang al? Dan is het vast een prettige werkplek.'

Lauren grijnsde. 'We krijgen fantastische reisextraatjes. En ik ben gek op reizen. Daar komt nog bij dat Jay een goede baas is. Ze eist veel van haar personeel, maar ze geeft er ook veel voor terug. Ben jij al lang bij de politie?'

Nick trok een grimas. 'Veel te lang. Wij krijgen geen snoepreisjes. Maar wat voor iemand is Jay eigenlijk? Ik neem aan dat ze over lijken gaat, als ze zo'n goede zakenvrouw is.'

'Ze weet wat ze wil en ze is er erg goed in om haar zin te krijgen.' Lauren hield plotseling haar mond alsof ze besefte dat ze die aardige politieman te veel toevertrouwde. 'Maar als je echt wilt weten wat voor iemand ze is, zou je eigenlijk haar memoires moeten lezen. *Zonder berouw*. Ze heeft een behoorlijk moeilijke jeugd gehad. Dat ze dat heeft overwonnen en desondanks zo'n succes heeft gemaakt van haar leven, dat is inspirerend, weet je.'

Voordat Nick kon reageren, kwam Anne Perkins terug met een dun notebook bij zich. 'Ik denk dat u hier wel wat aan heeft,' zei ze. Ze zette de computer op een zijtafeltje en klapte hem open. Haar vingers vlogen over de toetsen en er verscheen een app op het scherm. Nick kwam wat dichterbij staan en zag dat het een kalender voor 2004 was. 'In welke data was u ook alweer geïnteresseerd?'

'De periode van 9 tot 17 mei,' zei hij.

Ze hield opeens op; haar vingers bleven boven het toetsenbord hangen. Ze draaide haar hoofd om omdat ze hem wilde aankijken. 'Ik heb die data eerder opgezocht,' zei ze. 'Het is al een tijd geleden, maar ik herinner het me nog goed. Het komt niet vaak voor dat je om verschillende redenen over dezelfde dag iets gevraagd wordt door verschillende politiekorpsen.'

Nick schrok, maar wist zich nog net goed te houden. 'We werken nauw samen met onze collega's in Europa,' zei hij.

'Dit gaat dus weer over die Zweedse softwareontwikkelaar die vermoord is? Hoe heette hij ook alweer? Ulf Huppeldepup?' Anne was nu niet meer gewoon beschermend. Ze was op haar hoede. 'U wilt toch niet zeggen dat ze toch eentje van die lieden te pakken hebben gekregen?'

Nick haalde zijn schouders op. 'Ik kan er niets over zeggen. Het enige wat ik moet doen is vaststellen dat deze man die week met Jay is meegelopen.'

'Echt?' Ze klonk sceptisch. 'Ik zal u vertellen wat ik ook tegen die Spanjaarden heb verteld. Het was absoluut onmogelijk dat Jay die week in Noord-Spanje was.'

'Ik heb niet beweerd...'

'Natuurlijk niet. U bent alleen maar een simpele diender die onderzoek doet naar een naamloze verdachte van een onopgelost misdrijf.' Ze ging weer achter de computer zitten en scrolde naar de relevante data. Dit was duidelijk de echte agenda, niet iets waar op het laatste moment mee was gerommeld om hem zoet te houden. Een paar seconden later keek hij naar zeven rechthoekige kaders. Bovenaan stonden de dag en de datum; langs de rand stond JMS, AP en VF. Elke dag, inclusief de weekenden, stond vol met bijzonderheden over afspraken.

'Wie is VF?' vroeg Nick, terwijl hij probeerde wat zicht te krijgen op de activiteiten van Jay.

'Vinny Fitzgerald,' zei Anne. 'Hij gaat bij ons over de systemen. Een heel talentvolle jongen. Hij zorgt ervoor dat de site werkt. Jay heeft hem ontdekt toen ze bezig was met het opstarten van *doitnow.com*. En ook hij was die week niet in de buurt van Spanje.' Ze tikte op het scherm, waarop te lezen was dat VF in Bracknell een trainingscursus had gegeven. Daarna wees ze op het rooster van Jay. 'Zoals je ziet, staat er hier niets over iemand die werkervaring op kwam doen. En je kunt ook zien dat er die week ook niemand met haar meegelopen is. Op zondag en maandag was ze in Brussel, op dinsdag en woensdag in Marseille, op donderdag en vrijdag in Biarritz. Een heleboel afspraken met potentiële medewerkers. En een rooster van dingen waar ze naartoe moest en waar ze heeft gegeten en gedronken. Jay houdt niet van gezelschap als ze voor haar werk reist. Die verdachte van u kan die week onmogelijk met haar zijn meegelopen.'

'Dat zie ik, ja,' zei Nick. 'Zou u dit misschien voor mij kunnen uitprinten? Dan kan ik mijn baas er gemakkelijker van overtuigen.'

Anne zat even op haar lip te kauwen. 'Ik zie niet in waarom niet. Er staat geen voor ons gevoelige informatie bij. En voor zover ik kan zien ook niet iets wat persoonlijk is.' Ze ging recht-op zitten; ze was duidelijk tot een besluit gekomen. 'Ja, dat kan ik wel doen. Weet u zeker dat u mij geen naam voor uw ver-dachte kunt geven?'

Het was een vreemde manier van uitdrukken en heel even vroeg Nick zich af of ze hem doorhad. 'Waarom vraagt u dat?' vroeg hij.

'Ik vroeg me alleen af waarom hij in vredesnaam ons voor zijn alibi heeft uitgekozen.' Ze pakte het notebook op en drukte op een paar toetsen om het document uit te printen. 'Er moeten honderden grote bedrijven zijn waar hij gewoon kon doen alsof hij, zonder dat er bewijzen voor zijn, door de mazen van het bu-reaucratische net is geglipt. Ik zat opeens te denken dat hij mis-schien wel iets te maken heeft gehad met *24/7* of met Jay.'

Nick keek haar aan met een pijnlijk vertrokken gezicht. 'Daar mag ik geen uitlatingen over doen,' zei hij. 'De mensen hebben recht op hun privacy tot het moment van hun arrestatie. Ik vrees dat het een raadsel zal moeten blijven.'

Anne grinnikte. 'Maar goed dat Jay hier niet is. Als er iets is waar ze de pest aan heeft, dan is het wel aan raadsels.'

Nick glimlachte. 'Dan kan ze mij een hand geven,' zei hij. 'Dat heb ik namelijk ook.' De glimlach die hij tevoorschijn to-verde leek op die van een valse kat. 'Maar ik zie wel iets inte-ressants. U heeft zelf die week een heleboel tijd waar niets is in-gevuld. U was toevallig toch niet zelf in Spanje?'

Ze keek alsof hij haar een klap had gegeven. 'Ik denk dat u beter kunt gaan, rechercheur.' Ze liep naar de printer en gaf hem de uitgeprinte pagina van de agenda aan.

Nick keek haar lang en doordringend aan. 'U heeft me heel goed geholpen. Misschien zien we elkaar nog eens.'

'Dat betwijfel ik ten zeerste.' Haar stem klonk ijzig, haar ogen stonden waakzaam. 'Ik kan me niet voorstellen waarom dat nog eens zou moeten gebeuren.'

Op dat moment kon Nick dat ook niet. Maar de reactie van Anne Perkins op zijn losse opmerking had een ondertoon ge-had die hem aan het denken zette.

19

Charlie vond dat de groep aankomende studenten maar bofte dat ze les van haar kregen over psychopathologie. In plaats van een droge academische discussie over het verzamelen van empirische bewijzen op het gebied van stoornissen en afwijkingen van psyche en gedrag kregen ze berichten vanuit de frontlinie van de psychiatrie. En godzijdank waren ze slim genoeg om het te waarderen. Haar twee uren als docente waren minder vervelend dan ze had gevreesd. Toch was ze blij toen ze kon ontsnappen aan de schrille stemmen van tienermeisjes en ze de rust van haar auto weer op kon zoeken.

Toen ze haar mobieltje weer aanzette, zag ze onmiddellijk de sms van Nick waarin stond dat ze met Magda kon praten zonder dat Jay zat mee te luisteren. Maar het had geen zin om nu te bellen. Magda zat nog op haar werk en ze was met haar gedachten bij haar patiënten. Charlie nam zich voor dat ze later contact met Magda zou opnemen.

Ondertussen had ze ander werk te doen. Geen van de krantenverslagen van het proces had melding gemaakt van de namen van het rechtskundig team voor de verdediging; alleen de namen van de strafpleiters die Barker en Sanderson in de rechtszaal hadden verdedigd werden genoemd. De strafpleiters zouden al druk bezig zijn met hun volgende zaken, hun teleurgestelde cliënten waren allang weer vergeten; de adviseurs hadden er nog steeds mee te maken en alleen zij konden ervoor zorgen dat ze de veronderstelde moordenaars van Philip Carling in de gevangenis kon ondervragen. In de auto onderweg naar huis plande ze haar strategie.

Charlie installeerde zich achter de computer met de telefoon en een beker koffie. Ze had de namen van de advocaten, maar niet de naam van het bureau waarvoor ze werkten. Van Google kreeg ze binnen een paar seconden de informatie die ze nodig had; het enige wat ze nu nog moest beslissen was bij wie ze op bezoek zou moeten gaan. Sanderson was waarschijnlijk de jongste vennoot in het complot, dus misschien was zij eerder geneigd om uit de school te klappen. Anderzijds reageerde Barker misschien beter op een vrouw. 'Ienemiene mutte,' zei ze. 'Daar ga ik dan met mijn wetenschappelijke methoden.'

Op het eerste advocatenkantoor dat ze belde nam een jongeman de telefoon op. 'Friar Court Chambers,' zei hij, energiek en zakelijk.

Charlie probeerde even energiek en zakelijk over te komen. 'Hallo. Ik vraag me af of u me kunt helpen. Ik probeer een van de advocaten van Joanne Sanderson te pakken te krijgen. Meneer Cordier van uw kantoor heeft haar vorige week in de Old Bailey vertegenwoordigd, nietwaar? Ik probeer erachter te komen wie hem heeft geïnstrueerd.'

'Mag ik vragen met wie ik spreek?'

Daar wilde ze nu net niet op ingaan. 'U spreekt met dr. Flint. Ik ben psychiater. Ik moet een gesprek met Sanderson regelen, maar om de een of andere reden heb ik de naam van de adviseur niet. Ik hoef u denk ik niet te vertellen hoe het soms gaat.' Ze zuchtte.

'Ik weet er alles van,' zei hij. 'Een momentje graag.'

Ze hoorde hoe er aan de andere kant op toetsen werd geslagen. 'Geen probleem.'

'Oké. Miss Pilger van Pennant Taylor heeft de pleitnotities voor de zaak-Sanderson voorbereid.'

'Perfect.' Charlie wist zich lang genoeg in te houden om hem te bedanken en de telefoon neer te leggen. Toen sprong ze overeind en maakte heupwiegend en joelend van plezier een dansje door de kamer. Eindelijk had ze eens een keertje mazzel.

Pauline Pilger was een van de eerste advocaten door wie Charlie als getuige-deskundige was ingehuurd, en door de jaren heen hadden de twee vrouwen zeker wel een keer of tien samengewerkt. Er was een handjevol advocaten van wie Charlie wist dat ze zelfs nu nog achter haar stonden, en Pauline stond bijna boven aan die lijst. Bovendien vocht ze altijd als een leeuwin voor haar cliënten en weigerde ze op te geven, zelfs als werkelijk alles tegen leek te zitten.

Ze zocht het doorkiesnummer van Pauline op en belde. Er werd bijna meteen opgenomen. 'Charlie?' Pauline klonk verbaasd, maar op een positieve manier.

'Inderdaad. Hoe gaat het met je?'

'Goed. Ik zal jou maar niet hetzelfde vragen. Ik neem aan dat je het op het moment niet zo prettig hebt.'

'Ach, het kon slechter. Hoor eens, heb je even tijd voor me?'

'Ik bel je over een minuut of tien terug. Ik moet eerst nog even wat dictaten afmaken, daarna kan ik me goed concentreren. Oké?'

Tien minuten hadden zelden zo lang geduurd. Toen de telefoon eindelijk ging, zat Charlie met haar vingers op het bureau te trommelen als een *freeform*-jazzpianist. 'Pauline? Bedankt voor het terugbellen.'

'Charlie, het is altijd leuk je stem te horen. Ik vind het vreselijk hoe ze je in de schandaalbladen tot zondebok hebben gemaakt. Je hebt gewoon je werk gedaan. Je hebt het juiste gedaan.'

Charlie zuchtte. 'Dat weet ik, Pauline. Maar weet je, die dode vrouwen drukken wel zwaar op mijn geweten.'

Het was even stil. Charlie wist dat Pauline haar eigen lasten te dragen had. Dat was inherent aan het beroep van strafpleiter. 'Ik weet het,' zei Pauline ten slotte. 'Ik begrijp dat dit niet zomaar een telefoontje voor de gezelligheid is?'

'Ik ben bang van niet, nee. Ik zal maar meteen met de deur in huis vallen. Wat ik ga zeggen klinkt bizar. Maar heb alsjeblieft een beetje geduld met me.'

'Kom maar op. Ik kan een beetje bizar wel gebruiken. Op dit moment is het hier maar een saaie boel. Echt waar, Charlie, de wet op de mensenrechten heeft twee heel verschillende aspecten. We hebben er al best veel aan gehad, maar potverdorie, iedere cliënt die ik tegenwoordig zie, begint onmiddellijk te zaniken dat zijn rechten als mens zijn aangetast. Ik word er moe van om de hele tijd te moeten uitleggen dat de weigering van de politie om je achter in een politieauto te laten roken niet valt onder het hoofdstuk 'wrede en ongebruikelijke straffen'. Dus kom maar op met die bizarre toestanden.'

'Het gaat over jouw cliënte, Joanne Sanderson.'

'Die op dit moment zit opgesloten in de Holloway-gevangenis in afwachting van een veroordeling wegens moord. Ik denk dat ze levenslang krijgt met een aanbevolen minimumstraf van tien jaar. Wat is er met haar?'

'De moeder van Magda Newsam is mijn vroegere mentor. En hoe vreemd het ook klinkt, zij is ervan overtuigd dat jouw cliënte niet schuldig is. En Paul Barker ook niet. Zij denkt dat ze erin zijn geluisd.'

'Wacht… even voor de goede orde. De moeder van de weduwe denkt dat mijn cliënte onschuldig is?'

'In ieder geval aan moord. Ze weet niets over de handel met voorkennis. Maar ze gelooft dat de verkeerde mensen in de rechtszaal zijn beland en ze heeft mij gevraagd of ik eens wil kijken of we het een en ander kunnen lostornen.'

'Denk je dat ik mijn werk niet goed heb gedaan?' vroeg Pauline. 'Jeetje, ik ben het eens met dat mens van Newsam, ik denk dat mijn cliënte onschuldig is aan moord. Maar het indirecte bewijs sprak tegen haar, vooral omdat zij en haar vriendje het soort motief hadden dat zelfs jury's die naar dat stomme *Midsomer Murders* kijken kunnen begrijpen.'

'Ik denk absoluut niet dat je steken hebt laten vallen.' Charlie wilde verzoenend klinken, maar ze meende ook echt wat ze zei. 'Ik wil alleen maar met Joanne praten, zodat ik terug kan gaan naar Corinna Newsam en kan zeggen: "Sorry, er zijn geen losse eindjes blijven hangen."'

'Jo zal je niets vertellen wat je niet al weet,' hield Pauline vol. 'Maar je mag best weten dat er een verdedigingslijn was die we niet hebben gebruikt, omdat we dachten dat we de jury ermee van ons zouden vervreemden. Maar met deze uitkomst hadden we net zo goed alles uit de kast kunnen halen.'

Charlie vond dat positief klinken. Uit ervaring wist ze dat er nog wel eens wat misging als advocaten de psycholoog probeerden uit te hangen. Het zou niet voor het eerst zijn dat een rollenspel in de rechtszaal uitmondde in een hoger beroep. 'Wat was dat dan?' vroeg ze.

'In hoeverre ben je op de hoogte van deze zaak?'

'Ik heb alles gelezen wat erover in de krant heeft gestaan.'

'Oké. Dus je weet dat het allemaal is begonnen toen er opeens een externe harde schijf opdook met kopieën van brieven die op geen van Philip Carlings andere computers stonden?'

'Ja. Magda heeft hem gevonden in haar ouderlijk huis, waar ze de nacht voor de bruiloft hebben geslapen.'

'Nou, mijn cliënte en haar partner houden stellig vol dat Philip Carling die brieven waarin hij hen verlinkt nooit zou hebben geschreven, om de simpele reden dat hijzelf degene was die met die hele handel met voorkennis is begonnen.'

'Doe niet zo gek! De bruidegom, meneer de onschuld in eigen persoon? Hij deed het zelf ook?' Dit was het verrassendste wat Charlie tot dusver had gehoord. Het hele bewijs van de brieven kwam ermee op losse schroeven te staan.

'Dat beweert althans mijn cliënte. Hij was er al een poosje mee bezig toen Joanne merkte dat hij ogenschijnlijk veel meer geld uitgaf dan hij verdiende. Haar eerste gedachte was dat hij de boel belazerde. Dat hij meer geld uit het bedrijf haalde dan waar hij recht op had. Dus zij en Paul hebben hem ermee geconfronteerd. Hij besefte dat de enige manier waarop hij zich uit die moeilijke situatie kon redden was om alles op te biechten wat hij in zijn schild voerde. En hij heeft ze toen laten zien hoe je systemen moest opzetten waardoor je niet door de mand viel.'

'Jezus,' zei Charlie. 'Dan blijft er van dat motief niet veel meer over, hè?'

'Niet veel, nee.'

'Ik snap niet waarom jullie daar niet mee voor de draad durfden te komen.'

'Jury's houden er niet zo van als je zonder echt bewijs de doden de schuld in de schoenen schuift. Er waren twee grote problemen. Philip Carling was heel slim. Er is nergens in zijn rekeningen een spoor van verdacht geld aangetroffen. Er zijn wel her en der wat onregelmatigheden – voor dertigduizend pond een schilderij verkopen dat hij zogenaamd voor honderd pond in een rotzooiwinkel had opgeduikeld, dat soort dingen. En hij beweerde dat hij om hoge inzetten pokerde. Hij moet wel verdomd goed zijn geweest om het soort winsten binnen te harken die hij aangaf en belegde. Maar er was niets bij waarvan je met zekerheid kon zeggen dat het winst was uit handel met voorkennis.'

'Dat maakt het inderdaad moeilijker. Maar toch…' Charlies stem stierf weg; ze wilde niet verwijtend overkomen.

'Dan was er nog de nagel aan de doodskist. Wie heeft er zogenaamd die brieven ontdekt? De treurende weduwe. Heb je haar gezien? Adembenemend mooi, Charlie. Alle mannen in de zaal zaten te kwijlen, echt waar. Bovendien is ze een arts die kindertjes met kanker behandelt. En zij is op haar huwelijksnacht beroofd van haar echtgenoot. Je kunt je moeilijk iemand voorstellen die zo goed bij een jury in de smaak valt als Magdalene Newsam. Dus als wij proberen te suggereren dat de brieven daar waren verborgen om onze cliënte erbij te lappen, dan is de logische consequentie dat wij suggereren dat de Heilige Maagd Magda een vinger in de pap had. En dat was godsonmogelijk.'

'Ik snap het probleem. Om nog maar te zwijgen over het feit dat jouw cliënten hun sporen niet zo goed hadden uitgewist als Carling had gedaan. Ik bedoel, je hebt toch geen aanwijzingen dat ze onschuldig zijn aan die handel met voorkennis, hè?'

'Nee, zelfs ik kan dat niet geloofwaardig over laten komen. Maar ik denk niet dat ze Philip Carling hebben vermoord. Misschien dat Barker het nog wel had gekund als hij met de rug tegen de muur stond. Maar ze vormen elkaars alibi. En ze zijn daar niet van af te brengen. Ik heb Joanne er echt op gewezen dat ze zichzelf geen dienst bewees als ze loog over haar romantische ontmoeting met Barker terwijl die net bezig was Carling te vermoorden, maar ze hield voet bij stuk. Ze waren samen en ze hebben Carling niet vermoord. En dan komt er natuurlijk nog bij dat er niemand anders is die als verdachte in aanmerking komt. Hij leidde niet het soort leven waarin je vijanden maakt die jou op je trouwdag vermoorden. Dus als mijn meisje en haar vent het niet hebben gedaan, wie dan wel? De andere bruiloftsgasten komen niet in aanmerking – alibi's die kloppen, niemand die met natte kleren rondliep. Heeft jouw vroegere mentor nog een slim idee over wie hem heeft vermoord?'

'Ze heeft een idee,' zei Charlie. 'Ik zou het niet slim willen noemen, en er is geen ondersteunend bewijs. Maar het geeft te denken.'

'Wil je het met me delen?'

Charlie lachte. 'Je zou onmiddellijk broeders met een dwangbuis op me afsturen. Nee, ik wil het in dit stadium nog niet met je delen. Het is veel te vergezocht, zelfs voor jou.'

'Wat oneerlijk, zeg. Ik heb jou wel alles verteld en jij doet niet hetzelfde.'

'Ik beloof je dat ik mijn informatie met je zal delen zodra ik iets concreets heb. Maar voorlopig kan ik het beter voor mezelf houden. Maar hoe zit het, kan ik jouw cliënte bezoeken? Ik zou een leuk psychiatrisch rapport voor je kunnen schrijven voor als je in beroep gaat.'

'Dat zal ik in gedachten houden. Maar ik moet je teleurstellen, Charlie. Het gaat niet zo goed met Joanne. Een indringend vraaggesprek kan ze echt nog niet aan. Op dit moment zegt ze werkelijk alles, als ze denkt dat ze dan kans heeft eruit te komen, ook al is die kans nog zo klein. Als ze bij een Osloconfrontatie de boef uit een rijtje mannen moest halen, zou ze de paus eruit pikken.'

'Waarschijnlijk had ze dan nog gelijk ook.' Charlie probeerde haar teleurstelling te verbergen. Ze werd verscheurd tussen het verlangen om een echte getuige te ondervragen en haar begrip voor de toestand die Pauline beschreef. Ze wist dat ze Joanne alleen nog maar meer ellende zou bezorgen als ze suggereerde dat ze haar hoop kon bieden. En hoewel er momenten waren waarop ze zonder enige moeite loog voor de goede zaak, zou ze nooit iemand die al op de grond lag nog een trap geven. 'Het is goed, Pauline. Je hebt me al heel veel gegeven. Ze heeft waarschijnlijk niet meer te vertellen. Ik kan nog steeds niet geloven dat Carling degene was die dat hele bedrog heeft opgezet. Dat is volkomen idioot.'

'Misschien heeft hij iemand opgelicht. Als je in zulke duistere wateren terechtkomt, wie weet wat voor soort viezigheid er dan naar boven komt. Luister, zou je me op de hoogte willen houden, alsjeblieft? Mijn meisje hoort niet achter de tralies.'

'Ik heb je begrepen,' zei Charlie. Ze kletsten nog een paar minuten door, maar Charlie was er met haar gedachten niet helemaal meer bij en ze was blij toen ze het telefoontje kon beëindigen. 'Dit verandert alles,' zei ze tegen zichzelf. Ze had nog niet goed in beeld wat het nieuwe plaatje was, maar alles zag er opeens heel anders uit.

20

De Marconi-businesslounge op het vliegveld van Bologna was vrij sober vergeleken bij vipruimtes op andere vliegvelden. Bier, frisdrankjes of koffie en een beperkt assortiment voorverpakte snacks: het was een belediging voor het gehemelte na het heerlijke eten en de verrukkelijke drank waarvan Jay tijdens haar tweedaagse bezoek aan de stad had genoten. Maar ze was hier niet om te eten en te drinken. Ze zat hier vast, omdat haar vlucht drie uur vertraagd was. Haar uitdrukkelijke wens om zelf nog een deel van het werk aan de frontlinie te doen, had ook een paar nadelen. Voor het merendeel werd het werk overgelaten aan correspondenten en betrouwbare plaatselijke informanten, maar dit soort tegenvallers woog niet op tegen het voordeel dat ze in contact bleef met de realiteit van het reizen zoals het voor de meeste mensen was. Nou ja, wel een realiteit die wordt opgeleukt door kleine luxes als vipruimtes. Handig, omdat er altijd wel wat werk te doen was. Jay was er nooit een voorstander van geweest om geen invulling te geven aan die extra beetjes tijd die haar tijdens haar zakenreizen regelmatig in de schoot werden geworpen.

Ze had het eerste uur gebruikt om aantekeningen te maken over de hoogtepunten van haar trip – restaurants, bars, winkels, musea, galeries; maar ook de uitzonderlijke zaken en ongewone mogelijkheden die het aanbod van 24/7 zo uniek maakten. Jay las haar samenvatting door en legde haar agenda ernaast om te zorgen dat ze niets oversloeg. Daarna maakte ze gebruik van de Wi-Fi in de vipruimte om haar top vijf van beste prosciutto's te uploaden op de website van 24/7. De meeste bezoekers van de site zouden nooit de kans krijgen om ze te proeven, laat staan ze te kopen, maar nu konden ze er aan tafel over uitweiden alsof ze er alles over wisten. Dit was het aspect van 24/7 waar Jay niet trots op was. De informatie en ervaringen die dankzij haar beschikbaar waren gekomen, waren er verantwoordelijk voor geweest dat er aan bepaalde eettafels veel meer werd opgeschept dan vroeger. Ze hoopte dat ze er tijdens haar leven niet voor zou worden gestraft. God mocht verhoeden dat ze haar verdiende loon ooit uitbetaald zou krijgen.

Toen ze met haar werk klaar was, had ze nog bijna twee uur voordat ze aan boord van haar vliegtuig moest stappen. Ze hoopte dat Magda nog even op de website voor de actuele vluchtgegevens zou kijken voordat ze naar het vliegveld vertrok. Ze had haar verteld dat ze geen moeite moest doen om haar van Gatwick af te halen, maar Magda had erop gestaan. Jay wist dat die toewijding op den duur zou slijten, maar voorlopig werd ze er nog blij van.

Omdat ze niet aan thuis wilde denken, besloot ze nog een poosje aan haar boek te werken. Jasper had haar op maandag gebeld met de mededeling dat haar uitgever akkoord was gegaan met nog eens twintigduizend pond op voorwaarde dat ze het zo vlug mogelijk inleverde. Het geld was niet zo belangrijk, maar deze gretigheid wees erop dat ze haar boek graag wilden hebben. Vanwege die motie van vertrouwen wilde ze zich best weer laten terugslepen naar het verleden om er het soort verhaal van te maken dat van de schappen zou vliegen.

Ze moest het gaan hebben over de tijd die ze al reizend had doorgebracht nadat ze *doitnow.com* had verkocht. Nu nog een flinke scheut verdriet en rouw over Kathy eroverheen, maar wel benadrukken hoe ze was toegegroeid naar het idee waar uiteindelijk *24/7* uit was ontstaan. Maar vanavond niet. Het was deprimerend om op een vliegveld over reizen te schrijven. Vliegvelden waren, volgens Jay, tegenstrijdig aan reizen. Ze waren een noodzakelijk kwaad als je van de ene plaats naar de andere wilde komen.

De moeilijkheid bij reizen is dat je altijd, ongeacht de afstand die je aflegt, wakker wordt met jezelf. De tijd die ik al reizend doorbracht en waarin ik de gebaande paden zo veel mogelijk vermeed, was de incubatietijd voor mijn volgende bedrijf, maar het was ook een vruchteloze poging om te ontsnappen aan de pijn van het verlies van Kathy. Pas toen ik besefte dat ik dat onder ogen moest zien en het achter me moest laten, kon ik aan mijn rusteloosheid ontsnappen en positieve gedachten wijden aan de invulling van de rest van mijn leven.

Iedereen droomt van rijk worden. Met mijn achtergrond

heb ik nooit gedacht dat het meer dan een droom zou zijn. We denken allemaal dat als we geld genoeg hebben, we niet meer hoeven te werken en een fantastisch leven krijgen met zwembaden en overheerlijke maaltijden die worden weggespoeld met exquise wijnen op terrassen met spectaculaire uitzichten. Ik kan me een keer herinneren – ik studeerde toen nog – dat ik dacht dat echt rijk zijn betekent dat je een fles wijn niet tot de laatste druppel leegdrinkt. Je kunt er altijd nog eentje openmaken, nietwaar?

Misschien dat er mensen zijn die op die manier een tevreden leven leiden. Maar ik weet dat niet zeker. Ik heb genoeg verhalen gelezen over mensen die de loterij hebben gewonnen en die daarna doodongelukkig zijn geworden. Ik denk dan ook dat ik gelijk heb als ik zeg dat we allemaal een doel nodig hebben in ons leven, dat verdergaat dan een ijdel najagen van genot. Sommige rijke mensen vinden dat doel in filantropie – het opzetten van liefdadige stichtingen en daar dingen voor doen die de levens van andere mensen beter maken. En dat is prima. Ik heb genoeg van mijn geld weggegeven om te weten dat je daar veel voldoening uit kunt putten.

Maar voor mij komt de ware vervulling voort uit werken. Uit het creëren van iets waar nog niets bestond. Uit het genereren van banen, bijdragen leveren aan de economie en andere mensen helpen om hun eigen leven beter te maken. Dat is vermoedelijk niet zo vreemd als je mijn jeugd bekijkt. Ik heb van heel dichtbij en uit de eerste hand gezien wat de gevolgen zijn van inefficiëntie en luiheid. Van de verspilling van talent en levenslust – als de meest stimulerende gedachte is waar je de volgende joint of spuit vandaan haalt. Ik was bijna zelf ook die wereld in gezogen. Ik had mijn talenten kunnen verspillen in de wazige newagedromerigheid die ik overal om me heen zag. Misschien was ik er uit mezelf ook wel tegen in opstand gekomen en was ik precies de andere richting uit gegaan. Maar ik werd er ruw uit weggerukt, en of ik het nu wilde of niet, ik werd in een volledig andere situatie geplaatst. De nieuwe lessen die ik leerde hielden in dat plicht belangrijker was dan plezier,

dat opoffering belangrijker was dan liefde, en dat zelfgenoegzaamheid de plaats innam van mededogen. Al deze
drastisch verschillende normen en waarden werden me in
één klap opgedrongen.

Dus ik moest me distantiëren van twee richtingen. Ik koos
voor een soort mengvorm en pikte de beste elementen uit
beide waardestelsels. Werk dat mogelijkheden creëerde.
Plicht die ook vreugde toeliet. En liefde, als de kern van alles wat ik deed.

Ik was nog nooit zo gelukkig geweest als tijdens het opstarten van *doitnow.com*, toen we een succesverhaal maakten van het maffe idee dat pal voor het in slaap vallen bij
me was opgekomen. De opwinding bij het van de grond
krijgen van het bedrijf, toen ik de financiën moest regelen
en de mensen ervan moest overtuigen dat ze de wereld op
mijn manier moesten zien – dat alles had me geïnspireerd.
Toen we eenmaal succes hadden, was het bedrijf nog steeds
een grote bron van vreugde voor me. Ik genoot van de loftuitingen die me te beurt vielen, ik zal het niet ontkennen.
Maar ik voelde geen spijt toen het tijd werd om te verkopen. Ik was klaar voor een nieuwe uitdaging. Ik had de eerste aanzet van een veelbelovend idee waarvan ik dacht dat
het de mensen evenzeer zou aanspreken als *doitnow.com*.

Door de dood van Kathy veranderde alles. Mijn idee was
iets geweest wat we samen zouden gaan doen, zoals we dat
hadden gedaan met *doitnow.com*. Zonder haar vond ik er
niets aan. Tijdens al die kilometers die ik aflegde, te midden van al die mensen met wie ik praatte, at, dronk, sliep
en me ontspande, kwam ik niemand tegen met wie ik mijn
volgende project zou willen delen. Het begon langzaam tot
me door te dringen dat ik ditmaal voor de uitdaging stond
het alleen te doen.

Een van de dingen die ik had opgemerkt op mijn reizen is
dat de meeste reisgidsen op de doorsnee persoon gericht zijn.
Je hebt maar één echte keus. Je voelt je meer thuis bij de
Rough Guide of bij *Frommer*, en dat is het. Het is een manier van reizen die nogal op een eenheidsworst lijkt en die
bovendien hopeloos ouderwets is nu we het vermogen heb-

ben om per e-mail maatwerk af te leveren. Het is ook niet de manier om in te spelen op een markt waar de behoeften van de diverse mensen zo van elkaar verschillen. Ik wilde iets op poten zetten wat de mensen erbij hielp zo veel mogelijk uit hun reis te halen, of het nu ging om ervaren, doorgewinterde reizigers of om nieuwelingen die hun eerste aarzelende stappen zetten in de grote wijde wereld. Hun behoeften verschilden van elkaar, maar volgens mij was het mogelijk ze allemaal bij één bedrijf onder te brengen.

En dat was het begin van *24/7*.

En net als bij baby's zit er bij bedrijven ook een flinke tijd tussen de verwekking en de geboorte. En net als bij zwangerschappen komen er ook wel eens miskramen voor. En sommige baby's worden dood geboren. Het internettijdperk heeft voor veel mensen verbluffende nieuwe horizonten zichtbaar gemaakt, maar het heeft ook bij veel mensen valse hoop gewekt. Ideeën zijn er bij de vleet; goede ideeën komen veel minder vaak langs. Maar iemand te vinden die een goed idee kan ombuigen tot een winstgevende werkelijkheid – dat is een kans van één op een miljoen.

Ik had het al een keer gedaan, dus ik was vol vertrouwen dat ik het kunstje nog eens kon herhalen. Ik ging weer in Londen wonen in het huis dat ik twee jaar daarvoor had gekocht en waarin ik bijna nog niet had gewoond. Ik haalde Vinny Fitzgerald erbij, die samen met Kathy het IT-gedeelte van *doitnow.com* voor zijn rekening had genomen en Anne Perkins, mijn toegewijde vroegere personal assistant, om me te helpen bij het op poten zetten van *24/7*.

Terwijl Vinny begon te werken aan de software waarmee we de gidsen het individuele karakter konden geven dat mij voor ogen stond, begon ik te onderzoeken hoe we aan de kennis moesten komen die onze gidsen dat beetje extra zou geven en hoe we aan onze klanten zouden komen. Ik kwam er al snel achter dat er meer mensen waren met een soortgelijk idee. Toen het bekend werd dat ik belangstelling had voor reisgidsen, kwamen die mensen in drommen op me af, omdat ik mij bewezen had in de onlinebusiness.

Meestal kwamen ze aanzetten met halfbakken, half voltooide gedachten die niet op iets concreets waren gebaseerd. Ik sta er altijd versteld van hoeveel mensen denken dat het voldoende is als je alleen maar een idee hebt. Zonder dat je ook maar iets doet om het te onderbouwen. Ik was ontsteld en verbijsterd dat er zoveel mensen waren die alleen maar uitstraalden dat ze overal recht op hadden en dat ze onmogelijke eisen konden stellen – alleen maar omdat ze iets hadden bedacht. Het is het verschil tussen iemand die in de pub een aardig verhaal weet te vertellen en een succesvolle romanschrijver. Het verschil zit hem in hard werken. Natuurlijk stonden er ook wel eens mensen bij ons op de stoep met een idee dat alleszins de moeite van het beluisteren waard was. Uiteindelijk hebben we het werk gekocht van een Italiaanse ondernemer die al een tijd aan hetzelfde concept werkte. Hij had een paar fantastische ideeën om het op de markt te brengen, maar ontbeerde kennis op het gebied van software. Zonder mensen als wij had hij zijn project nooit van de grond kunnen krijgen, en dat wist hij. Hij vond het prima om zijn werk te gelde te maken en wij waren blij dat wij iets in handen hadden gekregen waarmee we op de lange termijn veel tijd zouden besparen.

We waren ook in gesprek met een Zweedse softwarespecialist die met een softwarepakket bezig was dat ongeveer dezelfde mogelijkheden bood als de software die Vinny voor ons in elkaar had gezet.

Nu moet ik oppassen, zei Jay tegen zichzelf. De dood van Ulf Ingemarsson gold nog steeds als een niet-opgeloste moord. Het was nu zaak om behoedzaam te werk te gaan. Liv Aronsson was een idiote trut die zich meteen zou storten op alles wat niet helemaal eenduidig was, als een terriër zou doen met een rat. Ze liep nog steeds advocaten in Stockholm en Londen af in een poging er eentje te vinden die er brood in zag om haar, Jay, voor het gerecht te slepen. Ze was er tot dusver nog niet in geslaagd, omdat ze er altijd op hamerde dat ze die Jay niet alleen voor diefstal, maar ook voor levensberoving moesten aanklagen. Maar op een zeker moment zou een gladjakker in een snel pak haar er misschien van overtuigen dat ze alleen voor beschuldiging van diefstal moest gaan. En dan kon het heel onplezierig worden.

Vinny had haar gewaarschuwd dat een forensische software-deskundige in staat zou kunnen zijn om elementen van de code te isoleren die uit het werk van Ingemarsson afkomstig waren. Gelukkig beschikten advocaten niet over de kennis van Vinny, die alles wist over programmeercodes. Maar als Aronsson er al in slaagde aan te tonen dat een deel van hun code was geschreven door Ingemarsson, kon ze nog niet bewijzen dat ze het hadden gestolen. Want dat hádden ze uiteraard ook niet. Ze hadden alleen een papieren spoor van betalingen aan diverse programmeurs, van wie elk afzonderlijk die code had kunnen implementeren in het voltooide programma. Het enige wat *24/7* kon worden aangewreven, was dat ze waren opgelicht, dat ze de onschuldige slachtoffers waren van de diefstal van iemand anders.

En daar kwam nog bij dat na alle mislukte processen over de boeken van Harry Potter en de *Da Vinci Code*, men over het algemeen zeer sceptisch stond tegenover het idee van plagiaat op alle gebieden die met creativiteit te maken hadden. Men vond het vijf minuten interessant, en dan zakte men weer achterover, nam een slokje *pinot grigio* en sloeg wat vage praatjes uit over de tijdgeest en morfologische velden. Maar ze hoefde het Aronsson ook weer niet al te gemakkelijk te maken.

Tot ons afgrijzen werd hij vermoord tijdens een inbraak in zijn vakantiehuis in Spanje, voordat we tot overeenstemming hadden kunnen komen over een eventuele samenwerking. Dus zijn werk is met hem gestorven. De tragische verspilling van weer een leven: het deed de pijn herleven die ik had gevoeld toen Kathy stierf, en een paar weken kon ik me moeilijk op mijn werk concentreren. Ik voelde even de neiging om weer weg te lopen, maar ditmaal had ik verantwoordelijkheden ten opzichte van andere mensen. Dus bleef ik.

Jay las wat ze had geschreven. Er stond niets in wat Aronsson kon gebruiken, dacht ze. En het was een goed moment om een hoofdstuk te eindigen. Ze vond dat er voldoende in stond over het verdriet en de pijn over Kathy. Niemand kon haar van harteloosheid betichten, niet op basis van wat ze geschreven had. En natuurlijk zou ze zich nog meer van een warme emotionele kant laten kennen als ze in lyrische termen schreef over haar nieuwe leven en over Magda, haar nieuwe liefde. Ze had nooit veel over haar privéleven geschreven en in interviews had ze daar ook niet over gerept. Dus dit was de best mogelijke climax van een boek dat helemaal ging over het overwinnen van tegenslagen. Zie je wel, lieve lezers? Werk hard, doe het goede, en dan word je net als ik rijk en geliefd.

Was het maar zo gemakkelijk geweest...

21

Toen ze van haar werk thuiskwam, hoopte Magda bijna dat er geen leren portefeuille op de eettafel lag. Dat het allemaal een droom was geweest, iets uit een slechte soapserie. Maar het ding lag nog steeds op de plaats waar ze het had neergelegd. Ze hing haar jas op en ging aan de tafel zitten. Ze maakte de portefeuille open en zag de vier bearer bonds. Ze had niet kunnen dromen ooit zoveel geld in handen te hebben. Het zou spannend moeten zijn, maar in plaats daarvan was het verwarrend en angstaanjagend.

Het allerliefste wilde ze er met Jay over praten. Maar dat vooruitzicht lag nog iets verder in het verschiet. Magda was van plan geweest om Jay met de auto van Gatwick op te halen, maar voordat ze van haar werk was vertrokken, had ze op de website van het vliegveld gekeken en gezien dat de vlucht uit Bologna drie uur vertraagd was. Het had nu geen zin om er rechtstreeks heen te gaan, dus was ze naar huis gegaan voor een boterham en een kop koffie. Nu kon ze tenminste de aandelen vanavond mee naar het huis van Jay nemen als bewijs voor haar geliefde dat ze niet droomde.

Ze liep naar de keuken en begon een sandwich te maken met wat restjes geroosterde kip, een paar zwarte olijven en een half stronkje Romeinse sla. Maar ze was met haar gedachten niet bij het eten. De hele dag had ze gemerkt dat ze tijdens gesprekken met patiëntjes en ouders was afgeleid, dat ze alsmaar zat te piekeren over het idee van Philip als schurk. Zo wilde ze hem niet in herinnering houden. Dat ze dit over hem wist, was een ondermijning van alles wat ze geloofde over de man met wie ze zonder reserves was getrouwd. Ze had gedacht dat hij integer was. Ze had geloofd dat hij zover was gekomen omdat hij er hard voor had gewerkt. Maar ze had het mis gehad. Hij was een bedrieger en een leugenaar. Nog erger: hij was bereid zijn vrienden te verraden om zichzelf te beschermen. Als ze Philip zo fout had ingeschat, hoe kon ze dan verder nog op haar oordeel vertrouwen? Ze rilde, waardoor het mes van de kip af gleed en de zijkant van haar vinger raakte.

Er druppelde bloed uit de smalle snee. Magda pakte vloekend de keukenrol en drukte een vel papier hard op de wond. Ze sloot haar ogen en leunde achterover tegen de tafel. Ze voelde zich misselijk en zielig. Na zaterdag kon ze zelfs bij haar moeder haar hart niet meer uitstorten. Het was allemaal te moeilijk en te vreselijk.

Het geluid van de telefoon kwam als geroepen. In de veronderstelling dat het Jay was, schoot Magda overeind en graaide naar de telefoon. 'Hallo?' Zelfs in haar eigen oren klonk haar stem wanhopig.

'Magda? Je spreekt met Charlie Flint.'

'Charlie?' Eén moment wist Magda niet wie dat was. Toen viel alles op z'n plaats. 'Natuurlijk. Wat leuk dat je belt.'

Charlie grinnikte. 'Je klinkt niet alsof je het leuk vindt. Komt het uit?'

'Nee, ik vind het echt leuk,' hield ze vol. 'Ik heb me net in mijn vinger gesneden, pal voordat de telefoon ging. Ik was een beetje van slag. Hoe is het met jou?'

'Met mij is alles best. Maar wat belangrijker is: hoe is het met jou? Ik wilde gewoon even contact. Ik weet dat je ertegen opzag je vader over jou en Jay te vertellen. Ik vond dat ik even moest bellen om te horen of alles goed was.'

Magda voelde hoe Charlies invoelingsvermogen haar een brok in de keel bezorgde. Wat zeiden ze ook alweer over de vriendelijkheid van vreemden? Nou was Charlie niet bepaald een vreemde, maar een vriendin was ze ook niet. Ze was gewoon iemand met wie je gemakkelijk praatte. 'Bedankt,' zei Magda. 'Het was nogal heftig, want pa en ik hebben een verschrikkelijke ruzie gehad. Hij was zo vijandig, zo kil. Uiteindelijk ben ik weggelopen, en Wheelie is met me meegegaan.' Ze wist nog net een geforceerd lachje te produceren. 'Het was vrij walgelijk. Zo'n je-komt-hier-de-deur-niet-meer-in-moment. Jammer voor hem dat het niet sneeuwde.'

'Wat naar voor je dat het zo erg was.'

'Ik had dit eerlijk gezegd wel verwacht.' Magda snoof. 'Hij is gewoon een onaangepaste, bekrompen ouwe zak.' Ze stopte de telefoon tussen kin en schouder en maakte de la onder de la met de bestekbak open, haar versie van wat haar moeder de van-alles-en-nog-wat-la noemde. Ze grabbelde erin, op zoek naar een pleister, terwijl ze naar Charlie luisterde.

'Maar je hebt het nu achter de rug. Weer eentje minder voor wie je uit de kast moet komen. En de meeste mensen zijn niet zoals hij.'

Magda zuchtte. 'Hij komt in ieder geval eerlijk voor zijn gevoelens uit, Charlie. Ik weet niet wat erger is – rechtstreeks met dat soort scheldpartijen geconfronteerd worden of te maken krijgen met stiekem, achterbaks gedoe waar je niets tegen kunt doen omdat ze het je niet in je gezicht durven zeggen. Wat je alleen maar uit een ooghoek ziet, als je begrijpt wat ik bedoel.'

'Ik weet niet zeker of ik dat doe.'

Ze vond het blikje met de pleisters en trok met een ruk het dekseltje eraf. 'Vroeger hadden we een vrij druk sociaal leven, Philip en ik.' Ze zuchtte weer. 'Misschien was het mijn manier om niet te veel tijd met hem alleen door te brengen. Ik weet het niet. Alles staat in een ander daglicht nu ik eindelijk mijn geaardheid heb geaccepteerd. Hoe dan ook, we hadden een hele hoop vrienden. Veel stelletjes, maar ook een paar vrijgezellen. En van sommige vrouwen dacht ik dat ik echt met ze bevriend was. We deden dingen samen – winkelen, naar de bioscoop, uiteten. Snap je?'

'Ik snap het,' zei Charlie. 'Niets bijzonders, gewoon vriendinnen die je al jaren kent.'

'Precies. En ze waren echt aardig tegen me na het overlijden van Philip. Elke dag belde er minstens eentje op en ze kwamen langs met bloemen en wijn. Ze waren er helemaal voor me. Hoe het ook zij, toen Jay en ik eenmaal bij elkaar waren, heb ik ze dat uiteraard verteld. Ik wilde niet tegen ze liegen. Het waren mijn vriendinnen. En zo op het oog vonden ze het allemaal prima. Er heeft er maar eentje iets gezegd wat enigszins negatief kan worden opgevat, en zij maakte zich alleen maar zorgen dat ik me te vlug na de dood van Philip ergens in had gestort.' Magda trok het papiertje van de achterkant van de pleister en wikkelde hem om de snee, die inmiddels niet meer bloedde. Ze wist niet goed hoe ze moest uitdrukken dat het allemaal heel subtiel was wat er was gebeurd, en daarom hield ze op met praten.

Maar Charlie begreep het heel goed. 'En toen bleven ze geleidelijk allemaal weg, was het niet zo? Ze belden en sms'ten niet meer en schreven ook geen commentaar meer op jouw pagina op Facebook.'

'Ja, inderdaad. En als ik een boodschap achterliet, belden ze gewoon niet terug. Eerst dacht ik nog dat ze misschien tactvol waren. Snap je wat ik bedoel? Dat ze ons de gelegenheid wilden geven om bij elkaar te zijn zonder dat we om de vijf minuten werden gestoord. Toen besefte ik dat het was omdat ze niet goed wisten wat ze met me aan moesten.' Ze zweeg weer, omdat het zo moeilijk was de juiste woorden te vinden. En ze waardeerde de manier waarop Charlie zich niet geroepen voelde om elke stilte te vullen. 'Ik zeg niet dat ze iets tegen homoseksuelen hebben. Ik denk niet dat ze de pest hebben aan mensen omdat ze homo zijn. Het is meer dat ze denken dat we elkaar niets meer te zeggen hebben. Alsof ik opeens niet meer geïnteresseerd ben in naar de film gaan of winkelen voor een spijkerbroek.' Weer een zucht. 'Het is moeilijk geweest, omdat er eigenlijk zogenaamd niets aan de hand was; je kunt niemand iets verwijten. Dus dat bedoel ik als ik zeg dat het bijna nog gemakkelijker was om met het gedrag van mijn vader om te gaan.'

'Dat snap ik volledig,' zei Charlie. 'Je hebt een ingewikkeld jaar achter de rug. En het is allemaal begonnen met het verlies van Philip. Dat is een immens verlies.'

'Ja. En dat is wel wat in de verdrukking geraakt bij al die andere dingen.' Magda liep naar de woonkamer en ging languit op de sofa liggen. 'De mensen denken dat ik op de een of andere manier, omdat ik nu met Jay ben, Philip ben vergeten. En dat is onzin.'

'Natuurlijk is het dat. Ik wil je niet kwetsen – ik weet niet wat jouw reden was om met Philip te trouwen – maar ik neem aan dat je echt om hem gaf.'

Magda glimlachte droevig bij de herinnering aan haar man. 'Ik hield van hem. Zoals ik van Patrick houd en van Andrew. Hij deed me op zoveel manieren aan mijn broers denken. Hij was heel aardig en dat seksgedoe, dat was oké. Snap je? Niets spetterends, maar het stootte me ook niet af of zoiets. Ik heb hier veel over nagedacht en ik ben niet trots op mezelf. Waar het uiteindelijk op neerkomt, is dat ik met hem ben getrouwd omdat hij me vroeg. Omdat hij me vroeg en omdat ik wist dat het de weg van de minste weerstand was. Ik had er geen moeite mee en het was ook wat iedereen van me verwachtte. Zielig, hè?'

'Dat is niet zielig. Ik heb heel wat mensen gekend die zijn getrouwd om veel minder goede redenen. Ik heb geen moment gedacht dat je het luchthartig had gedaan. En ik weet zeker dat je van plan was er een succes van te maken. Pech voor jou dat je er nog niet achter was waarom je meisjes zo leuk vond.'

Magda kon het meelevende lachje in de stem van Charlie horen. Ondanks zichzelf moest ze ook lachen. 'Nee, echt,' zei ze. 'Ik zei de hele tijd tegen mezelf dat het alleen maar een teken van onvolwassenheid was dat ik nog steeds als een tiener op vriendinnetjes verliefd werd.'

'Je bent er in ieder geval uiteindelijk achter gekomen hoe de vork in de steel zat. Maar dat betekent nog niet dat je geen verdriet meer hebt om de persoon die je bent verloren.'

Magda wist niet wat ze moest zeggen. Gisteren zou ze dat volmondig hebben beaamd. Maar vandaag lag alles wat met Philip te maken had veel ingewikkelder. 'Ik treurde om de persoon die ik dacht dat hij was,' zei ze ten slotte. 'De moeilijkheid is dat ik steeds weer nieuwe dingen over hem te weten kom. En ze zijn niet allemaal even leuk.'

'Dat spijt me,' zei Charlie. 'Dat klinkt niet goed. Ik begrijp hoe dat alleen maar verwarrend kan werken bij al het andere wat je al hebt meegemaakt.'

'Om je de waarheid te zeggen: ik ben nog steeds aan het proberen iets te begrijpen waar ik net achter ben gekomen. Iets... Het is moeilijk om dit te zeggen zonder aanstellerig te klinken, maar het is waar. Iets wat mijn hele beeld van hem onderuit heeft gehaald.'

Het was even stil en toen zei Charlie zachtjes. 'Dat klinkt nogal schokkend. Ik bedoel, het is nu al even geleden dat Philip is gestorven. Ik zou hebben verwacht dat iets dergelijks al veel eerder aan het licht zou zijn gekomen.'

'Dat zou je denken, ja,' zei Magda ernstig. Ze wilde er zo graag met iemand over praten, maar ze wist nog steeds niet zeker of Charlie de juiste persoon was. 'Je zou denken dat ik zou hebben geweten hoe de man met wie ik wilde trouwen in werkelijkheid was. Maar blijkbaar was dat niet zo.'

'Dat zegt niets over jou,' zei Charlie. 'We willen allemaal het beste denken van de mensen om wie we geven. De mensen willen nooit geloven dat hun vriend of hun partner of hun kind iets echt schandaligs kan doen. Als we van mensen houden, wringen we ons vaak in allerlei bochten om hun gedrag te verklaren.'

Het was moeilijk weerstand te bieden aan Charlies warme stem en aan haar verstandige reactie. Magda wist dat ze er in haar beroep aan gewend was om de geheimen van mensen voor zich te houden. En ze had geen spier vertrokken toen Magda haar de waarheid had verteld over haar ontmoeting met Jay. Bijna zonder te beseffen dat ze de beslissing had genomen, besloot Magda om haar hart te luchten. 'Hij was een bedrieger en een leugenaar en hij heeft zijn vrienden verraden. En ik begrijp niet waarom.'

Ze hoorde hoe Charlie haar adem inhield. Maar de harde woorden hadden haar niet de mond gesnoerd. 'Dat zijn grote woorden, Magda.'

'Geloof me, Charlie, dit ís ook iets groots. Wat zou jij zeggen als een wildvreemde man je een envelop overhandigde met achthonderdduizend euro? En je dan vertelde dat het uit de opbrengst kwam van onwettige handel met voorkennis?'

'Achthonderdduizend euro? In contant geld? Heeft hij je achthonderdduizend euro in cash gegeven?'

'Niet echt contant. Het gaat om zogenaamde aandelen aan toonder. Blijkbaar is dat hetzelfde als contant geld. Niet op te sporen, anoniem. Maar ja, inderdaad. Er stond een vreselijk eng type me op te wachten toen ik gisteravond thuiskwam en die heeft ze aan me gegeven. Ik was volkomen van de kaart. Ik bedoel, wat zou jij gedaan hebben, Charlie?'

'Ik vermoed dat ik meteen zou willen weten wat het met mij te maken had. Om er zeker van te zijn dat die vent de juiste persoon te pakken had.'

'O ja, hij had echt wel de juiste persoon te pakken. Het is mijn geld. Het is van mij omdat het van mijn overleden echtgenoot was. Weliswaar kan het niet direct met mij in verband worden gebracht: het is keurig witgewassen. Maar het is van mij.'

'Het klinkt net als iets uit een film. Hoe komt het dat je er pas nu over hoort?'

'Dat enge type – Nigel Fisher Boyd heet hij – zei dat hij het tot nu toe bij zich had gehouden omdat hij me bij het proces niet in een moeilijk parket wilde brengen. Maar dat is precies wat ik zo erg vind, Charlie. Philip heeft al dit geld verdiend – al dit geld en nog meer – met precies die dingen waarvoor hij Joanne en Paul aan wilde geven. Dat begrijp ik gewoon niet.'

'Ik moet nog steeds wennen aan het idee dat je zoveel geld in handen gestopt krijgt als je het niet verwacht.'

Magda sprong weer overeind en begon opgewonden te ijsberen. 'Ja, precies. Ik werd er helemaal knettergek van en Jay is op reis, dus kon ik er niet eens met haar over praten.'

'Arme jij. Het is geen lolletje als je zoiets helemaal in je eentje moet verwerken.'

'Waarom zou Philip zich blootstellen aan een politieonderzoek door Joanne en Paul aan te geven? Waarom zou hij dat risico lopen?'

Charlie maakte een geluid dat het midden hield tussen onbegrip en instemming. 'Zo op het oog heeft hij een verdomd groot risico gelopen. Hij moet wel erg zeker hebben geweten dat hij zijn eigen sporen had uitgewist om de politie op het spoor van zijn zakenpartners te zetten.'

'Misschien dacht hij dat de autoriteiten niet zo goed naar hem zouden kijken als hij de zogenaamd geschokte klokkenluider was,' zei Magda. Ze was niet in staat de verbittering uit haar stem te houden.

'Er moet een dringende reden voor geweest zijn. Iets waar hij wel een risico voor wilde lopen. Stel dat ze een beetje slordig waren, met geld in het rond strooiden, allerlei papieren lieten slingeren? En dat Philip dacht dat hij dat de kop in moest drukken uit zelfbescherming? En om jou te beschermen, vermoed ik. Misschien had hij wel besloten zijn leven te beteren, omdat jullie gingen trouwen. Stel dat het zo in elkaar zit? Helemaal schoon schip maken, klaar voor een nieuwe start?'

Magda dacht hier heel even over na en verwierp die gedachte toen. 'Leuk bedacht, maar dat verklaart nog niet wat hij Joanne en Paul wilde aandoen. Ze waren zogenaamd zijn beste vrienden. Ik zou dat mijn vrienden nooit aan kunnen doen. Jij wel?'

'Ik zou graag denken van niet. Maar we weten geen van allen waartoe we in staat zijn, tot aan het moment dat we ergens voor staan. Oordeel niet te hard over hem, Magda. Je kunt hem niet meer vragen wat hij heeft gedaan en waarom hij het heeft gedaan. Het heeft geen zin jezelf te kwellen met allerlei doemscenario's als je er nooit meer achter kunt komen.'

Magda zuchtte. Ze begreep wat Charlie wilde zeggen, maar ze kon het nog bij lange na niet accepteren. 'Ik weet niet hoe ik er uiteindelijk over ga denken, Charlie. En dan is er het geld nog. Wat ga ik daarmee doen?'

'Het is jouw geld. Philip wilde dat jij het kreeg.'

'Maar er zit een luchtje aan. Het is bezoedeld. Ik wil het niet.'

'Geef het dan weg. Doe er iets goeds mee. Denk er rustig een poosje over na. Kies een goed doel dat werk doet waar je in gelooft. En geef het uit naam van Philip, als je daarmee kunt leven. Ik weet dat je geschokt bent, je vindt het vreselijk wat hij heeft gedaan. Maar laat dat de goede herinneringen niet verpesten. Herinner je zijn goede eigenschappen. Die had hij ook, weet je.'

Magda voelde de tranen in haar ogen prikken en snoof heftig. 'Je hebt gelijk,' zei ze schor.

'Het is altijd het beste om jezelf wat tijd te gunnen. Neem geen overhaaste beslissingen.'

Magda moest ondanks de tranen toch even lachen. 'Ik ben heel snel voor Jay gevallen. En dat is goed afgelopen.'

Heel even was het stil en ze vroeg zich af of de verbinding was verbroken. Maar ten slotte zei Charlie: 'En zij zal je helpen hieruit te komen, dat weet ik zeker.'

'Bedankt voor het luisteren, Charlie. Het heeft me echt goed gedaan om er met iemand over te praten voordat Jay uit Bologna terugkomt. Soms heb ik het gevoel dat ik haar alleen maar problemen heb bezorgd.'

'Daarom ben je bij elkaar.'

Magda glimlachte. 'Dat zegt zij ook. Maar zij neemt haar problemen nooit mee naar huis, daar is ze veel beter in dan ik. Ik voel me soms schuldig.'

'Nou, je kunt mij altijd bellen als je nog eens tegen iemand aan wilt praten.'

'Bedankt. Fijn dat je hebt geluisterd. En bedankt voor wat je me gezegd hebt. Maar nu moet ik gaan. Ik moet Jay afhalen van Gatwick.'

Magda liep terug naar de keuken. Ondanks de tranen voelde ze zich beter dan ze een halfuur daarvoor voor mogelijk had gehouden. Het hernieuwde contact met Charlie Flint was een onverwachte meevaller geweest. Ze herinnerde zich iets wat Charlie een tijdje geleden had gezegd en besefte hoe terecht dat was geweest. Haar moeder had inderdaad een uitstekende smaak gehad als het ging om babysitters.

2 2

Donderdag
Een van de redenen waarom Charlie in haar tienertijd verliefd was geworden op de bètavakken was haar behoefte aan antwoorden. Het was niet genoeg voor haar om domweg uit het hoofd te leren wat er in de schoolboeken stond; ze wilde het waarom en het waartoe weten. Dus het was uitgesloten dat ze zich neerlegde bij een sms van Nick met de boodschap dat hij

bot had gevangen wat betreft de satelliettelefoon. 'Het moet toch kunnen,' mompelde Charlie in zichzelf. Ze staarde met gefronst voorhoofd op het computerscherm naar de homepage van *24/7*.

Toen begon er iets te dagen. Netjes gerangschikt rondom de voornaamste inhoud van de pagina stonden er gesponsorde links naar partnersites van *24/7*. Goedkope vliegmaatschappijen. Sites om een hotel te boeken. Autoverhuur. En goedkoop internationaal bellen. Ze klikte door naar *doitnow.com* en trof daar soortgelijke links naar bedrijven met wie ze een contract hadden. 'Ze moeten een zakenrelatie hebben gehad,' zei Charlie. 'Natuurlijk hadden ze dat.'

Maar dat was nog maar het eerste deel van het antwoord. Ze wist nu wie de telefoonpartner was van *24/7* in 2010, maar daar had ze niet veel aan als ze wilde weten bij welk satelliettelefoonbedrijf *doitnow.com* tien jaar geleden klant was. Ze kon proberen naar *doitnow.com* te bellen, maar ze gaf zichzelf niet veel kans om iemand te vinden die ten tijde van de eeuwwisseling al van school was, laat staan dat die persoon werkte voor het bedrijf en lette op kleinigheden als afspraken over satelliettelefoons.

Ze wist vrij zeker dat wat zij nodig had niet bestond. Als je wilde weten hoe de *Daily Mirror* eruitzag in 1900, en zeker in 2000, kon je een kopie in het archief bekijken. Maar al die vroege websites met die idiote kleurencombinaties en lelijke lettertypes waren spoorloos verdwenen. Of niet? Zonder enige verwachting googelde Charlie 'website archief' en ontdekte tot haar verbazing een site die helemaal gewijd was aan het bewaren van het digitale equivalent van vroegere sites. Oké, het ging niet verder terug dan 2004, maar het was indrukwekkend.

Wat nog meer indruk op haar maakte, was dat ze de homepage van *doitnow.com* van augustus 2004 hadden. Er stond een link op naar een gewoon bedrijf voor mobiele telefonie. En tot haar vreugde en verbazing stond er helemaal onder in de linkerhoek van de pagina een piepklein gesponsord advertentietje. 'Ga je naar een plek waar ze niet eens spoorwegseinhuisjes hebben? Dan heb je een satelliettelefoon nodig. Wij leveren aan de nieuwszenders van de hele wereld. Huur voor uw vakantie een satelliettelefoon van ons.' Natuurlijk merkte ze toen ze de site probeerde aan te klikken dat hij niet meer in werking was. Maar dit was in ieder geval een begin.

Ze belde Nick, maar dacht er niet aan dat hij nog aan het werk was. Zijn telefoon sprong over op voicemail. 'Nick? Met Charlie. *Doitnow.com* had in 2004 een contract voor een satelliettelefoon bij Stratosphone. Misschien hebben ze wel een gratis telefoon aan de baas gegeven. Het controleren waard, vind je niet?' Het was weliswaar monnikenwerk, maar hij had toch zelf aangeboden om te helpen? Dan moest hij nu niet gaan klagen.

Het volgende op Charlies lijstje was het organiseren van een tochtje naar Skye. Ze was er tot haar verbazing achter gekomen dat je niet naar het eiland kon vliegen. Dat leek nogal onlogisch. Je kon naar willekeurig welk Grieks eiland vliegen met een plat stuk grond dat groot genoeg was om er een landingsbaan op te persen, maar je kon niet met het vliegtuig naar een van de belangrijkste toeristische trekpleisters van Groot-Brittannië. Het was vanaf Glasgow een rit van minstens vijf uur en Glasgow zelf lag op drieënhalf uur rijden van Manchester. En ze moest op maandag een les geven die ze niet mocht missen. De terugweg op zondag zou het grootste deel van de dag in beslag nemen, dus het was niet onverstandig om op vrijdag vroeg in de ochtend te vertrekken. Tot haar verbazing had Maria bij het ontbijt aangekondigd dat ze mee wilde. 'Ik heb altijd al een keer naar Skye gewild,' had ze gezegd. 'En ik verwacht eigenlijk niet dat er zo vroeg in het seizoen al veel van die mugjes zullen zijn. Wat vind je? Je gaat toch niet de hele tijd de speurder uithangen, hè? We zullen toch ook nog wel wat kunnen gaan bekijken daar?'

'Ik denk van wel. En je kunt er altijd in je eentje op uit trekken als ik achter iets heel interessants aan moet. Maar hoe zit het met je patiënten?'

Maria smeerde boter op haar toast en grijnsde Charlie ondeugend toe. 'Ik ben altijd zo verrekte plichtsgetrouw,' zei ze. 'Ik vind dat ik voor één keertje wel mag spijbelen. Bovendien heb ik op vrijdag alleen maar 's morgens afspraken. Het is geen ramp als ik een keertje een middag administratie mis. Vanmorgen vraag ik Sharla of ze mijn patiënten wil afbellen. Ze gaan er niet dood aan als ze op een ander tijdstip moeten komen. Er is niets dringends bij voor zover ik weet. Wat vind je ervan? Zal ik meegaan? Gewoon er samen even tussenuit?'

Ze had moeilijk weerstand kunnen bieden aan Maria's enthousiasme, ook al had Charlie heel even met de gevaarlijke gedachte gespeeld om Lisa mee te vragen naar Skye. Veel verstandiger om Maria mee te nemen, vermaande ze zichzelf. Met een wrange glimlach logde ze in op *doitnow.com* en begon een korte vakantie op het eiland Skye op zeer korte termijn te regelen.

Toen dat was gedaan, kon ze met een gerust hart contact opnemen met Lisa. Ze had gisteren een snelle sms gestuurd, alleen maar met de mededeling dat ze naar Manchester terug had gemoeten en dat ze te veel te doen had gehad om voor haar vertrek nog bij Lisa langs te gaan. Charlie wist niet wat erger was. Alle communicatie met Lisa rigoureus afkappen of gewoon in het diepe springen. Nu zette ze alles even op een laag pitje en moest ze elk woord weer op een goudschaaltje wegen.

Ha Lisa,
Sorry dat ik gisteren niet heb teruggemaild. Ik zat gewoon tot over mijn oren in het werk, maar daar hoef ik je niets over te vertellen.
Ik wou dat we wat meer gelegenheid hadden gehad om elkaar te zien toen ik in Oxford was. Ik bleek veel meer te moeten doen dan ik had voorzien. Maar ik hoop dat ik heel gauw weer een goede reden zal hebben om naar Oxford te komen. Het is duidelijk dat we veel te bespreken hebben, en ik kijk ernaar uit je weer te zien. Het spijt me dat ik jouw leven wat ingewikkelder heb gemaakt, maar ik denk dat die complicatie tot iets heel moois kan uitgroeien.
In de tussentijd ga ik nu naar het eiland Skye, waar Kathy Lipson om het leven is gekomen bij dat beruchte voorval in 2000, het doorsnijden van het touw. Maria gaat mee, ze heeft er blijkbaar al heel lang een keertje naartoe gewild. We logeren in hetzelfde hotel waar Jay en Kathy destijds overnacht hebben. Niet dat er nog dezelfde personeelsleden zullen zijn. Ik verwacht een receptionist uit Litouwen, een barman uit Polen en een ontbijt dat wordt geserveerd

door een meisje uit Roemenië. Dat zie je tegenwoordig overal op het platteland. De plaatselijke bevolking gaat er zo snel ze kan vandoor naar steden met een anoniem nachtleven en hogere salarissen. Gelukkig zijn er nog mensen uit Oost-Europa, anders zou onze hele vrijetijdscultuur in elkaar storten. Ik verwacht wel dat het bergreddingsteam nog steeds uit dezelfde kerels zal bestaan.

Laat me weten of er volgende week dagen zijn die jou beter uitkomen. Behalve op woensdag kan ik de hele week.

Liefs, Charlie

Ze las het nog twee keer door, veranderde een paar woorden, verstuurde het bericht en wist gelijk al dat ze de rest van de dag om de twintig minuten zou kijken of er een antwoord was binnengekomen. Maar toen ze met een nieuwe kop koffie uit de keuken kwam, gaf tot haar verbazing het icoontje op haar computer knipperend aan dat er een nieuwe mail was. Met een muisklik haalde ze haar mailbox tevoorschijn, maar het nieuwe bericht was niet van Lisa afkomstig. Ze voelde onwillekeurig een steek van teleurstelling, die slechts een beetje werd verzacht toen ze besefte dat de mail van Nick was.

Met een zucht maakte Charlie hem open.

Charlie, Zweden zijn fantastisch. Ik kreeg van een journalist het nummer van Liv Aronsson, de vriendin van Ulf Ingemarsson. Ongelooflijk, hè? Hoefde niet te dreigen met bevelschriften of zo, hij gaf het gewoon. De school gaat om 3.30 uur plaatselijke tijd uit, dus hier om 2.30 uur. Dit is een mobiel nummer, dus ik denk dat je na school altijd kunt bellen. Ik denk dat ze tegen jou misschien meer zegt dan tegen een smeris.

Toch geen teleurstelling dus. Charlie wierp een blik op de klok. Ze moest nog drie uur wachten. Toen ze nog een baan had, snakte ze altijd naar tijd om te lezen of om podcasts van Radio 4 af te luisteren of te gaan zwemmen of om gewoon alleen maar op de sofa naar muziek te luisteren. Nu ze de tijd had, wist ze er geen weg mee. Ze had moeite om zichzelf bezig te houden en als ze even niets had om over na te denken kwam Lisa uit de hoek kruipen om haar dwars te zitten, of ze zat eindeloos en zonder enige zin te piekeren over alle ellende die haar nog boven het hoofd hing. Het spande erom welke van beide activiteiten het meest zinloos was. Soms leek het alsof ze alleen maar aan Lisa kon denken – haar ogen, haar glimlach, haar speelse humor, haar emotionele intelligentie. Ze had iets onweerstaanbaars, een aantrekkingskracht die zo krachtig was dat het beeld wat Charlie van Maria had erbij verbleekte. Dat wilde ze helemaal niet, maar het was steeds moeilijker ertegen te vechten.

'Hou daar eens mee op, Charlie,' zei ze, en ze koos vlug voor Google. Ze wilde zien of ze op het spoor kon komen van het verslag van de CODO, de Commissie Onderzoek Dodelijke Ongevallen aangaande het overlijden van Kathy Lipson. Hoe meer ze voor haar vertrek naar Skye nog te weten kon komen, des te gemakkelijker het zou zijn.

Het verslag van de CODO was best spannend. Er was een lijst van getuigen, een samenvatting van alle getuigenissen, een beschrijving van achtergrond en omstandigheden van het ongeval en van de doodsoorzaak – verwondingen aan het hoofd en inwendig letsel als gevolg van een val van de berg de Sgurr Dearg op het eiland Skye. De enige kritische kanttekening in de conclusie van de sheriff was de overweging dat klimmers ervoor moesten zorgen dat ze dingen deden die binnen hun vermogens en ervaring lagen. Tegen de tijd dat ze klaar was met lezen, was het bijna drie uur. Liv Aronsson zou nu wel ongeveer van de kleine kinderen af zijn, dacht ze.

Charlie sloot haar telefoon aan op haar digitale recorder en koos toen het nummer, nog steeds zonder duidelijk idee hoe ze het zou gaan aanpakken. Ze zou het initiatief aan mevrouw Aronsson laten en zien waar ze uitkwamen. De telefoon ging verscheidene keren over en toen zei een vrouw die hoorbaar buiten adem was: 'Tja?'

'Spreek ik met Liv Aronsson?' vroeg Charlie.

Het was even stil en toen hoorde Charlie: 'U spreekt met Liv. Met wie spreek ik?'

'Mijn naam is Charlie Flint. Dr. Charlie Flint. Ik vroeg me

af of ik met u over Ulf Ingemarsson zou kunnen praten.' Charlie voelde dat ze duidelijker articuleerde dan gewoonlijk, terwijl ze haar best deed niet neerbuigend over te komen.

'Bent u journalist?' Haar Engels was goed; door haar accent kreeg het een zangerig ritme.

'Nee. Ik ben psychiater.' Ze controleerde of de recorder het deed, en vroeg zich toen af of ze zichzelf moest opnemen in een rol die op zijn zachtst gezegd wat bedrieglijk was.

'Een shrink?'

Charlie kromp ineen bij die Amerikaanse benaming waar ze vreselijk de pest aan had. 'Zoiets, ja.'

'Waarom wil een shrink het over Ulf hebben?'

'Uw Engels is heel goed.'

'Ulf en ik hebben een jaar in Amerika gewoond toen hij voor zijn doctoraal zat. Ik ben er een beetje uit, maar volgens mij kan het er nog wel mee door. Dus ik vraag het u nogmaals. Waarom wil een shrink over Ulf praten?'

'Het ligt een beetje ingewikkeld,' zei Charlie. 'Hebt u even tijd?'

'Waar belt u vandaan? Bent u hier in Stockholm?'

'Nee. Ik ben in Engeland. Ik kan terugbellen als het u beter uitkomt.'

Het bleef een hele tijd stil en toen zei Liv: 'Nee, het kan nu wel. Maar ik begrijp niet waarom een shrink na zoveel tijd geïnteresseerd is in mijn dode vriendje.'

'Naast mijn werk als therapeut werk ik ook voor de politie,' zei Charlie. Ze probeerde een verklaring te bedenken die helder was en die niet al te veel leugens bevatte.

'De politie in Spanje? Dat lijkt me vreemd.'

'Nee, niet in Spanje. Hier in Engeland.'

Liv Aronsson snoof minachtend. 'Nou, dan begrijp ik het nog minder. Waarom is de politie in Engeland geïnteresseerd in een moord in Spanje?'

'De aanleiding voor dit onderzoek was niet de moord maar de diefstal die tegelijkertijd plaatsvond,' zei Charlie. 'Tijdens een ander onderzoek kreeg de politie te horen dat het werk van Ulf Ingemarsson in handen is gekomen van een Brits bedrijf. Als dat waar is en wij erachter kunnen komen hoe dat mogelijk was, zouden we misschien de Spaanse politie kunnen helpen bij de oplossing van de moord op uw partner.'

'Natuurlijk is het waar,' snauwde Liv. 'Dat heb ik vanaf het begin gezegd. Het ging hier niet om een Spaanse inbreker die wat gestolen heeft uit een vakantiehuis. Het ging hier om een georganiseerd misdrijf ten behoeve van zijn concurrent.'

'Als u het woord "concurrent" gebruikt, heeft u dan een speciaal iemand in gedachten?'

'Natuurlijk. De vrouw die zichzelf heeft verrijkt met het werk van Ulf. Jay Macallan Stewart.'

Hier had ze op gehoopt; het moment waar ze in haar gesprekken met patiënten altijd naartoe werkte, was dat die zelf het probleem formuleerden. Het was nooit genoeg zelf in gedachten iets in te vullen wat ze niet expliciet te horen kreeg. 'Hoe kunt u daar zo zeker van zijn?'

'Ulf kreeg dit idee zo'n drie jaar voor zijn dood. Hij dacht dat het mogelijk moest zijn om gidsen te maken die inspeelden op de individuele interesses van mensen. Hij was een echte computerfreak; hij had de talenten om de software te schrijven waarmee hij zijn idee in praktijk kon brengen. Maar wat hij niet had, was de kennis over het verkopen van een dergelijk product. En in welke vorm je het op de site moest zetten. En ik wist daar ook niets van af. Ik ben onderwijzeres, ik weet veel over zevenjarige kindertjes, dat is alles.'

'Dat is niet een talent dat je gemakkelijk over kunt dragen als het op de internetbusiness aankomt.'

Liv lachte droog. 'Nee, helemaal niet. Oké, dus hij wist dat hij een partner moest vinden die wat over de andere kant van de business wist. Hij heeft wat onderzoek gedaan en stuitte op Jay Macallan Stewart. Ze was niet meer commercieel bezig geweest sinds ze voor veel geld haar eerste internetbedrijf had verkocht. Maar hij dacht dat ze verstand had van de reisbusiness. En, wat belangrijker was, hij dacht dat ze iets begreep van de dromen en de verlangens van mensen.'

Charlie vond dat voor een computerfreak een heel schrander oordeel. Hoe meer ze over Jay te weten kwam, des te meer was ze ervan overtuigd dat ze nog nooit iemand was tegengekomen die zo'n helder beeld had van haar eigen dromen en verlangens.

Ze was bovendien in staat dat op een empathische manier te vertalen naar anderen en dat was een zeldzaam talent. En een talent dat niet bij een psychopathische moordenaar paste. Maar het zou niet voor het eerst zijn dat een dergelijk persoon in staat was geweest zich anders voor te doen dan ze was. Ted Bundy was een klassiek voorbeeld. Maar er waren ook anderen geweest. 'Heeft hij toen contact met haar opgenomen?'

'Hij heeft haar een e-mail gestuurd. En ze reageerde binnen een paar dagen.'

'Heeft hij contact opgenomen met andere potentiële zaken-partners?'

'Nee. Ik zei dat hij met verschillende mensen moest gaan praten om te zien van wie hij het beste aanbod kreeg. Maar hij zei dat hij zich daar niet mee bezig wilde houden. Stressig gedoe, noemde hij het. Hij wilde iemand vinden met wie hij kon werken, die hij vertrouwde. Dat was het belangrijkste voor hem.' Liv zuchtte. 'En blijkbaar heeft hij de verkeerde vertrouwd.'

'Wat is er toen gebeurd?'

'Ze hebben elkaar een paar keer gemaild. Het leek erop dat het wel goed zat tussen hen. Dus is ze in Stockholm geweest om Ulf te ontmoeten. Ze is hier een dag of drie, vier geweest. Ze bracht een softwarejongen mee, iemand met wie ze eerder had gewerkt. Ik weet niet meer hoe hij heette. We hebben met ze gegeten. Ik mocht haar niet, daar zal ik eerlijk over zijn. Soms heb je van die kleine kinderen die nog niet hebben geleerd om te bedekken wat erbinnenin allemaal speelt, en dan krijg je af en toe een glimp van iets wilds. Van iets dierlijks. Kun je dat zeg-gen?'

'Dat kun je zo zeggen, ja.'

'Ik vond haar zo'n type. Op een bepaald moment werd Ulf wat minder enthousiast over het hele idee; hij zei dat hij tijd wil-de hebben om het allemaal nog eens te overdenken. En toen flit-ste er iets in haar ogen. Heel even maar, toen was het weer weg. En ik dacht: met jou zou ik niet graag ruzie krijgen.'

Charlie stond even stil bij die dramatische bewering en vroeg zich af in hoeverre ze daar pas naderhand op was gekomen. 'Wat is er daarna gebeurd?' vroeg ze op milde toon.

'Toen ze weer terug was in Engeland, heeft ze Ulf een voorstel gestuurd. Maar hij vond het geen eerlijke overeenkomst. Ze hebben een paar keer met elkaar gebeld en uiteindelijk zei hij dat hij niet dacht dat ze zouden gaan samenwerken.'

'Ik neem aan dat het een teleurstelling voor hem was.'

'Meer voor haar, denk ik. Om op het punt te komen waar Ulf was, zou ze jarenlang software moeten ontwikkelen en testen. En het zou Ulf veel minder moeite kosten om een partner te vinden die iets af wist van de onlinebusiness. Hoe het ook zij, hij besloot dat hij er een paar weken tussenuit wilde. Naar Spanje. We waren daar al eens eerder geweest en hij wist dat hij er door niets zou worden afgeleid en dat hij dus het programma kon bijschaven. En toen was hij opeens dood.'

'Dat moet onvoorstelbaar moeilijk voor u zijn geweest,' zei Charlie. 'Had u nog met hem gesproken toen hij in Spanje was?'

'Alleen toen hij daar aankwam, om me te laten weten dat alles in orde was. Maar ik zei al dat hij niet wilde worden afgeleid. Hij was zelfs van plan om zijn telefoon te laten afsluiten. Als hij ergens echt mee bezig was, ging hij er helemaal in op. Maar zij wist waar hij naartoe ging. Ik heb gehoord dat hij dat nog voor zijn vertrek door de telefoon tegen haar zei. Ze was geïnteresseerd in plaatsen die niet door iedereen werden bezocht, zei hij. Ze was de hele tijd op zoek naar nieuwe plekken waar ze mensen heen kon sturen.' Haar stem klonk verbitterd. Charlie hoorde het onmiskenbare geluid van een sigaret die werd opgestoken. 'Het is moeilijk om hier weer over te praten.'

'Ik weet het. En ik waardeer het dat u er tegen mij zo open over bent. Heeft u de Spaanse politie over Jay Stewart verteld?'

'Uiteraard. Ik ben niet dom en ik ben ook niet bang voor haar. Zodra me werd verteld dat alle papieren en de laptop waren verdwenen, wist ik dat het hier niet om een gewone inbreker ging. Waarom zou een inbreker aantekenboekjes en papieren meenemen? De enige die daarin geïnteresseerd kan zijn, is iemand die iets met software doet.'

'Wat zei de politie?'

'Ze bleven volhouden dat het om een simpele inbraak ging die uit de hand was gelopen. Ze waren nergens anders in geïnteresseerd. En natuurlijk heeft hun gebruikelijke rijtje verdachten geen inbreker opgeleverd. Ze vonden mij een stomme hysterica. Dat zei de advocaat. En ik had geen enkel bewijs in handen, dus op het laatst ben ik naar huis gegaan en heb ik de politie hier verteld wat er was gebeurd. Maar die wilden niet tussen twee vuren komen te zitten, dus hebben ze gewoon verstoppertje met me gespeeld. Het vervelende is dat niemand bij de politie begrijpt hoe dit soort dingen werkt. Toen 24/7 van start ging, minder dan een jaar nadat Ulf werd vermoord, wist ik dat ze in het bezit moesten zijn van zijn codes. Ze konden onmogelijk in minder dan een jaar software hebben ontwikkeld die zo ingewikkeld was en die zo op die van Ulf leek.'

Het klonk verdacht, dacht Charlie. Maar het was niet doorslaggevend. 'Tenzij Jay Stewart al bezig was met een soortgelijk idee samen met die softwareman van haar.'

'Als ze al zover waren, waarom hadden ze dan überhaupt Ulf nog nodig?' vroeg Liv triomfantelijk.

'Misschien wilden ze hem uitkopen omdat ze geen concurrenten wilden hebben,' opperde Charlie.

'Zo was het niet. Hij vertelde me dat die softwarejongen heel erg onder de indruk was van zijn werk. Nee, wat er is gebeurd, is dat Jay Stewart het werk van Ulf heeft gestolen. Ik beschuldig haar niet van moord.' Haar lach klonk onaangenaam. 'Zo dom ben ik niet. Maar ik denk dat ze opdracht heeft gegeven voor de diefstal. En dat is helemaal misgegaan. Dus is zij verantwoordelijk, ook al was het haar bedoeling niet. Ik wil dat ze daarvoor wordt gestraft.'

'Maar het is u nog niet gelukt haar voor de rechter te krijgen?'

Een lange stilte, onderbroken door een zware uitademing. 'Mijn probleem is dat ik geen harde bewijzen heb. Ik heb nog wat van Ulf op zijn oude laptop staan, uit de periode dat hij net aan het project begonnen was. Maar niets van het latere werk. Als ik de code volledig had gehad, zouden we haar misschien kunnen dwingen om een paar onafhankelijke deskundigen een vergelijking te laten maken. Maar dat is niet mogelijk. En? Denkt u dat de Engelse politie iets kan bewijzen?' Het scheen eindelijk tot haar te zijn doorgedrongen dat Charlie haar een reddingslijn had toegeworpen.

'Ik weet het niet. Het is mijn taak om de geloofwaardigheid van de getuige in te schatten.'

'U bedoelt om uit te vissen of hij liegt? U bent een soort menselijke leugendetector?'

Charlie grinnikte. 'Zoiets, ja.'

'Dan is de persoon met wie u moet praten Jay Macallan Stewart. Vraag haar op de vrouw af of zij verantwoordelijk is voor de dood van mijn man. En dan ziet u het in haar ogen. Het dier achter de beschaafde buitenkant.'

'Helaas krijg ik daar geen toestemming voor. Zeg eens, Liv. Heb je ooit geprobeerd om vast te stellen of Jay Stewart in de buurt was toen Ulf werd vermoord?'

Toen ze ditmaal begon te praten, hoorde Charlie verdriet in haar stem in plaats van de eerdere woede. 'Ik heb van het internet een paar foto's van haar laten uitprinten. Ik ben ermee langs hotels en bars en restaurants gegaan en langs autoverhuurbedrijven. Maar het is een toeristisch gebied. Niemand kijkt zijn klanten goed aan. Ze pakken alleen hun creditcard, halen die door de gleuf en doen net alsof ze hun paspoort bekijken. Bovendien weet ik niet zeker of ze het eigenhandig heeft gedaan.'

'Dus het enige bewijs is het programma?'

'Dat is niet zoveel, hè? Maar het gaat hier om Ulf en zijn werk. Het gaat erom dat iedereen weet wat hij heeft betekend voor onze manier van leven.'

Daarmee, dacht Charlie, legde Liv de vinger precies op de zere plek. Wat Ulf Ingemarsson was overkomen, werd weer teruggebracht tot een menselijke maat. 'Ik zal mijn best doen,' zei ze.

'Ik verwacht er niet zoveel van,' zei Liv, niet onvriendelijk. 'Maar als je iets kunt vinden waar je Jay Macallan Stewart voor kunt straffen, geef me dan een seintje. Dan kom ik kijken.'

23

Magda was van plan geweest om Jay te vertellen over haar ontmoeting met Nigel Fisher Boyd, maar dat ging niet door, omdat haar lief niet in staat was wakker te blijven. Ze had er moe uitgezien, ondanks het feit dat ze het duidelijk fijn vond om Magda te zien. Ze waren het terrein van het vliegveld nog niet af of Jays oogleden waren gaan knipperen en ze was onderuitgezakt in haar stoel. Hun relatie was nog zo fris dat Magda het vertederend vond. Ze heeft zoveel vertrouwen in me dat ze gewoon gaat slapen, dacht ze. Het kwam niet bij haar op dat als je zo vaak en zo divers reisde als Jay de laatste paar jaar had gedaan, je alleen kon overleven als je leerde overal waar je was te slapen als je moe was.

Toen Magda de ondergrondse garage in reed, ging Jay rechtop zitten. Als een kat rekte ze zich eens lekker uit en gaapte. 'Je hebt goed gereden,' zei ze op slaperige toon. 'Sorry dat ik zo ongezellig was. Maar ik zei nog dat je geen moeite hoefde te doen.'

'Het was geen moeite. Ik wilde je zien. Ik vind het prettiger om naast jou in de auto te zitten terwijl je slaapt dan thuis in mijn eentje.' Magda leunde naar haar toe en kuste haar. 'Bovendien ben je weer helemaal fris nu je even hebt kunnen slapen.'

Jay lachte. 'Aha, de onverzadigbare lusten van de jeugd.' Ze pakte haar tas van de achterbank en liep achter Magda aan naar boven. 'Ik hoop dat je morgen niet al te vroeg op hoeft.'

Daarna was er geen geschikt moment geweest om de vreemde ontmoeting in de wijnbar ter sprake te brengen. En de volgende morgen zat Jay al achter de computer toen Magda opstond. Ze was even gestopt met werken om koffie met haar te drinken en wat toast te eten, maar ze was duidelijk nog met haar hoofd bij haar werk.

Toen Magda thuiskwam uit het ziekenhuis, lagen de bearer bonds haar zo zwaar op de maag dat ze erover móést praten. Ze hing haar jas op en ging op zoek naar Jay, die zat te zweten in de sauna die ze had laten installeren in de garage onder het huis. Er zat niets anders op dan zich uit te kleden en bij haar te gaan zitten. Jay leek blij om haar te zien. Ze liet zich op de bovenste bank op haar buik rollen om beter te kunnen zien hoe Magda lager ging zitten, waar het niet zo verschrikkelijk heet was. 'Jij bent net een salamander,' zei Magda. 'Ik kan niet zo goed tegen de hitte als jij.'

'Het is gewoon een kwestie van gewenning. Wacht maar af,

binnen de kortste keren vechten we om het plaatsje hierboven. Heb je een goede dag gehad?'

'Gewoon, eigenlijk.' Magda zuchtte. 'Ik moest aan een vrouw vertellen dat haar kindje van zeven de kerst niet meer zal halen. Dat was wel even een domper.'

Jay woelde door Magda's haren, die al vochtig waren van het zweet. 'Dat is nu een van de redenen waarom ik mijn werk verkies boven het jouwe. Het slechtste nieuws waar ik mee te maken heb is dat de beste brasserie in Deauville is opgedoekt.'

'Ja, maar je mist ook de magische momenten waarop je iemand vertelt dat de behandeling is aangeslagen. Daar krijg je een kick van die met niets te vergelijken is.' Magda kromde haar rug, rekte haar ruggengraat uit en voelde wat van de spanning van die dag wegtrekken. Ze ging een beetje verzitten, zodat ze Jay kon aankijken. Ze vond het nog steeds ongelooflijk boeiend om het gezicht van haar geliefde te bestuderen. Ze wilde elke lijn en elke ronding in haar geheugen prenten, elke uitdrukking, elk detail. 'Ik heb je gemist toen je weg was. Dat doe ik altijd. Het is net alsof er een gat in mijn dag zit waar jij zou moeten zitten.'

Jay grinnikte. 'Dat slijt gauw genoeg. Straks zit je de dagen af te tellen tot mijn volgende reis, omdat je dan weer kunt doen waar je niet aan toe komt als we bij elkaar zijn.'

'Dat denk ik niet. Ik heb altijd genoeg aan mijn eigen gezelschap gehad. Ik vond het nooit erg als Philip weg was. En dat gold ook voor mijn andere vriendjes. Maar bij jou is het een *actieve* afwezigheid. Er gebeurt iets en ik wil het jou vertellen. Ik hoor een of ander stom verhaal op het nieuws en dan wil ik er tegen jou over kunnen schelden.'

'Wat lief,' zei Jay met omfloerste stem. 'Ik geloof dat nog nooit iemand zoiets tegen me heeft gezegd. In het verleden was het meer zo dat mijn geliefden het stiekem best prettig vonden om tijd voor zichzelf te hebben als ik de stad uit was. Maar ik moet toegeven dat er deze keer ook momenten waren die ik met je wilde delen. En dat is eigenlijk niets voor mij. Ik heb altijd in dat gezegde geloofd dat je het snelst reist als je alleen bent.'

'Als je snel reist, kun je een heleboel missen.'

'Dat risico heb ik altijd voor lief genomen,' zei Jay met scheef glimlachje. 'Wil je alsjeblieft nog wat water op de kooltjes gieten?'

Magda pakte de houten schep in de emmer met water en liet een paar druppels op de kolen vallen. Ze hapte naar adem toen de damp haar in het gezicht sloeg en even haar ademhaling bemoeilijkte. *You take my breath away.* Toen ze weer wat lucht kreeg, zei ze: 'Ik heb op vrijdagavond een vreemde ontmoeting gehad.'

'Toch niet met je vader die naar Londen kwam om mij er eens flink van langs te geven?'

Magda kreunde. 'Hou op. Je komt soms wel erg eng uit de hoek, zeg.'

'Oké. Dus het was niet Henry die op oorlogspad was. Wie zou het nog meer kunnen zijn? Iemand die kwam opbiechten dat ze altijd al op vrouwen was gevallen?'

Magda stak haar hand omhoog en gaf een duwtje tegen Jays schouder. 'Nee, stel je voor. Nee, het was een man. En voordat je me in de haren vliegt, er was absoluut niets seksueels aan de ontmoeting.'

'Ik ben blij dat te horen. Maar voordat je verdergaat, wil ik nog even zeggen dat je er ook nu je met mij bent best van mag genieten als iemand met je flirt. Ik heb er geen probleem mee als andere mensen dezelfde smaak hebben als ik.'

'O.' Magda sprak het woord langgerekt uit, met hoorbare teleurstelling.

Ze mompelde afkeurend 'ts, ts' en zei toen: 'Dus jaloerse toestanden hoef ik bij jou niet te verwachten? Nou zeg, je bent wel stoïcijns!'

'Ik vind alles prima. Totdat ze een grens overschrijden. En dan haal ik hun milt eruit. Door de neus. Met een haaknaald.' Jay keek een moment heel gemeen, en toen begon ze te giechelen. 'Sorry' proestte ze. 'Vertel me maar over die vreemde ontmoeting.'

'Ik moest nog even iets kopen bij Sainsbury's, en toen ik terugkwam stond er een vent op me te wachten die ik nog nooit eerder had gezien. Nigel Fisher Boyd heet hij.'

Jay trok een grimas om aan te geven dat die naam ook haar onbekend was.

'Hij doet iets met financiën. Hij heeft me geen details verteld en ik heb er niet naar gevraagd. Hij maakte een onaangename indruk op me. Een beetje een gluiperd, weet je. Hij beweerde dat hij een vriend van Philip was, maar ik wist dat hij loog, want hij noemde hem "Phil" en daar had Philip enorm de pest aan.'

'Wat wilde hij? Deed hij pogingen om jou geld af te troggelen voor een of ander plan?'

Magda lachte. 'Je klinkt als een buldog. Nee, hij probeerde me geen geld af te troggelen. Juist het tegenovergestelde. Hij was er omdat hij iets had wat van Philip was en wat hij aan mij wilde doorgeven.'

Jay duwde zich omhoog tot ze op haar ellebogen steunde. Magda keek met bewondering naar de lijn van haar schouders, haar volle borsten. Het zweet liep in zilte straaltjes langs haar lichaam en ze had zin die op te likken. 'Klinkt interessant.' Ze fronste haar wenkbrauwen. 'Zij het een beetje aan de late kant.'

Magda zuchtte. 'Ja maar, daar bleek een goede reden voor te zijn. Hij heeft me achthonderdduizend euro in aandelen aan toonder gegeven, Jay.'

'Wat!' Een uitdrukking van absolute verbijstering deed Jays gezicht verstarren. Magda had haar nog nooit zo geschokt gezien.

'Ik weet het. Ik was ook volslagen van de kaart. Ik had zelfs nog nooit een bearer bond gezien. De enige reden waarom ik er iets over had gehoord was dat Patrick ooit een periode heeft gehad dat hij elke avond naar *Die Hard* keek. Alan Rickman en zijn bende waren die dingen zogenaamd aan het stelen. Maar ik heb begrepen dat het om diezelfde dingen gaat.'

'Maar waarom?'

Alleen al bij de gedachte aan dit aspect van het verhaal kreeg Magda tranen in de ogen. 'Die Nigel Fisher Boyd zei dat het om de winst ging die Philip uit handel met voorkennis had opgestreken.'

Jay sperde haar ogen nog verder open. 'Handel met voorkennis? Heeft *Philip* misbruik gemaakt van voorkennis?'

'Volgens Fisher Boyd wel, ja. Het is niet te geloven. Ik dacht dat ik Philip kende. Maar de Philip die ik kende wás geen schurk. En ik heb me zelfs een moment afgevraagd of iemand een pervers soort practical joke met me uithaalde. Maar achthonderdduizend euro is niet het soort bedrag dat je gebruikt om iemand voor de gek te houden. En toen schoot me te binnen wat jij hebt gedaan. Ik dacht echt dat ik gek werd.'

Jay ging overeind zitten en liet zich zakken tot ze naast Magda zat. 'Godallemachtig,' zei ze. 'Misschien hebben we wel het stomste gedaan wat we konden doen. Ik heb alle spullen van Philip, op zakelijk en op privégebied, heel grondig doorzocht en ik ben niets verdachts tegengekomen. Dankzij hun slordigheid met paperassen was het niet moeilijk om Joanne en Paul op het spoor te komen, toen ik eenmaal wist waar ik naar op zoek was. Maar ik dacht dat Philip brandschoon was. Ik zou die brieven nooit hebben geschreven als ik had gedacht...' Ze sloeg haar hand voor haar gezicht. 'God, wij zijn door de mazen van het net geglipt,' zei ze en ze ademde diep uit.

'Maar ons valt toch niets te verwijten? Je hebt toch niet verzonnen dat Joanne en Paul aan handel met voorkennis deden? Je hebt het alleen maar onder de aandacht van de bevoegde instanties gebracht.'

'Maar het werkt alleen maar als motief wanneer Philip er niets mee te maken had,' bracht Jay ertegen in. 'Als hij er zelf ook aan meedeed, waarom zou hij ze dan in vredesnaam aangeven?' Jay sloeg met de zijkant van haar vuist hard op de bank. 'Shit.'

Magda dacht terug aan haar gesprek met Charlie. Intuïtief voelde ze aan dat dit niet het juiste moment was om Jay te vertellen dat ze iemand anders in vertrouwen had genomen. 'Misschien waren ze wel zo onzorgvuldig dat het hele bouwwerk in elkaar dreigde te storten. En Philip wilde dat op zijn voorwaarden verhinderen.'

'Die theorie zouden we kunnen gebruiken als de nood aan de man komt,' zei Jay. 'Maar we wisten zo zeker dat Joanne en Paul hem hadden vermoord. Weet je nog? Dat is de enige reden waarom ik überhaupt in zijn administratie ben gaan snuffelen. Ik was op zoek naar een reden waarom ze van hem af wilden. Ik wilde een motief vinden, en toen ik zag waar ze mee bezig waren geweest, leek het zo duidelijk. Als dat niet zo was geweest, had ik het nooit aangedurfd om de brieven te vervalsen zodat ook de politie zou zien wie er een motief hadden.' Jay schudde haar hoofd. 'Maar als hij er zelf ook aan deed, kan hij onmogelijk een spaak in hun wiel hebben willen steken. Dus hun hele motief is weg. Waarom zouden ze hem dan hebben willen vermoorden?'

Magda was verbijsterd, niet in de laatste plaats omdat ze daar zelf nog niet op was gekomen. En ze was zogenaamd zo slim. Was de liefde hier de oorzaak van? Bleef er dan niets meer van je hersens over? 'Ik weet het niet. Misschien wilden ze zijn deel van het bedrijf inpikken.'

'Dan hadden ze hem vóór de bruiloft moeten vermoorden, want naderhand is er maar één persoon die zijn deel kan opeisen en dat ben jij.' Jay woelde opgewonden door haar haren. 'Jezus, Magda. Dit is een nachtmerrie.'

'Maar volgens mij verandert er niets. Ze hebben hem vermoord, Jay. Er is geen andere conclusie mogelijk. Ze zijn op een cruciaal moment weggeglipt van het feest. Ik heb ze daar gezien, een paar meter van de plaats waar Philip is gestorven.'

'Maar dat heb je niet aan de rechter verteld, hè? Je hebt niet de precieze waarheid verteld over waar je ze hebt gezien, omdat je wel moest liegen. Je was bij mij, niet in het kantoor van je moeder.'

'Maar dat weet niemand. De verdediging heeft nooit geprobeerd aan mijn verhaal te tornen. Het is een gepasseerd station, Jay.'

Jay leek allesbehalve overtuigd. 'Het is nog niet voorbij. Er moet nog een vonnis worden uitgesproken, ze kunnen in beroep gaan. Als het uitkomt wat Philip in zijn schild voerde, zijn zij niet langer degenen met het motief, Magda. Dan zijn jij en ik dat.'

Magda wist niet goed raad met Jays opgewonden gedrag. Als ze er van tevoren over had nagedacht, zou ze hebben verwacht dat zij helemaal in paniek zou zijn geraakt. In plaats daarvan gedroeg ze zich zoals het een arts betaamt en reageerde ze alsof ze te maken had met een patiënt die net een verschrikkelijke diagnose te horen heeft gekregen. Magda sloeg haar arm om de schouders van Jay en ze schrok van de spanning die ze in de spieren kon voelen. 'Maar ons kan niets gebeuren. Ik ben jouw alibi.'

'En daardoor ben ik jóúw alibi.' Jay liet een akelig lachje horen. 'En denk je niet dat de mensen zich van alles gaan afvragen als we een stel worden na een geheim afspraakje op jouw bruiloft?'

'Zo was het niet,' protesteerde Magda. 'En dat weet je.'

'Wij weten dat, maar de buitenwereld ziet het misschien wel heel anders. We hebben een geheime ontmoeting, jouw man wordt vermoord en laat jou achter als een heel rijke weduwe. En dan kom ik op de proppen en dan ben jij opeens halsoverkop verliefd op mij.'

'Dat is krankzinnig. Je hebt verdorie dat geld helemaal niet nodig. Je bent miljoenen meer waard dan ik.'

Jay veegde haar gezicht af met de rug van haar hand. 'Er zijn mensen die het woord "genoeg" niet kennen. Geloof me, Magda, het zou helemaal niet moeilijk zijn om ons in een heel kwaad daglicht te stellen, mocht dit ooit uitkomen.'

'Waarom zou het uitkomen? Ook als – en het is een heel groot "als" – ook als iemand ontdekt wat Philip deed, komen ze er nog niet achter dat jij die brieven hebt vervalst.'

Jay leunde tegen haar geliefde aan. 'Waarschijnlijk niet,' zei ze vermoeid. 'Maar er is één ding waar je geen rekening mee hebt gehouden.'

'En dat is?'

'Zonder motief is het moeilijk voorstelbaar dat Joanne en Paul Philip hebben vermoord. En als zij het niet hebben gedaan... Wie dan wel, Magda. Wie heeft hem dan vermoord?'

DEEL DRIE

van de tandarts. Ze is naar bed gegaan, omdat ze zich niet goed voelde, dus ze heeft niet gemerkt dat haar moeder er niet was totdat ik thuiskwam. Ik heb haar hier achtergelaten toen ik bij de Riverdale-flats ging kijken. Maar daar zat alles op slot en er was niemand meer. Toen ik de conciërge te pakken kreeg, zei hij dat er die dag maar een paar mensen waren geweest die nog wat moesten afmaken. En hij dacht niet dat Jenna daarbij was geweest. Toen ik thuiskwam en het aan Jennifer vertelde, was ze helemaal van slag. Ik zag dat ze totaal overstuur was. Ze zat zich niet aan te stellen. Ze was pas zestien en toneelspelen kon ze ook niet zo goed. Je wist meestal wel hoe Jennifer zich voelde,' voegde hij er verbitterd aan toe. 'Daar was ze altijd heel duidelijk over.'

'Dat verschil tussen Jennifers boek en haar verklaring waar ik het net over had heeft te maken met haar bezoek aan de tandarts. Ze zegt dat ze die morgen naar de flat is gegaan, maar dat ze toen al zag dat die op slot zat en dat er niemand was. Maar u zei zo-even dat de conciërge u vertelde dat er toch een paar mensen waren geweest. Die moesten nog iets afmaken. Waarom zouden er twee verschillende versies van het verhaal zijn?' Charlie had aanvankelijk de uiteenlopende verhalen afgedaan als oninteressant, maar daar was ze nu niet meer zo zeker van.

'Omdat ze een kleine leugenaarster is.' Hij keek alsof hij een vieze smaak in zijn mond had. 'Als ze zichzelf maar interessant kon maken. Altijd probeerde ze aandacht te trekken. Ze was al verpest toen ze hier kwam wonen. Als ik haar in handen had gehad vanaf dat ze heel klein was, was het heel anders gelopen. Ik geloof niet dat ze die morgen bij die flats was. Ze was bij de tandarts. Die vuile leugenaarster.'

Bij zoveel felheid leek het niet erg zinvol om door te gaan. 'Jennifer denkt blijkbaar dat haar moeder ervandoor is gegaan met Rinks van Leer, haar vroegere vriendje.' Charlie hield haar stem neutraal en emotieloos.

'Ze was niet bij hem. Ik heb hem zelf gecontroleerd. En de politie ook. Jennifer had dat fout. Allemaal fantasie en leugens. Ik geloof dat ze die man niet eens kende voordat ze mee ging doen met dat project aan de Riverdale-flats. De andere vrijwilligers hebben dat bevestigd. Ze waren aardig tegen elkaar, maar niemand behalve Jennifer dacht dat ze iets met elkaar hadden. Maar om de een of andere verdorven reden probeerde Jennifer mij wijs te maken dat die man uit Jenna's verleden was opgedoken en haar stiekem had meegenomen. Onzin. Verderfelijke onzin. Maar ik verwacht niet anders van haar. Geen woord van dankbaarheid voor de jaren dat ik haar heb gekleed en gevoed en haar een dak boven haar hoofd heb gegeven, ook al was ze het kind van iemand anders. Ik ken mijn plicht als christen.' Hij hield opeens op met praten; twee roze plekjes verschenen op zijn wangen.

'Dat geloof ik graag,' zei Charlie. De woorden bleven bijna in haar keel steken. Ongevraagd kwam er een herinnering naar de oppervlakte van haar geheugen bovendrijven aan Jay die ergens op een feest een beetje aan de rand stond. Toen ze zich bewust werd van Charlies blik had ze opgekeken, op haar hoede als een vreemde hond aan de rand van een open plek in het bos. Als ze er met haar huidige ervaring op terugkeek was die omzichtigheid die altijd op de loer lag achter het charisma heel begrijpelijk. Als je bent opgegroeid in de buurt van deze man was het vast niet gemakkelijk geweest om jezelf normaal te ontwikkelen. Hoe vaak had hij geprobeerd om de ziel van Jay in het stof te trappen? Had Jenna zich verscheurd gevoeld of had ze overal afstand van gedaan voor het bloed des Lams? 'Zou u zeggen dat Jenna een lichtgelovige vrouw was?'

'Ze had zich in het verleden door anderen laten beïnvloeden, toen ze nog de wegen van de zonde bewandelde. Maar nadat ze Jezus had aanvaard als haar Redder had ze zich helemaal aan God gewijd. Haar geloof was haar rots. Dus ze zou zich nooit hebben laten beïnvloeden door iets wat tegen haar geloof in ging.

Charlie knikte. Ze deed net alsof ze tevreden was. 'Nou, meneer Calder, het spijt me dat ik u heb lastiggevallen. Ik krijg de indruk dat het zeer onwaarschijnlijk is dat uw vrouw het slachtoffer was van de man in wie we geïnteresseerd zijn.'

Hij boog zijn hoofd. 'Gode zij dank. Tegen alle verwachtingen in bid ik nog steeds dat ze op een dag hier weer zal binnen komen wandelen op zoek naar vergeving.'

Charlie stond op. 'Ik hoop voor u dat u gelijk hebt,' zei ze, maar in haar hart hoopte ze met alles wat er in haar was dat Jenna echt was weggelopen met Rinks van Leer. Of met wie dan ook. Helaas was dat niet erg geloofwaardig. Maar ze was klaar met Howard Calder. Waar de antwoorden op haar vragen ook mochten liggen, zeker niet in deze zielige huls die nooit voor een thuis zou kunnen doorgaan.

14

Wat er twintig jaar geleden in Roker ook mocht zijn gebeurd, het was diep begraven, dat was een ding dat zeker was. Maar nu Charlie hier toch dat hele eind naartoe was komen rijden, was de verleiding groot om een kijkje te gaan nemen op de plek waar Jenna Calder haar geheime afspraakjes had gehad met haar Nederlander. De Riverdale-flats bevonden zich op nog geen twee kilometer van het huis van Calder, maar ze lagen aan de strandboulevard. Ze hoorden bij een wereld die heel anders was.

Vanuit de verte zag Charlie een bruin bakstenen gebouw met vage art-decolijnen. Grote ramen keken uit op de woelige baren van de zee. Lang niet gek om hier je laatste jaren te slijten, dacht Charlie. Maar toen ze dichterbij kwam, merkte ze dat het er minder leuk uitzag dan ze op het eerste gezicht had gedacht. Er stond een twee meter hoge tijdelijke schutting omheen en de ramen en de ingang op de begane grond waren dichtgespijkerd. Charlie parkeerde aan de overkant en zag dat er een plakkaat op de schutting was geplakt met daarop: *Riverdale. Wordt gebouwd: een nieuw complex van luxe appartementen met zeezicht.* En daarboven een schetstekening van een doorsnee modern appartementenblok, helemaal van glas en staal. Als ze een paar weken later was gekomen, zou dit een bouwplaats zijn geweest waar elk spoor van het vroegere Riverdale voorgoed was verdwenen.

Charlie stak de straat over en liep buitenom langs de schutting. Aan de achterkant van de bouwplaats, het verste van de straat verwijderd, werd een dubbel hek bij elkaar gehouden door een kettingslot. Charlie schudde aan het slot, maar het zat goed vast. De hekken gaven een beetje mee; als ze een dun type was geweest zoals Lisa of Jay zelf, had ze zich er misschien tussendoor kunnen wringen. Maar Charlie was wat te mollig voor een dergelijk avontuur. Ze liep verder en tot haar verbazing zag ze toen ze de hoek om kwam dat iemand de panelen van de schutting uit elkaar had getrokken. Ze waren tegen elkaar aan gezet, maar er liep een duidelijk modderspoor in de richting van de opening. Uit nieuwsgierigheid trok Charlie de panelen uit elkaar en stapte naar binnen. Een klein stukje omgewoeld gras scheidde de schutting van de flats. Voor de achteringang hing een stuk golfplaat, maar het stond te bibberen in de wind. Toen ze dichterbij kwam zag ze dat de spijkers waarmee het aan de sponning vastzat er in de hoek en tot halverwege de zijkant waren uitgetrokken. Als je de golfplaat wegtrok kon je bukkend naar binnen.

Charlie pakte haar sleutelbos. Maria had haar met Kerstmis een kleine maar krachtige zaklantaarn gegeven. Charlie had niet geweten wanneer ze zoiets nodig zou hebben, maar om Maria een plezier te doen had ze hem aan haar sleutelbos vastgemaakt. Ze deed hem aan en stond er versteld van hoeveel licht het ding gaf. Ze zag dat ze in een hal stond die rook naar vocht, sigaretten en urine. Er klonk wat geritsel een eindje verderop dat haar aan ratten deed denken, en waardoor ze zich nog eens bedacht of ze wel verder zou gaan. 'Stel je niet aan,' vermaande ze zichzelf. 'Ze zijn banger voor jou dan jij voor hen.'

Er waren deuren aan beide kanten van de hal: 1D en 1E. Ze deed voorzichtig een paar passen naar voren en zag toen dat de deur van 1E op een kier stond. Ze duwde hem open en scheen met haar zaklantaarn naar binnen. Er lagen in elkaar gedrukte bierblikjes, een paar flessen sterke cider, sigarettenpeuken en pizzadozen op een hoop. Tieners, dacht ze. Allemaal vrij onschuldig.

Om de hoek was een trap; hij zag er solide uit en was gemaakt van een of ander soort composietgraniet. Charlie klom voorbij de eerste verdieping verder omhoog. Toen ze bijna op de tweede verdieping was, werd het opeens merkbaar lichter in het trappenhuis. Ze besefte dat alleen de ramen van de onderste verdieping waren dichtgespijkerd; op de tweede en derde verdieping drong er nog licht het gebouw binnen. Nu zag ze ook dat de deuren van alle flats openstonden, en rondom de sloten waren er sporen te zien van klappen met een zwaar soort hamer. Er was kennelijk iemand in het gebouw geweest die wilde zien of er nog iets te jatten viel.

Het slot van 4c was net als bij de andere flats flink onder handen genomen. Hoewel ze niet goed wist waarom ze de moeite deed, stapte Charlie het smalle halletje binnen en liep ze door tot wat waarschijnlijk de woonkamer was geweest. Je had er een spectaculair uitzicht op de boulevard en het strand, waar de golven nu zo hard beukten dat er witte schuimkoppen te zien waren. Er stonden geen meubels, maar in het vloerkleed waren nog steeds de oude putjes te zien op plekken waar vermoedelijk stoelen, tafels en een dressoir hadden gestaan. Er was een gapend gat in de schoorsteenmantel waar de open haard was geweest en je zag bleke vierkanten op de muren waar schilderijen hadden gehangen. Charlie keek rond in wat eens een woonkamer was geweest en probeerde zich voor te stellen hoe het er had uitgezien.

Het viel haar op dat er iets vreemds aan de hand was met de proporties. Aan de ene kant van de schoorsteenmantel was een diepe nis met planken, vermoedelijk voor boeken of snuisterijen. Maar van enige symmetrie was geen sprake. De andere kant liep gelijk met de schoorsteenmantel zelf. Onder het stukje met de planken bevond zich een klein ijzeren rooster in de vloer; vermoedelijk was dat de ontluchting van de vloerverwarming geweest. Maar een soortgelijke ontluchting ontbrak aan de andere kant. Dat was merkwaardig, vooral voor een periode waarin de architectuur zich zo bezig had gehouden met proporties en evenwicht. Nieuwsgierig liep Charlie de kamer uit naar de kamer ernaast om te zien of een vorige bewoner een paar veranderingen had aangebracht, zoals een kast in een slaapkamer of wat extra ruimte in de badkamer. Maar in de kamer naast de woonkamer was niets te zien, in ieder geval geen hoekjes of kasten.

Charlie liep terug en keek nog eens naar de muur. Het was inderdaad vreemd. Je zou er niets van zien als de kamer gemeubileerd was, omdat het de meest voor de hand liggende plaats voor de tv was. En er zaten inderdaad putjes in het kleed waaruit bleek dat die er had gestaan. Maar nu de kamer leeg was, maakte het beslist een vreemde indruk. Ze liep de flat uit en liep door de hal naar 4D, die het spiegelbeeld van 4C zou moeten zijn.

En dat klopte – behalve dat er aan beide zijden van de open haard een nis met planken was. Hier klopte iets niet.

Weer terug in 4C begon Charlie op de geheimzinnige muur te kloppen. Het klonk niet alsof hij even dik was als de andere muren, maar helemaal hol klonk het ook niet. Ergens ertussenin, dacht ze. Ze staarde een hele tijd naar de muur en dacht na. Het appartementenblok kon elk moment met de grond gelijk worden gemaakt. Ze hoefde niet bang te zijn dat ze iets waardevols beschadigde. Aan de andere kant was het de waanzin ten top om een valse muur in een vervallen appartement kapot te slaan.

Terwijl ze zich hier nog het hoofd over brak, liep ze de kamer al uit. De slaapkamer was leeg. De badkamer ook. Zelfs geen handdoekenstang die ze van de muur af kon breken. Uit de keuken was alle apparatuur weggehaald, maar bij een poging om een granieten aanrecht weg te breken had iemand toch brokken gemaakt. Bij het wegbreken van de gootsteen was de hele zaak zodanig verzwakt dat er een brok graniet van een halve meter was afgebroken. Bij het smalle gedeelte was hij iets meer dan tien centimeter breed en aan de andere kant zo'n vijfendertig centimeter. In het stenen tijdperk zou het de ideale knots zijn geweest. Charlie tilde hem op om te voelen hoe zwaar hij was. Oké, ze kon er wel mee uit de voeten.

De gedachte aan lichamelijk geweld had na de frustraties van de afgelopen paar weken iets bevrijdends. Charlie posteerde zich naast de valse muur in de houding van een slagman bij het honkbal, met de knots in haar beide handen. Ze zakte wat door de knieën, hief de knots en liet hem met een zwaai tegen de muur dreunen. Met haar volle gewicht erachter trof het graniet doel. Er klonk een zacht gekraak, het bloemetjesbehang scheurde en er ontstond een deuk met scherpe randen. Ze zwaaide nog eens, wat tot gevolg had dat er nog meer papier scheurde en er een grotere deuk ontstond. Charlie wist niet van opgeven en bleef met de knots zwaaien. Bij de vijfde klap was het duidelijk dat de muur bestond uit gipsplaat waar overheen verschillende lagen behang waren geplakt. Na acht of negen klappen met het graniet brak ze erdoorheen. De lucht die naar haar toe dreef had een muffe zoetige geur, maar het rook niet onaangenaam. Door het gaatje dat ze op schouderhoogte had weten te forceren was niets te zien, dus pakte Charlie de rand van de gipsplaat vast en trok uit alle macht. Ze brak een groot stuk af waardoor een paar planken zichtbaar werden, de ene op borsthoogte, de andere op de hoogte van haar middel. Zo te zien stond er niets op.

'Waarom zou je zoiets doen?' vroeg Charlie zich hardop af. 'Waarom zou je een paar boekenplanken wegmoffelen die nog prima te gebruiken zijn?' Ze greep de onderrand van de gipsplaat, met haar handen wijd uit elkaar, en trok uit alle macht. Met een luid scheurend geluid van het behang kwam het grootste deel van de valse muur los. Charlie viel bijna omdat ze er niet op was voorbereid. Ze zocht houvast, kon nog net blijven staan en keek naar het gat dat ze had blootgelegd.

En toen had ze geen vragen meer.

15

De enige keer dat Charlie mummies had gezien was in het Manchester Museum. En die hadden in glazen vitrines gelegen. Maar dit macabere gebeente was geen zorgvuldig schoongemaakt museumstuk. Dat het eens deel had uitgemaakt van het moderne leven was maar al te duidelijk, gezien de vervaagde vodden van eigentijdse kledij en de handkoffer die tegen de verste muur was gestouwd. Charlie probeerde zich te concentreren op die onbenullige details en niet op de al te menselijke resten zelf. Maar ze kon er niet omheen: ze zou naar het lichaam moeten kijken.

De huid was donkerbruin en was strak weggetrokken over de botten. Het zachte weefsel was verdroogd, waardoor het hoofd eruitzag als een bizar kunstwerk van Damien Hirst – een schedel bedekt met papierdun leer, de tanden een glimmende grijns, de oogkassen van een afgrijselijke donkere leegte, het haar nog steeds sluik en slordig. De ledematen leken op gedroogde repen vlees, de spieren waren geslonken en verwrongen tot een parodie van een foetushouding.

Aanvankelijk had ze niet goed in de gaten waar ze naar keek. Toen herinnerde ze zich de beschrijving van de kleding die Jenna Calder op de dag van haar verdwijning had gedragen. De vergane resten van de spijkerbroek hingen om haar heupen. De roze polyester blouse was weliswaar verkleurd waar het vlees ertegenaan was geperst, maar verder nog intact. Een bruine regenjas lag opgevouwen onder de mummie; de gesp van de ceintuur was nog duidelijk zichtbaar. Het lichaam zag eruit alsof het daar al eeuwen had gelegen, maar Charlie was er zeker van dat dit de moeder van Jay Stewart was. 'O mijn god,' zei ze. Onwillekeurig deed ze een pas achteruit en liet ze de gipsplaat los die ze nog steeds in haar hand had. Zonder haar blik af te wenden van haar gruwelijke ontdekking tastte ze in haar zak naar haar mobieltje.

'Ik dacht het niet.'

De stem kwam van achter haar. Toen ze hem herkende, draaide Charlie zich met een ruk om, met een stomverbaasde uitdrukking op haar gezicht, alsof ze hoopte dat haar ogen zouden tegenspreken wat haar oren hadden gehoord. 'Lisa?'

'Geef die telefoon hier, Charlie.' Lisa kwam vanuit de hal naar binnen.

Charlie kon niet bevatten wat ze zag. Lisa Kent in een zwarte spijkerbroek en een zwartleren jack en met iets in haar rechterhand dat ze op Charlie richtte. 'Waar heb je het over?' vroeg ze niet-begrijpend.

'Geef op die telefoon.' Lisa gebaarde met haar linkerhand. 'Kom op, Charlie, dit is geen spelletje.' Ze stak haar rechterhand omhoog. 'Dit is peper. Het is erg pijnlijk en je kunt je dan ook niet meer bewegen. Ik wil het nog niet gebruiken, maar als het moet doe ik het. Nou, geef me die telefoon.'

Verbluft en stomverbaasd omdat ze volledig in het duister tastte, besloot Charlie om mee te werken. 'Ik begrijp het niet,' zei ze toen ze haar arm uitstrekte om de telefoon aan Lisa te kunnen geven. Ze zag dat Lisa nauwsluitende rubberhandschoenen aanhad. 'Voel je je wel goed, Lisa? Wat is er aan de hand?'

Lisa stopte de telefoon in een jaszak. 'Met mij gaat het prima, Charlie. Maar weet je, je had gelijk over die sterfgevallen. Het waren moorden.' Ze sprak op een keuveltoon alsof ze in haar woonkamer met elkaar zaten te babbelen. 'Ga alsjeblieft wat achteruit. Ik vind het niet prettig als je te dicht bij me staat. En helaas voor jou niet om de reden die jij wel zou willen,' voegde ze er met iets wreeds in haar stem aan toe.

Charlie ging wat achteruit staan; ze werd plotseling overvallen door het gevoel dat de grond onder haar voeten wegzakte. 'Ik begrijp het niet,' herhaalde ze. 'Wat heb jij hiermee te maken? Waarom ben je hier?'

'Het is belachelijk gemakkelijk om jou te schaduwen,' zei Lisa, die het keuveltoontje weer te pakken had. 'Kijk jij ooit wel eens in je achteruitkijkspiegel? Ik wist dat je uiteindelijk bij Howard Calder terecht zou komen en ik kon je alsmaar in het oog houden. Ik hoopte dat je geen aanwijzing zou vinden. Maar ik was erop voorbereid als dat wel het geval was.'

'Maar waarom? Wat heeft dit alles in godsnaam met jou te maken?'

'Je snapt het nog steeds niet, hè? Al die lijken, al die mensen die het geluk van Jay in de weg stonden – het was Jay niet die hen heeft vermoord. Dat zei ik toch: ze kan helemaal niemand vermoorden, het zit niet in haar. Ze had mij nodig om het voor haar te doen.' Er was geen spatje waanzin in de lieve glimlach van Lisa, maar het effect was des te griezeliger.

'Jay heeft jou laten moorden voor haar?' Charlie begreep hier helemaal niets meer van.

'Nee, nee. Ik heb het uit mezelf gedaan. Ik heb het gedaan omdat het de enige manier was waarop ik haar kon laten zien hoeveel ik van haar houd.' Het leek nu bijna of Lisa straalde. 'Er moet iemand voor haar zorgen. Maar de liefde tussen ons is zo sterk, zo ontvlambaar dat ze bang is om met mij samen te zijn. Ik moet alsmaar bewijzen dat ze niet zonder me kan.'

'Je zei dat je haar nauwelijks kende. Dat jullie elkaar in Oxford wel eens waren tegengekomen, maar meer niet.' Het enige houvast dat Charlie nog had in de horrorfilm waarin ze zich bevond, waren haar professionele talenten. Houd haar aan de praat, prentte ze zichzelf in. Zolang Lisa nog praatte, deed ze niets.

Lisa schokschouderde wat meesmuilend. 'Ik heb gelogen. We waren geliefden. Ik was haar eerste. En zij de mijne. Het was zo sterk, zo fantastisch. Ik werd een heel ander mens.'

Charlie voelde een koude rilling langs haar rug gaan. Hoe was het in godsnaam mogelijk dat ze deze krankzinnigheid niet had gezien? Ze kon nog net voorkomen dat ze huiverde. 'Ik heb de interviews gelezen, Lisa. Ze heeft het helemaal niet over jou. Haar eerste vriendin heette Louise.'

Lisa's oogleden begonnen opeens te knipperen. 'Dat klopt. Ik was toen Louise. Maar Jay heeft een volledig ander mens van me gemaakt. En nu ben ik Lisa. We praten niet over die verandering, zie je. Het zit namelijk zo, Charlie. Sommige dingen zijn te heftig om met de rest van de wereld te delen.' Ze praatte nu snel. 'Als je iets meemaakt dat zo sterk is als de elektriciteit die er bestond tussen Jay en mij – dan overstijg je de normale werkelijkheid. Het is onmogelijk om het uit te leggen aan mensen die alleen maar een alledaags soort levenservaring hebben.'

'Mensen zoals ik, bedoel je?'

Lisa lachte vrolijk. 'Precies, Charlie. Nu ga je eindelijk begrijpen waarom ik niets met jou zou kunnen hebben.'

'In tegenstelling tot Nadia,' zei Charlie bits. 'Hoor eens, Lisa, mijn gevoelens voor jou zijn zo dood als een pier.' Toen Charlie het zei, wist ze dat het ook echt waar was. Als je wordt bedreigd en gegijzeld, komen relaties in een heel ander perspectief te staan.

Lisa keek heel even boos. 'Dat maakt mij echt niet uit, Charlie. En ik had je al verteld dat het bij Nadia louter om de seks ging. De bevrediging van een lichamelijke drift. Er was op geen enkele manier een relatie tussen ons. Hoe zou dat ook kunnen?'

'Dat denk ik ook niet. Maar ik begrijp die plotselinge overgang niet goed: het ene moment ben je Jays geliefde, het volgende haar wrekende engel. Ik neem aan dat ze het met je heeft uitgemaakt?' Kijk uit, Charlie, maande ze zichzelf. Je mag haar niet te boos maken. Een beetje maar, om haar wat van haar stuk te brengen.

'We zijn uit elkaar gegaan omdat we niet konden omgaan met de extreme krachten tussen ons. Vanaf dat moment draaide mijn leven nog maar om één ding: wachten tot ze er weer klaar voor is. En ervoor zorgen dat haar leven zo goed mogelijk verloopt totdat het zover is.'

'En dat betekent dat je mensen vermoordt die haar in de weg staan.'

Weer die stralende glimlach. 'Waarom niet? Het zijn geen mensen die op hetzelfde niveau leven als Jay en ik.'

'Weet ze hiervan?' Charlie probeerde ook de keuveltoon te pakken te krijgen om niet te laten merken dat ze inzicht probeerde te krijgen in de aard van de geesteszickte van de vrouw tegenover haar.

Lisa knikte. 'Natuurlijk. Het is belangrijk dat zij begrijpt dat ik nog even toegewijd ben als altijd. We zijn nog steeds de bewakers van elkaars geheimen.'

'Elkaars geheimen?' De herhaalvraag. Altijd een sterk wapen. Zelfs bij degenen die de grens hebben overschreden.

'Ze weet dat ik indien nodig een moord voor haar pleeg. En ik heb dit altijd geweten.' Lisa maakte een vaag handgebaar naar de nis en de inhoud.

'Wist je dat ze haar moeder had vermoord?'

Lisa deinsde achteruit met een uitdrukking van verontwaardiging op haar gezicht. 'Haar moeder vermoord? Doe niet zo idioot. Het was Howard die haar moeder heeft vermoord. Hij was erachter gekomen dat ze iets had met Rinks van Leer en hij is die laatste morgen Jenna hierheen gevolgd. Hij wilde haar liever dood hebben dan dat hij zijn idiote christelijke principes geweld aan moest doen. Tegen de tijd dat Jay kwam om met haar moeder te praten was Jenna dood. Hij had haar met zijn cricketbat een klap op haar achterhoofd gegeven. Dat ding liet hij vervolgens naast haar op de vloer liggen.' Lisa rolde met haar ogen. 'Nou, duh. Dus Jay is net op tijd om hem nog te zien wegrennen over de boulevard. Ze is bang dat hij een stokje wil steken voor haar ontsnappingsplannen, dus rent ze naar boven, naar deze flat. En dan ziet ze hoe haar leven voor haar ogen in elkaar stort. Moeder dood, stiefvader kan elk moment de gevangenis in draaien voor moord. Wat zal er nu met haar gebeuren? Haar hele wereld dreigt in elkaar te klappen. De politie, de kerk, de media. Ze zal niet haar eindexamen kunnen doen en naar Oxford gaan als dat allemaal gaande is, hè? Het minste van twee kwaden is een weggelopen moeder. Heb ik gelijk of niet?' Ze zweeg, in afwachting van een reactie.

'Absoluut,' zei Charlie. Dit was niet het juiste moment om kritiek te hebben op een verhaal wat wel eens waar zou kunnen zijn. 'Ze heeft dus het lichaam verstopt?'

'Precies.' Lisa klonk alsof ze een leerling feliciteerde die bijzonder traag van begrip is. 'Er slingerden hier overal bouwmaterialen rond die waren blijven liggen. Jay had lang genoeg zonder een vast adres geleefd en kende de basisprincipes van doe-het-zelfwerk. Ze haalde de onderste planken weg en verstopte Jenna met koffer en al achter een muur.' Lisa keek over Charlies schouder. 'Maar ik denk niet dat ze verwachtte dat er van Jenna alleen nog maar een mummie zou overblijven.' Ze fronste haar wenkbrauwen. 'Toen ze me erover vertelde kreeg ik de indruk dat ze Jenna ergens in een luchtdichte omgeving had verzegeld. Maar die verwarmingsroosters en de schoorsteen – die moeten het lijk helemaal hebben uitgedroogd en ze hebben ook alle luchtjes meegenomen naar de bovenste verdieping.' Ze trok haar neus op. 'Maar oude mensen stinken sowieso, hè? Je zoekt er niets achter als het een beetje stinkt in de flat van een bejaarde.'

'Heeft ze je erover verteld?'

Lisa knikte gretig. 'Zo bijzonder is onze relatie nu eenmaal. Ze heeft het nooit aan iemand anders verteld, maar op een avond, toen we samen in bed lagen, heeft ze het me verteld. Ik moest een manier vinden om dat vertrouwen te belonen. Dus toen Jess Edwards Jay bedreigde, deed ik wat er gedaan moest worden.' Weer die glimlach, zo normaal dat Charlie alweer haar maatstaf voor een gek moest bijstellen. 'Hetzelfde gold voor die Zweedse programmeur. Ik weet zijn naam niet eens meer.' Ze schudde met gefronst voorhoofd haar hoofd. 'Wat raar.' Ze haalde haar schouders op. 'Hoe dan ook, daar heeft Jay veel aan gehad, omdat ik ook al zijn werk in handen kreeg. Ze zei tegen me dat ik mijn punt had gemaakt, dat ik dat niet nog eens hoefde te doen. Maar toen ik haar afgelopen zomer in Oxford op Schollie's zag en ze me vertelde hoe ze Magda tegen het lijf was gelopen en hoeveel dat haar had gedaan, zag ik dat ze niet gelukkig kon zijn als ze niet een poosje met dat lieve bruidje kon spelen. Ik kan er niet tegen als ze ongelukkig is.'

416

'Heb jij Philip Carling vermoord? Dat was jij?' Ditmaal kon Charlie niet verhullen hoe geschokt ze was.

'Natuurlijk. Ik was dat weekend op dezelfde conferentie als Jay. We hebben samen iets gedronken, pal nadat ze Magda was tegengekomen. Ze was op een andere planeet. Ik deed wat iedereen die echt van haar hield zou doen. Ik heb haar gelukkig gemaakt.'

Het was lang stil. 'Je vertelt me dit omdat je van plan bent me te vermoorden, hè?'

Voordat Lisa iets kon antwoorden, ging Charlies telefoontje. Lisa haalde het uit haar zak en keek op het schermpje. 'Nick Nicolaides,' zei ze. 'Wie is dat?'

'Gewoon een vriend,' zei Charlie. Ze deed haar best om onverschillig te klinken.

'Een vriend? Echt waar? Nou, laten we eens zien wat je vriend te zeggen heeft tegen jouw voicemail.' Ze wachtte, de telefoon voor zich uit houdend zodat ze Charlie in het oog kon houden. Algauw klonk er een piepje dat een voicemail aankondigde. Lisa drukte op het icoontje om het op de luidspreker te zetten en luisterde aandachtig, maar naarmate de betekenis van de boodschap tot haar doordrong ging ze steeds grimmiger kijken.

'Charlie, met Nick. Het is ongelooflijk, maar die mensen van het telefoonbedrijf hebben teruggebeld. Jay heeft een telefoontje gepleegd vanaf de berg. Het gesprek duurde twaalf minuten. Het nummer dat ze belde is van de vaste telefoonlijn van Lisa Kent. Is dat niet de vrouw met wie je over Jay hebt gepraat? Pas op, misschien moet je wel voor rugdekking zorgen. Bel me als je dit hoort.'

Het had nauwelijks erger kunnen zijn, dacht Charlie. Ze kon nu niet aankomen met een belofte dat ze er met niemand over zou praten. Dat had geen zin.

Lisa vertrok haar bovenlip in een grijnslach. 'O Charlie, je moest je er weer mee bemoeien, hè?'

'Wat heb je tegen haar gezegd, Lisa? Heb jij haar gezegd dat ze het touw door moest snijden? Ging het telefoontje daarover?' Tijd voor de aanval, dacht Charlie. Ze had er niets aan als ze passief bleef afwachten.

'Ze belde me omdat ze mij daarvoor als laatste had gebeld. Ze wilde dat ik het bergreddingsteam waarschuwde omdat ze hun nummer niet had, en haar batterij was bijna leeg. Ik heb haar ervan overtuigd dat als ze er niet binnen twee uur waren ze het touw moest doorsnijden en zichzelf in veiligheid moest brengen. Toen ben ik gaan winkelen.' Ze grijnsde. 'Pas na een uur of twee had ik tijd om hen te bellen. Wat maar goed was ook, want Kathy deed heel moeilijk over de verkoop van *doitnow.com*.'

'Ik denk niet dat het doorsnijden van het touw Jay erg gelukkig heeft gemaakt.'

Lisa haalde haar schouders op. 'Een tijdlang niet, nee. Maar op de lange termijn was het de beste oplossing.'

Charlie twijfelde er geen moment aan dat ze hier te maken had met een van de meest gestoorde persoonlijkheden die ze ooit was tegengekomen. Ze schaamde zich dood dat ze ooit zo dom had kunnen zijn om stapelverliefd op haar te worden. Maar daar stond tegenover dat het raffinement en de consistentie van Lisa's bedrog en haar vermogen om het te verbergen wonderbaarlijk waren. Het probleem was nu dat Lisa haar, Charlie, wel moest vermoorden, anders werd haar zelfbeeld onherroepelijk beschadigd. Het was tijd voor wat zelfredzaamheid en wel op de enige manier die ze kende. 'Mij vermoorden is echt een heel slecht idee,' zei Charlie.

'Dat denk ik niet.'

'Een heleboel mensen weten dat ik bezig een onderzoek naar Jay in te stellen. Nick Nicolaides, Maria, Corinna Newsam. Als ik hier opeens dood opduik naast het lichaam van Jenna, dan wijst dat rechtstreeks naar Jay. Je zou haar midden in de vuurlinie plaatsen.'

Lisa lachte. Het klonk niet in het minst krankzinnig; meer of een normaal iemand een goede grap heeft gehoord. 'Goed geprobeerd, Charlie. Maar niet goed genoeg. Zie je, toen Jay het lichaam heeft verborgen heeft ze tegelijk ook het moordwapen mee terug naar huis genomen. Ze heeft het afgeveegd en teruggezet op de plek waar het hoorde te staan: in de schuur achter het huis van Howard Calder. Het heeft daar al die tijd gestaan.' Ze liep een klein stukje terug de hal in en reikte met haar linkerhand naar beneden. Ondertussen hield ze Charlie nauwlettend in de gaten. Ze kwam weer tevoorschijn met een cricketbat in haar hand. 'Tot vanmorgen. En kijk, hier, boven op de platte kant. In het hout gebrand. H. CALDER. Er zitten waarschijnlijk nog sporen van het DNA van Jenna op. En jouw DNA komt daar straks bij.'

'Waarom zou Howard mij willen vermoorden?'

'Logisch, omdat jij hebt ontdekt dat hij Jenna heeft vermoord.'

Charlie schudde in verwarring haar hoofd. 'Waarom zou Howard het moordwapen bewaren? Wat hem betreft heeft hij het laten liggen op de plaats delict. Hoe gaat hij reageren als het opeens in zijn schuurtje blijkt te liggen?'

'Een goede vraag. Volgens Jay dacht hij dat alles wat er op de moord volgde bewees dat God hem een dienst had bewezen. De verdwijning van het lichaam en het weer opduiken van het cricketbat moeten hem erg hebben verbaasd. Jay heeft altijd gedacht dat hij daarom zoveel stennis bij de politie heeft geschopt over Jenna's verdwijning. Hij dacht dat hij onkwetsbaar was omdat God aan zijn kant stond. Hij had het werk van God gedaan, hij had een zondares uit de weg geruimd. Hartstikke gek, als je het mij vraagt.'

Nou, hij was niet de enige, dacht Charlie. 'Nick weet wie je bent,' zei ze. 'Hij is bij de politie. Hij gaat vragen stellen.'

'Hij zal een soort roepende in de woestijn zijn. Het gaat me lukken, Charlie. Net als altijd.' Ze zette het slaghout tegen de deurpost, deed een stap naar voren en hield de pepperspray omhoog. 'Vaarwel, Charlie.'

'Nee, Lisa.' De stem kwam vanuit de hal. Lisa verstijfde en toen verspreidde zich een blik van blijde verbazing over haar gezicht. Ze draaide zich half om toen Jay Stewart de kamer in liep. De spray wees nog steeds naar Charlie, maar haar blik draaide naar de deur.

Het was een halve kans voor Charlie, maar ze durfde het risico niet te nemen. Ze had geen idee aan wiens kant Jay stond. Was ze hier om Lisa te helpen of om Charlie te redden? Of om een heel andere reden?

Jay keek langs Charlie heen naar de resten van de muur die ze negentien jaar geleden had gebouwd, en ze huiverde. 'Jezus,' zei ze met een van pijn vertrokken gezicht. 'Ik heb nooit gedacht...' Haar stem stierf weg en ze veegde ruw met een hand over haar ogen. Toen wist ze zich op de een of andere manier te herpakken. Charlie zag hoe ze haar schouders rechtte en haar kaak naar voren stak. 'Het wordt tijd om hiermee op te houden, Lisa. Hier help je me niet mee. Ik wil niet nog meer doden op mijn geweten hebben.'

Lisa's glimlach zag er voor het eerst wat onecht uit. 'Jíj hoeft ze niet op je geweten te hebben. Ze hoeven jóú geen hoofdbrekens te kosten.'

Jay schudde haar hoofd. 'We zullen het hier nooit over eens worden, Lisa,' zei ze droevig. 'We zijn geen superieur soort, jij en ik. We zijn mensen, net als de mensen die je hebt vermoord. Ik wil dat het ophoudt. Zo niet, dan zal ik nooit meer gelukkig zijn.' Ze liep terug naar de deur zodat Lisa niet tegelijk haar en Charlie in de gaten kon houden.

Lisa's hoofd draaide van de een naar de ander, als een toeschouwer bij een tafeltenniswedstrijd. 'Je weet niet wat goed voor je is, Jay. Dat heb je nooit geweten. Dat is altijd het probleem geweest.' Ze sloeg zich met de vrije hand op de borst. 'Degene die het wel weet, dat ben ik. Over de hele wereld accepteert men dat ik degene ben die weet wat het beste is. Ze komen naar mijn seminars, ze kopen mijn boeken. Omdat ik het begrijp, omdat ik weet wat het beste is.'

Jay schudde haar hoofd. 'Ik ga er geen ruzie over maken, Lisa. Ik heb hier genoeg van.' Ze stak haar hand uit. 'Geef die pepperspray nou maar aan mij.'

Lisa zag eruit alsof ze in huilen zou uitbarsten. Ze werd verscheurd tussen wat ze wilde doen en wat Jay van haar vroeg. 'Dat kan ik niet doen,' riep ze. 'Je moet me vertrouwen, Jay. Ga weg, alsjeblieft. Je hoeft hier niet bij betrokken te zijn. Ik handel het wel af. Zoals altijd.'

'Ik ga niet weg.' Jay kwam wat dichter bij Lisa staan, waardoor ze de hoek sloot en ze het moeilijker maakte voor Lisa om beide vrouwen in het oog te houden.

Opeens gaf Lisa Jay een harde duw tegen de borst, waardoor ze tegen de muur aan knalde. 'Ik doe dit voor jou,' schreeuwde ze, waarna ze zich vliegensvlug omdraaide en voor Charlie stond. Charlie kneep haar ogen stijf dicht en liet zich op de grond vallen. Maar in plaats van het gesis van de spuitbus dat ze verwachtte, hoorde ze geschuifel van voeten, een bons en het gekletter van iets metaligs dat op de vloer viel. Daarna een stem die schreeuwde: 'Nee, Lisa.' Een kreet en het geluid van vechtende lichamen.

Charlie krabbelde achteruit tot ze tegen de schoorsteenmantel aan zat, deed toen pas haar ogen open en zag Lisa die op de vloer lag te worstelen met Jay. 'Laat me los,' gilde Lisa. 'Ik doe dit voor jou.'

Jay probeerde tegenwicht te bieden en gaf een grom toen Lisa haar een elleboogstoot in haar ribben gaf. 'Verdomme, help me toch,' riep ze.

Charlie had niet meer gevochten sinds ze zes was, maar ze was niet kansloos en het was wel haar leven dat op het spel stond, bedacht ze, toen ze haar lichaam over de trappelende benen van Lisa gooide. Ze draaide haar hoofd om en zag nog net hoe Jay uithaalde voor een klap tegen het hoofd van Lisa, dat op de grond klapte. Versuft probeerde Lisa Jay nog een klap terug te geven, maar Charlie was in staat haar bij de pols te pakken.

En toen was het voorbij. Lisa verslapte, alle vechtlust was verdwenen. Jay bleef op haar zitten en trok de ceintuur uit haar spijkerbroek. 'Bind haar enkels vast,' beval ze Charlie.

Charlie voelde zich zo stom als een acteur in een slecht tv-programma, maar ze gehoorzaamde en stond toen op. Behoedzaam kwam Jay overeind en ging van Lisa af, die haar gezicht wegdraaide en haar armen stevig om zichzelf heen sloeg. Haar kaak was al rood en gezwollen en de blauwe plek was ook al zichtbaar. 'Het spijt me,' zei Jay. Ze trok haar kleren recht en streek met haar hand door haar haren.

'Daar is het een beetje laat voor,' zei Charlie. 'Vier mensen dood, alleen maar omdat je haar tot nu toe haar gang hebt laten gaan? Je vergist je als je denkt dat je het op die manier kunt goedmaken.'

'Wat doen we nu? Ga je nog een paar levens verwoesten? En waarvoor? Een of ander krankzinnig rechtvaardigheidsgevoel? Ik weet alles over jouw relatie met rechtvaardigheid, dr. Flint. En hetzelfde geldt voor de families van vier dode vrouwen.'

Alle woede die Charlie onder controle had kunnen houden kwam opeens naar buiten. 'Als we Lisa Kent achter de tralies zetten, redt dat levens. Mijn leven, bijvoorbeeld.'

'Je weet dat dat niet waar hoeft te zijn. Je ziet toch dat ze zo gek is als een deur? Je hebt vast wel een collega die het met je eens zal zijn dat ze moet worden opgenomen. Voor haar eigen veiligheid. Kijk haar eens.' Ze wees naar Lisa, die wat onsamenhangend zat te brabbelen in het vloerkleed. 'Als ze al zo heftig reageert op het onbenullige feit dat ik me tegen haar keer, denk ik dat we met een gerust hart kunnen stellen dat ze aantoonbaar hartstikke gek is.'

Charlie schudde haar hoofd. 'Haar bedrog is te georganiseerd. Ze krijgt zichzelf weer onder controle en dan overtuigt ze de geleerde heren ervan dat ze zo normaal is als redelijkerwijs van iemand kan worden verwacht. Dan komt ze vrij en wie weet wat ze dan weer denkt te moeten doen. Je kunt er niet omheen, Jay. We moeten de politie bellen.'

'Dan zet je Howard Calder ook achter de tralies.'

'Daar hoort hij ook. Hij heeft je moeder vermoord. Doet je dat niets?'

Jay zuchtte en keek uit het raam. 'Ik denk dat Howard al twintig jaar in zijn eigen privéhel woont. Gevangenis, straf, pijn – die zal hij als een opluchting ervaren. Dus nee, ik wil niet dat de wet zijn zielige prijs van Howard opeist. Ik vind het prima om het zo te laten.'

'Je hebt het recht niet om die keuze te maken. Er is een prijs die we ervoor betalen dat we deel uitmaken van de gemeenschap. Je kunt geen regels opstellen die alleen voor jou gelden. Het kan me niet schelen hoeveel geld je hebt of dat je zo'n goede zakenvrouw bent. De wet is niet altijd eerlijk. Niemand weet dat beter dan ik op dit moment. Maar we hebben niets beters. Geef me nu jouw mobieltje maar.'

Jay schudde haar hoofd. 'Dat kan ik niet doen, Charlie. Ik kan niet naar de gevangenis gaan. Dan ga ik dood. Nog afgezien van hoe het voor Magda is – die helemaal nergens schuld aan heeft. Denk je nu echt dat Corinna wilde dat je het leven van haar dochter verwoestte toen ze jou die opdracht gaf? Want dat doe je wel op deze manier.'

'Magda heeft het recht te weten met wat voor vrouw ze samenleeft.'

'Jezus,' barstte Jay uit. 'Het enige wat ik heb gedaan is rugdekking verlenen aan andere mensen. Ik heb nooit iemand kwaad gedaan. Behalve Kathy, en ik heb geprobeerd haar te redden, echt waar. Ik ben hier niet de slechterik.' Ze gaf een trap in de richting van Lisa, die op de grond lag. 'Zíj is de moordenares, niet ik.'

'Je had haar tegen kunnen houden. Je had levens kunnen redden.'

'En jij had Bill Hopton kunnen tegenhouden. Jij had óók levens kunnen redden,' schreeuwde Jay. 'Maar niemand stuurt jou naar de gevangenis, hè?'

'Ik kon hem volgens de wet niet tegenhouden,' zei Charlie, nu woedend. 'Omdat Bill Hopton toen nog niemand vermoord had. In tegenstelling tot Lisa.'

Jay wierp een snelle blik om zich heen alsof ze ergens inspiratie vandaan wilde halen. Toen keek ze Charlie aan en gooide al haar charmes in de strijd. 'Hoor eens, wat denk je hiervan. Geef me een voorsprong. Vierentwintig uur. Dan heb ik genoeg tijd om ergens heen te gaan waar we geen uitleveringsverdrag mee hebben. Een goede plek waar Magda ook naartoe kan komen.' Jay spreidde haar handen. 'Ik ben geen misdadiger. Niemand zal doodgaan vanwege mij als Lisa er niet meer is.'

Toen knapte er iets in het hoofd van Charlie. Ze had er genoeg van dat mensen een loopje met haar namen. Ze had er genoeg van om de zondebok te zijn. Ze was het beu om te worden afgedaan als onbelangrijk en onvoldoende. Ze had het helemaal gehad met mensen die vonden dat wat zij wilden het enige was dat telde.

Ze liet de smalle metalen bus die ze van de vloer had opgeraapt in haar hand glijden zonder dat Jay die naar het raam was gelopen het merkte. 'Dus je vindt dat je die kans verdient?' vroeg Charlie op een harde, gevoelloze toon. Toen Jay zich naar haar omdraaide, tilde ze haar hand op en bespoot haar met peper.

Schreeuwend en hoestend viel Jay op de grond met haar handen voor haar gezicht. 'Kutwijf,' sputterde ze.

'Als het moet, doe ik het weer.' Charlie liep van haar weg en stapte over Lisa heen. Ze ging op haar hurken naast haar zitten en zei: 'En als jij iets probeert uit te halen, krijg jij ook een portie.' Maar het was een onnodige voorzorgsmaatregel: op dat moment was Lisa te ver heen om het te horen. Charlie viste haar telefoontje uit de jaszak van Lisa en liep de hal in, zodat ze buiten bereik van de rondzwevende peper was. En plotseling voelde ze zich volledig uitgeput. Ze kon bijna niet meer op haar benen staan en voelde zich duizelig. Maar er was iets wat ze eerst nog moest doen. Uitgeput koos ze 112. 'Kunt u me doorverbinden met de politie,' zei ze. 'Ik wil een moord melden.'

ACHT MAANDEN LATER

De drie mensen aan tafel waren vanuit alle windstreken bij elkaar gekomen in het Turkse restaurant. Rechercheur Nick Nicolaides was vanuit het ministerie van Buitenlandse Zaken gekomen, waar hij was bijgepraat door een ambtenaar van de afdeling Spanje. Maria Garside had een taxi genomen vanaf Euston Station; de snelle en regelmatige dienst van Virgin Pendolino vanuit Manchester betekende dat ze het gros van haar middagafspraken kon afhandelen en toch nog op tijd in de hoofdstad kon zijn voor het avondeten. Dr. Charlie Flint had een bijeenkomst in Holborn gehad met degenen die moesten vaststellen hoeveel schadeloosstelling ze zou krijgen van haar verzekering.

'En? Gaan we champagne drinken?' vroeg Maria, die er het eerst was en die langzamerhand wel zin had in een drankje. 'Ik heb al een assortiment van de *mezze* besteld.'

Nick, die in de deuropening al bijna tegen Charlie was op gebotst, trok vragend een wenkbrauw op. 'Mijn afspraak bevestigde alleen maar wat we al hadden gehoord. En daar mogen we gerust een glas champagne op drinken. Maar ik ga geen bubbeltjes drinken als Charlie ook geen resultaat heeft geboekt.'

Maria keek Charlie even taxerend aan. 'Acht jaren zijn we al bij elkaar, en ze denkt nog steeds dat ze een geheim kan bewaren.' Ze grijnsde. 'Ik denk dat we een flesje Bollinger kunnen bestellen. Heb ik gelijk of niet?'

Charlie leunde achterover in haar stoel en ademde diep uit. 'In het licht van het besluit van het Medisch Tuchtcollege dat ik me tijdens de hele zaak van Bill Hopton correct heb gedragen binnen de grenzen van mijn beroep, hebben mijn verzekeraars ermee ingestemd om alle uitstaande eisen van de families van zijn slachtoffers te betalen. Dus ja, Nick, een resultaat. En ja, Maria, dit is zeer zeker een fles champagne waard.'

Een brede glimlach deed Maria's gezicht stralen, en daar werd Charlie zelfs nog blijer van dan van het nieuws zelf. Toen het Medisch Tuchtcollege de klachten tegen Charlie had verworpen, had ze pas goed gemerkt hoe groot de stress bij haar partner was geweest. Dat Maria zo weinig eisen had gesteld gedurende die tijd in het vagevuur had Charlie er op een positieve manier aan herinnerd hoe ze bofte dat ze haar nog steeds had.

'Godzijdank,' zei Maria, terwijl Nick de ober een seintje gaf.

Toen de champagne was besteld, zaten ze elkaar stralend aan te kijken, genietend van het gevoel dat ze een beproeving hadden doorstaan. 'Maar wat hadden ze bij Buitenlandse Zaken te zeggen?' vroeg Charlie.

'Lisa's advocaten hebben geprobeerd om haar ontoerekeningsvatbaar te laten verklaren, maar het hof wilde daar niet van horen.'

'Dat is niet zo verwonderlijk als het misschien lijkt,' zei Charlie. 'Als ze niet toevallig over de vloer rolt en allerlei onzin brabbelt, is ze in staat om een hoog niveau van normaal gedrag te simuleren. Er zijn erg weinig situaties waarin ze niet zou kunnen doorgaan voor redelijk normaal.'

Nick trok een grimas. 'Jouw idee van normaal en het mijne lijken blijkbaar absoluut niet op elkaar.'

'Je hebt haar nooit op haar allercharmantst meegemaakt. Dan is ze erg overtuigend,' zei Maria. 'Dan had ze jou ook helemaal betoverd. Net als die duizenden OMK-adepten.'

'Ik zal je op je woord moeten geloven. Hoe dan ook, omdat de Spanjaarden haar per se een proces wilden aandoen, heeft haar team van advocaten haar aangeraden om schuld te bekennen. De forensische bewijzen waren echt onweerlegbaar. Overal in de villa waarin Ingemarsson is vermoord zat haar DNA. Haar naam stond geregistreerd voor de overtocht met de veerboot en hetzelfde geldt voor het hotel waar ze heeft overnacht in de buurt van Santander. Die berg van bewijzen is er altijd wel geweest, maar ze hebben er nooit een bijpassende verdachte bij gehad.'

'Ongelooflijk, zo slordig als ze is geweest,' zei Maria. 'Het is net alsof ze gepakt wilde worden.'

'Dat is ook zo bij sommige moordenaars. Maar ik denk niet dat het bij haar zo was.' Charlie zweeg, terwijl de ober de champagne inschonk. Ze hieven het glas, waarna Charlie vervolgde: 'Ik denk dat Lisa geloofde dat ze onoverwinnelijk was. Dat ze voor een zaak vocht die zo overduidelijk rechtvaardig was dat niemand haar kon tegenhouden. Het is een soort magisch denken, waar sommige megalomane persoonlijkheden zich schuldig aan maken. Ze heeft gewoon geluk gehad.'

'Verdomd veel geluk,' zei Nick verbitterd. 'Ik kan nog steeds niet geloven dat die stommeriken van het openbaar ministerie vonden dat er niet genoeg bewijzen waren om haar te vervolgen voor al die afschuwelijke dingen die ze hier op haar geweten heeft.'

Charlie haalde haar schouders op. 'Toen het zover was, wisten ze dat de Spanjaarden het vuile werk voor hen zouden opknappen. Hoeveel heeft ze gekregen?'

Nick keek somber. 'Dertig jaar. Geen lolletje in een Spaanse gevangenis.'

'Daarom is haar advocaat al aan het proberen haar overgeplaatst te krijgen naar een gevangenis in Groot-Brittannië. En als hem dat lukt, dan durf ik er mijn mooiste gitaar wel onder te verwedden dat ze die tijd zal doorbrengen in een psychiatrisch ziekenhuis en niet in een gevangenis.'

'Hoe kun jij nu weten wat haar advocaat in zijn schild voert?' vroeg Nick enigszins verontwaardigd.

Charlie keek lichtelijk beschaamd. 'Omdat ik hen help bij het opbouwen van de zaak.'

Nick keek stomverbaasd. 'Ze heeft geprobeerd je te vermoorden, Charlie.'

'Dat weet ik. Maar ze is ziek.' Charlie zat wat te friemelen aan de steel van haar glas. 'Ze kan hier niet verantwoordelijk voor worden gehouden. De persoon die hier rekenschap voor zou moeten afleggen en die dat nooit zal hoeven te doen, is Jay. Daarom heb ik haar bij me laten roepen en heb ik haar alles van voren af aan laten vertellen.'

'Heb jij gesprekken met Jay Stewart gevoerd?' Nicks stem schoot een octaaf omhoog.

Charlie haalde haar schouders op. 'Waarom niet? Ze heeft tegenwoordig toch niets beters te doen. Oké, ze heeft slechts een voorwaardelijke straf gekregen voor het verbergen van het lichaam, maar daardoor is ze persona non grata bij de aandeelhouders van 24/7. Ze hebben haar uit het bestuur gezet en ze moet zich koest houden en haar wonden likken. Dan kan ze net zo goed met mij praten.'

Nick schudde verbijsterd zijn hoofd. 'Je blijft me verbazen, Charlie. En wat zegt ze zo allemaal?'

'Ik heb eindelijk gehoord hoe het in elkaar zit. Lisa Kent was niet altijd Lisa Kent. Ze is begonnen als Louise Proctor. Jay en zij zijn verliefd op elkaar geworden op Schollie's en ze hadden toen een heftige relatie die hen helemaal opvrat. Jay heeft een fatale fout begaan door haar te vertellen over de moord op Jenna en hoe ze het lichaam had verstopt. Ze zegt dat Lisa toen macht over haar kreeg, maar uiteraard is dat voor een deel ongelooflijke onzin. Ze moet hebben geweten dat de straf voor wat zij deed verwaarloosbaar was vergeleken bij wat Lisa deed.' Charlie zag haar eigen woede en walging weerspiegeld op de gezichten van haar tafelgenoten. 'Zelfs toen al was duidelijk dat Lisa een obsessieve persoonlijkheid had en toen Jess Edwards haar campagne tegen Jay ging voeren vond ze dat het haar taak was om haar geliefde te beschermen. Dus heeft ze Jess vermoord. Het was Louise die Corinna die morgen in de wei heeft gezien, niet Jay.'

Het was even stil aan tafel, terwijl ze allemaal dachten aan de gevolgen van die foute identificatie. 'Natuurlijk stond ze onder verschrikkelijke stress, doordat ze een moord had gepleegd, ook al was ze ervan overtuigd dat ze volkomen in haar recht stond om Jay te beschermen op elke manier die noodzakelijk was. Maar daarna is haar familie helemaal geflipt toen ze erachter kwamen dat ze verwikkeld was in een lesbische liefdesaffaire. Ze hebben haar meegenomen naar een of ander oerorthodox katholiek tehuis, en daar heeft ze prompt tot twee keer toe geprobeerd zich van het leven te beroven. Ze is er psychisch volledig ingestort. Ze is er een jaar tussenuit geweest, is toen weer naar Oxford teruggekomen, maar niet naar Schollie's. Ze heeft zich over laten schrijven naar Univ, heeft haar naam veranderd en heeft zichzelf gereconstrueerd. Ze heeft zelfs nog geprobeerd zichzelf te veranderen in een net heteroseksueel meisje.'

'Het perfecte recept om geestelijk gezond te blijven,' zei Maria droog.

'Nou, het functioneerde wel op een oppervlakkig niveau. Het ging zo goed dat ze alle therapeutische wegen die ze zelf ook had bewandeld wist te combineren tot een zelfhulpprogramma dat geleidelijk aan meer en meer aanhangers kreeg.' Charlie zuchtte. 'Het zou leuk zijn te denken dat ze er misschien wel iets van had gemaakt als Jay niet opnieuw haar pad had gekruist. De realiteit is dat ze waarschijnlijk iemand anders had gevonden die als uitlaatklep moest dienen voor haar waandenkbeelden.'

'Maar ze is Jay dus weer tegen het lijf gelopen?' vroeg Maria.

Voordat Charlie kon antwoorden, werden de eerste schalen op tafel gezet. Een estafetteploeg van obers stalde een flink aantal gerechten voor hen uit, en er was een korte pauze terwijl ze begonnen te eten. 'Hoe zijn ze elkaar weer tegengekomen?' vroeg Nick nadat hij een heel pitabrood volgeladen met auberginekaviaar had verorberd.

'Volgens Jay heeft Lisa een artikel over haar gelezen toen *doitnow.com* begon te lopen. Op een morgen, toen Jay op haar kantoor kwam, stonden er overal bloemen. Er was een kaartje bij met de naam van een bar en een tijdstip. Jay dacht dat een openbare gelegenheid geen kwaad kon, dus is ze erheen gegaan. En daar was Lisa.'

'Ik wed dat ze dacht dat ze gek werd,' zei Nick. 'Na al die tijd moet ze hebben gedacht dat ze definitief van Lisa af was.'

'Volgens Jay heeft ze haar best gedaan om er niet opnieuw in gezogen te worden. Maar Lisa is heel overtuigend. En ze kan heel goed veinzen dat ze normaal, geestelijk gezond en sympathiek is. En dan was daar nog de kwestie van de moord op Jess.

Jay wist heel goed dat zij de persoon was met het motief en zonder alibi. Ze beweert dat ze bang was voor wat Lisa zou kunnen doen als ze elk contact weigerde. In plaats daarvan gaf ze Lisa een koekje van eigen deeg en kwam ze op de proppen met dat interessante verhaal over hoe ze ervoor bestemd waren om bij elkaar te zijn, maar nu nog niet. Ze moesten eerst tests en beproevingen doorstaan voordat ze elkaar waard zouden zijn.'

'Tjee,' zei Maria. 'Kun je me er nog even aan herinneren wie van de twee nu gek is?'

'Jay duidelijk niet,' zei Nick. 'Zij is degene die hier wegkomt met een voorwaardelijke straf. Haar stiefvader heeft levenslang gekregen voor de moord op haar moeder, haar ex zit voor dertig jaar vast in een Spaanse gevangenis en Corinna Newsam heeft haar baan moeten opgeven, omdat ze niet gezegd heeft dat ze iemand gezien had in de wei. Maar Jay heeft al haar aandelen in *24/7* nog, plus haar grote huis in Chelsea en haar leuke leventje.'

'Niet helemaal zo leuk meer,' bracht Charlie naar voren. 'Ze heeft Magda niet.'

'O nee? Dat wist ik nog niet,' zei Nick.

'Heb ik dat niet verteld? Magda heeft haar de bons gegeven, meteen nadat ze hoorde dat Lisa Philip vermoord had. Ze beseft dat Jay dat de hele tijd moet hebben geweten en dat dat hele gedoe met Joanne en Paul alleen maar een stunt was om de indruk te wekken dat Jay alles voor haar overhad. Magda was er helemaal kapot van dat die twee dat hele moordproces hebben moeten doormaken, omdat Jay zo nodig indruk moest maken op haar.'

'Ook al waren ze wel schuldig aan die handel met voorkennis, waar ze nog steeds voor in de gevangenis zitten,' zei Maria een beetje hardvochtig.

'Die arme Magda. Nóg een leven dat helemaal is verpest dankzij Jay en Lisa,' zei Nick.

'Niet helemaal,' zei Maria. 'Vertel het maar, Charlie.'

'Corinna is woedend. Magda heeft het aangelegd met een lesbische schouwburgdirecteur die nu via donorinseminatie zwanger probeert te worden. We hopen allemaal dat Henry een beroerte krijgt als dat uiteindelijk gaat lukken.'

'Dus Magda heeft nog een soort happy ending,' zei Maria. 'En ze heeft al het geld dat Philip via handel met voorkennis had gekregen weggegeven aan de afdeling oncologie waar ze werkt. We hebben haar een paar weken geleden mee uit eten genomen en ze heeft ons alles verteld over de prachtige nieuwe apparatuur die ze er nu hebben staan.'

Voordat hij kon reageren kwam er een waterval aan akoestisch getokkel uit Nicks jas. Hij pakte zachtjes vloekend zijn mobieltje. 'Sorry. Dit moet even,' zei hij terwijl hij overeind sprong en naar de deur liep. 'Werk. Sorry.'

Charlie keek hem met een vertederde glimlach na. Toen wendde ze zich weer tot Maria. 'Ik ben blij dat de rechtszaak achter de rug is. Ik weet dat er nog veel te doen is om Lisa hier terug in het land te krijgen op een geschikte plek, maar ik heb nu wel het gevoel dat het voorbij is.'

Maria legde haar vork neer en keek Charlie toen lang en doordringend aan. 'Je was verliefd op haar, hè?'

Charlie had het gevoel of er zich opeens een gapend gat onder haar voeten had geopend. 'Wat?' flapte ze eruit.

Magda glimlachte een beetje triest. 'Het is al goed, Charlie. Ik weet dat het over is.'

'Ik heb nooit...'

Maria boog zich naar voren en legde een vinger op Charlies lippen. 'Sst. Je hoeft het niet uit te leggen. Ik denk dat ze jouw duivelse minnaar was, net als in die volkssprookjes. De onweerstaanbare minnaar. Ik zal eerlijk zijn, Charlie. Ik was bang dat ik je zou verliezen. Toen ik zag hoe je haar blik ontweek op Skye, wist ik zeker dat je haar boven mij zou verkiezen.'

'Ik zou jou niet in de steek kunnen laten,' zei Charlie; haar stem brak onder de spanning.

'Dat weet ik nu. Maar toen wist ik dat niet. Ik ben blij dat je weer met beide benen op de grond terecht bent gekomen.'

Charlie slikte hevig. 'Ik ook.' Op dat moment kwam Nick weer met een opgeluchte grijns op zijn gezicht met grote passen het restaurant in lopen.

Maria sprak nu snel, ze was vast van plan om haar zegje te doen, voordat hij weer bij hen was. 'Waag het niet om me nog eens te bedriegen. Want dan zou je willen dat Jay Lisa niet had tegengehouden om weer een scalp aan haar verzameling toe te voegen.' Haar glimlach had iets onverbiddelijks. 'En daar kun je gif op innemen.'

DANKWOORD

Dit boek heeft diepe wortels. Het begon met Mary Bennett en haar collega's in St. Hilda's College, Oxford, die iets in mij zagen dat een kans verdiende. Door een gelukkig toeval was ik net met dit boek bezig toen het huidige bestuur van het College mij tot eredoctor benoemde, een onderscheiding waar ik onnoemelijk trots op ben.

Meer in het bijzonder ben ik dank verschuldigd aan Manda Scott en Leslie Hills, die verscheidene klimscenario's met me hebben doorgenomen; aan professor Sue Black, als altijd van onschatbare waarde vanwege haar vermogen om de dingen uit te leggen en te beschrijven; aan mijn uitgever, David Shelley, dankzij wiens inzichten alles beter wordt; aan Stephanie Glencross, die als de beste weet hoe een goed verhaal in elkaar steekt; aan mijn bureauredacteur Anne O'Brien, die me op het rechte pad houdt; en aan mijn literaire agent Jane Gregory en haar team.

Ik denk niet dat ik dit zou kunnen doen zonder mijn vrouw Kelly en mijn zoon Cameron. Ik vermoed dat er weinig lol aan mij te beleven valt als ik midden in een boek zit, maar ondanks dat kan ik altijd rekenen op hun liefde, hun geduld, hun steun en – wat het allerbelangrijkst is – op hun humor. Ik hoef er nog maar vijfendertig, lieverds...